Haverford Twp. Free
Library
1601 Darby Rd.
Havertown, PA 19083
610-446-3082
library@haverfordlibrary.org
www.haverfordlibrary.org

Your receipt lists your
materials and due
dates

Online renewals at
www.haverfordlibrary.org
or
telephone renewals at
610-892-3257

Enhance and enrich your life?
Absolutely!

D1171311

АНДРЕЙ

СОВРЕМЕННЫЙ
РОССИЙСКИЙ
БЕСТСЕЛЛЕР

ВОРОНИН

СЛЕПОЙ

МЕТОД НОСТРАДАМУСА

МИНСК
СОВРЕМЕННЫЙ ЛИТЕРАТОР

УДК 882(476)
ББК 84(4Беи-Рус)
В 75

Воронин А.

В 75   Слепой. Метод Нострадамуса: Роман. — Минск: Современный литератор, 2008. — 320 с.

ISBN 978-985-14-1490-7.

Спецагент ФСБ Глеб Сиверов редко не выполнял задания, и в этот раз был уверен в успехе. Но попал в ловушку. О секретной операции знали немногие, и чтобы найти предателя, генерал Потапчук решает, что агент Слепой снова — уже в который раз! — должен считаться погибшим. Потапчук находит для Глеба «укромное местечко» на службе у своего приятеля генерала ФСБ Корнева. Но задание, которое теперь выполняет Сиверов, оказывается еще более опасным, ведь предатель совсем близко...

УДК 882(476)
ББК 84(4Беи-Рус)

ISBN 978-985-14-1490-7

ГЛАВА 1

Холодный затяжной дождь стучал в оконные стекла и барабанил по карнизам. Тройные стеклопакеты и задернутые плотные портьеры почти полностью глушили звук; уловить его можно было, только внимательно прислушавшись, и тогда он напоминал быструю дробь, выбиваемую кончиками пальцев на крышке стола.

Стоял ненастный вечер, снаружи было холодно, темно и сыро. Тем уютнее было сидеть в мягком кресле недалеко от камина, где за толстым закаленным стеклом весело пылали, постреливая и разбрасывая снопы золотистых искр, березовые поленья. От камина по всей комнате распространялось ровное сухое тепло; из-за сильного ветра, по временам задувавшего в трубу, в гостиной слегка попахивало дымком. Когда очередной порыв пригибал пламя, заставляя его испуганно приседать, по стенам и зеркальному потолку беспорядочно метались оранжевые блики. Лера сидела на диване, забившись в уголок, подобрав под себя красивые ноги, и при таком освещении была дивно хороша. Впрочем, хороша она была при любом освещении и в любом настроении — даже когда злилась или плакала. Лере было тридцать два — прямо скажем, не девочка, — но Альберт Витальевич не спешил с ней расстаться, хотя кое-кто, особенно по пьяному делу, уже начал намекать, что любовницу пора бы сменить, подыскать себе другую, помоложе. Женщин, говорили эти умники, надо менять часто, как и машины: чуть закапризничала — избавляйся, пока дело не дошло до капитального ремонта.

Изредка, под плохое настроение или после очередной ссоры, Альберту Витальевичу начинало казаться, что советчики правы, однако позже, слегка успокоившись и поразмыслив, он неизменно приходил к выводу, что все эти советы продиктованы не чем иным, как самой обыкновенной завистью. Лера была настоящая красавица и в свои тридцать два выглядела как минимум на десять лет моложе. Вдобавок к этому она была умна, с ней можно было поговорить и даже посоветоваться, и советы ее всякий раз оказывались дельными. Она никогда ничего не требовала и даже не просила; словом, если Лера чем-то и отличалась от настоящей жены — такой, какой настоящая жена должна быть в идеале, — так это отсутствием штампа в паспорте. Не нужно быть семи пядей во лбу, чтобы понять, что в перспективе она надеется этот штамп заполучить, но как раз в этом ее желании Альберт Витальевич не видел ничего предосудительного: плох тот солдат, который не мечтает стать генералом. Как сказал Козьма Прутков: «Девицы вообще подобны пешкам: каждая мечтает, но не каждой удается пройти в дамки». Короче говоря, мечтать не вредно; кроме того, если уж жениться во второй раз (а политику, как ни крути, жена необходима, не то оглянуться не успеешь, как тебя запишут в «голубые»), то Лера — это как раз то, что надо. Правда, Юрген в последнее время начал все чаще туманно намекать на какую-то угрозу, якобы исходящую именно от Леры. Его словам Альберт Витальевич привык доверять, но людям, в конце концов, свойственно ошибаться. И врать, кстати, им тоже свойственно. Мало ли, чего этот очкарик не поделил с Лерой!..

Повернув голову, Альберт Витальевич посмотрел в угол, где за низким столиком под включенным торшером шелестел своими бумажками, орудуя циркулем и линейкой, его личный астролог Эрнст Юрген. Никакой он был не Эрнст и, тем более, не Юрген. Звали его на самом деле Эдуардом Юркиным, и на свет он появился вовсе не в Прибалтике, как утверждал, а в поселке Козьмодемьянск, что расположен на территории бывшей Марийской АССР, а ныне — республики Марий-Эл. Всякий раз, вспоминая, что перед ним черемис, выдающий себя за эстонца, Альберт Витальевич с трудом сдерживал улыбку. Юргена можно было понять: астролог-мариец — это звучало довольно-таки комично. Да еще и Юркин...

Но при этом Юрген оказался действительно грамотным специалистом — настолько грамотным, что рядом с ним Альберту Витальевичу порой становилось не по себе. Этот тип, черт его подери, действительно умел заглядывать в будущее, и доброй половиной своих последних побед и достижений Альберт Витальевич был обязан именно ему. Это было нечто непостижимое, и Альберт Витальевич до сих пор считал, что такое невозможно, но это было, и постепенно он привык пользоваться плодами науки, в существование которой не верил, и искусства, которое считал просто набор ловких фокусов. В конце концов, услугами астрологов пользовались многие великие мира сего; даже у Гитлера все шло, как по маслу, пока он во всем слушался своего астролога. А потом астролог предсказал поражение под Москвой, и его сгноили в концлагере. Что из этого вышло, знает каждый, и каждому в наше время известно, что для достижения успеха хороши любые средства. Если астрология помогает — пусть будет астрология!

Альберт Витальевич выбрался из кресла и, присев на корточки перед камином, подбросил в огонь пару поленьев. Пошуровав в раскаленной кирпичной пасти кочергой, он закрыл стеклянную дверцу, вернулся в кресло и сделал глоточек виски из широкого низкого стакана.

— У меня был друг, — произнес он, обращаясь к Лере. — Мы с ним вместе начинали бизнес крутить. Эх, лихие были денечки! Так вот, приехал к нему как-то в гости американец — деловой, сама понимаешь, партнер. Ну, приятель мой, как водится, повез его к себе на дачу — банька, там, березки, шашлычки под водочку, девочки, то-се...

Лера слушала его, опустив журнал, который до этого листала. Уголки ее красивых губ были чуть приподняты, словно она собиралась улыбнуться, лицо выражало пристальное, благожелательное внимание — внимание, которого рассказ Альберта Витальевича, честно, говоря, не заслуживал. Она всегда слушала его с таким выражением, что бы он ни говорил — репетировал ли предвыборную речь, крыл ли на чем свет стоит конкурента или, вот как сейчас, болтал от нечего делать сущую чепуху.

— А на даче у моего приятеля был камин, — продолжал Альберт Витальевич, закуривая сразу две сигареты и одну из них протягивая Лере, — роскошь по тем временам прямо-таки царская. Ну, и вечерком он этот камин зажег... А американец ему и говорит: знаешь, мол, мистер Вася, я и так отношусь к тебе с подобающим уважением, незачем мне еще и пыль в глаза пускать... Мистер Вася, ясное дело, не понял, что случилось. «Какая, — говорит, — пыль?» А американец ему: так, мол, и так, я не хуже твоего знаю, сколько стоят березовые дрова. Разве же можно их просто так в камине жечь? Лучше бы, говорит, ты свой камин долларами топил...

Лера, наконец, улыбнулась, показав ровные белые зубы.

— По-моему, это байка, — сказала она своим бархатным голосом и затянулась сигаретой.

— По-моему, тоже, — согласился Альберт Витальевич. — Этот мой приятель обожал травить байки.

5

— Вы расстались? — спросила Лера.

Альберт Витальевич бросил в ее сторону быстрый косой взгляд, который, увы, ничего не прояснил: пушистые ресницы Леры были опущены, а на губах опять играла вежливая кошачья полуулыбка.

— Давно, — не очень охотно ответил он.

— А почему?

«Так тебе все и расскажи», — с неудовольствием подумал Альберт Витальевич.

— Да так, — сказал он, сопроводив свои слова неопределенным жестом, — жизнь развела... Ты же знаешь: в бизнесе друзей нет. А тем более в политике. Времена нынче такие, что совместного бизнеса ни одна дружба не выдержит.

Он замолчал, спохватившись, что едва не наговорил лишнего. Лера — это бы еще куда ни шло, но здесь ведь был еще и Юрген — привычный и безмолвный, как предмет мебели, но при этом все слышащий, все замечающий, мотающий на ус и включающий в свои непонятные простым смертным расчеты. Да и Лера, если разобраться, та еще штучка. Спать-то он с ней спал, но вот кто она такая и откуда взялась, знал исключительно с ее слов. Его служба безопасности билась над этой задачкой уже второй год подряд, но ни подтвердить, ни опровергнуть эти самые слова до сих пор так и не смогла. Это наводило на неприятные размышления; к тому же Юргена в дом привела именно Лера, и, как всегда, стоило лишь Альберту Витальевичу об этом вспомнить, как в мозгу жужжащим роем закружились подозрения. Возможно, это был сложный, хорошо продуманный, рассчитанный на годы вперед заговор. А почему бы и нет? Свалить такую фигуру, как Альберт Жуковицкий, — дело непростое, и действовать тут надобно с умом. В том-то и беда, что среди его врагов и конкурентов дураков не осталось: он теперь вышел на такой уровень, куда дураку просто не добраться. На такую высоту, если хотите знать, далеко не каждый умный вскарабкается, зато сковырнуться с нее — легче легкого...

Юрген в углу громко зашуршал бумагами и деликатно кашлянул в кулак, давая понять, что готов высказаться. Задача перед ним была поставлена важная, решал он ее без малого неделю, а явившись сюда, к Альберту Витальевичу домой, зачем-то попросил еще часок для какой-то там проверки расчетов. Жуковицкий подозревал, что сделано это было просто для солидности, чтобы набить себе цену, но спорить не стал: каждый зарабатывает как умеет. Главное, чтобы результат был, а так пусть хоть на голове стоит, если ему от этого легче…

— Ну, что там у тебя, Эрнст Карлович? — привычно сдержав снисходительную улыбку, поинтересовался Альберт Витальевич.

Юрген шумно выбрался из кресла, собрал бумаги в охапку и пересел поближе к Жуковицкому. Альберт Витальевич подвинул бутылку и пепельницу, освобождая на столе место для его бумажек, и залпом допил виски. Пока Юрген раскладывал на столе свои исчерченные окружностями и странными геометрическими фигурами бумаги, Жуковицкий раздавил в пепельнице сигарету и откинулся на спинку кресла, приготовившись слушать. Во всей этой процедуре было что-то от сеанса черной магии, даже несмотря на то, что уже после второй встречи с астрологом Альберт Витальевич заставил того отказаться от привычной шаманской атрибутики — ароматических палочек, хрустальных пирамидок и прочей дребедени, при помощи которой такие вот самозваные эстонцы вечно норовят запудрить мозги.

В камине треснуло полено. Звук получился громкий, как выстрел из спортивного пистолета; Юрген вздрогнул от неожиданности, суетливо перебрал бумаги, сдернул с переносицы очки и принялся протирать их мятым носовым платком.

— Кстати, Эрнст Карлович, — с улыбкой сказал ему Жуковицкий, — все время забываю тебя спросить: ты почему компьютером не пользуешься? Попробуй, тебе понравится. Чертовски удобная штука! Не придется, по крайней мере, с бумажками возиться. Вечно у тебя полный портфель этой макулатуры, прислуга после тебя из-под каждого стола, из-под каждого дивана листки выгребает…

Юрген смущенно, чуть виновато улыбнулся, водружая очки на переносицу.

— Компьютер — вещь бездушная, — заявил он. — К тому же меня раздражает, когда запрограммированный какими-то невеждами железный ящик пытается думать за меня, править мой стиль и орфографию… причем править, заметьте, абсолютно безграмотно. Так что я, с вашего позволения, буду работать по старинке. Мой компьютер вот здесь, — он постучал себя согнутым пальцем по лбу, — и ему я доверяю. Он не испортится в самый ответственный момент, пустив псу под хвост результаты недельного труда…

— Тоже верно, — согласился Жуковицкий. — Хотя в наше время головы портятся едва ли не чаще компьютеров…

— Ну, если у меня испортится голова, компьютер ее точно не заменит, — заметил Юрген. — Да и мне в таком случае будет уже безразлично, сколько при этом пропадет файлов.

— Нет уж, Эрнст Карлович, — хмыкнув, полушутливо запротестовал Жуковицкий, — ты свою голову, пожалуйста, побереги! Где я вторую такую найду?

— Полагаю, это будет непросто, — без ложной скромности сообщил Юрген.

— Я тоже так полагаю, — согласился Альберт Витальевич, краем глаза заметив скользнувшую по губам Леры понимающую улыбку.

Юрген и впрямь был незаменим. Как всякий по-настоящему талантливый человек, он на восемьдесят процентов состоял из непроходимой житейской глупости; манипулировать им было одно удовольствие, и найти второго столь же наивного и в то же время полезного человека тут, в видавшей всевозможные виды, умудренной опытом Москве, действительно не представлялось возможным.

— Ну-с, так что там с моим пакетом акций? — спросил Жуковицкий, сразу переходя к делу и не давая тем самым Юргену углубиться в дебри профессиональной терминологии.

Эрнст снова кашлянул в кулак и тяжело вздохнул. Вид у него разом сделался озабоченный и вроде бы даже недовольный, из чего следовало, что по поводу интересующего Альберта Витальевича пакета акций он не может пока сказать ничего утешительного. Жуковицкий привычно подавил вспыхнувшее было раздражение, напомнив себе, что Юрген, он же Юркин, все-таки не колдун, не черный маг, а всего-навсего астролог. Он способен с большей или меньшей степенью вероятности предугадать грядущие события, но влиять на них ему не под силу. Влиять на события — прерогатива Альберта Витальевича, а Юрген может только снабжать его информацией, необходимой для того, чтобы это влияние приносило максимальную отдачу.

— Что такое? — спросил Альберт Витальевич с едва заметным оттенком иронии. — Звезды ко мне неблагосклонны?

Астролог опять вздохнул, покопался в бумагах и, покосившись в сторону сидевшей на диване Леры, негромко, но твердо объявил:

— С вашего позволения, я хотел бы говорить конфиденциально.

Жуковицкий недоуменно поднял бровь: это было что-то новенькое. Обычно присутствие Леры, которая, собственно, ввела

Юргена в этот дом и являлась его благодетельницей и заступницей, астрологу никоим образом не мешало. А тут — здравствуйте, пожалуйста! — конфиденциальность ему подавай...

Альберт Витальевич еще не успел решить, как ему реагировать на это беспрецедентное заявление, а Лера уже встала, грациозно потянулась и направилась к дверям.

— Пойду проверю, как там ужин, — сказала она. — Не скучайте, мальчики.

Юрген поспешно вскочил, едва не опрокинув стол, и склонился в полупоклоне, прижав к сердцу растопыренную пятерню, блестя очками и расточая извинения. На Леру он не смотрел, а прямо-таки пялился. В какой-нибудь Америке за один такой взгляд на него непременно подали бы в суд, как на сексуального маньяка. Что ж, очень может быть, что катить бочки на Леру он начал именно по причине неразделенной, так сказать, любви — получил от ворот поворот и решил, недотыкомка этакий, отомстить в меру своих сил и возможностей...

Альберт Витальевич подниматься не стал, а просто, поймав проходящую мимо Леру за руку, на мгновение прижался губами к теплой узкой ладони.

— Ну, — угрюмо сказал он, когда женщина вышла, — что это еще за новости? Опять будешь мне сказочки про Шемаханскую царицу рассказывать?

— Я хочу, чтобы вы взглянули сюда, — заявил Юрген, усаживаясь и выкапывая из груды бумаг на столе какой-то лист, на взгляд Альберта Витальевича ничем не отличавшийся от всех прочих. Было на нем несколько пересекающихся окружностей, пропасть жирных точек, соединенных между собой прямыми линиями, и уйма каких-то формул, нацарапанных корявым почерком Юргена. Половина формул была написана черным, а вторая — почему-то красным. — Я составил уточненную космограмму, — продолжал Эрнст, мягко, но настойчиво подсовывая лист Жуковицкому, — основываясь на последних полученных данных. Вот, взгляните, пожалуйста, сюда...

— Да не стану я никуда глядеть! — возмутился Альберт Витальевич, отталкивая лист. — Все равно в твоих каракулях черт ногу сломит. Ну, что ты мне суешь? Я же в этих закорючках ни черта не понимаю! Сколько раз тебя просить: объясни простыми словами, что тут у тебя к чему! А не можешь сказать по-человечески, так и не пудри тогда мозги...

Юрген надулся — ну, ей-богу, как маленький! — и придвинул помявшийся с краю лист к себе.

— По-человечески… — разглаживая мятую бумажку ладонью, повторил он с такой интонацией, словно впервые слышал это выражение и не совсем понял, что оно означает. — Простыми словами… Что ж, тогда я буду краток: вы в большой опасности.

— Эка невидаль, — хладнокровно произнес Жуковицкий. — Я всегда в опасности. В полной безопасности только покойники, а мне до этого состояния еще очень далеко!

— Гораздо ближе, чем вы думаете, — сказал астролог.

Альберт Витальевич опешил.

— Ты чего, звездочет, белены объелся? С чего ты это взял? Юрген вооружился шариковой ручкой с явным намерением пуститься в объяснения.

— Вот, посмотрите…

— По-русски, — коротко напомнил Жуковицкий, и астролог с видимым сожалением оставил космограмму в покое. — Давай, выкладывай, что тебе твои звезды нашептали и, главное, при чем здесь Лера. Что-то ты, Эрнст Карлович, в последнее время на нее наезжаешь. С чего бы это, а?

— Мои расчеты уже на протяжении месяца указывают на угрозу, исходящую со стороны Валерии Алексеевны, — пропустив шпильку мимо ушей, сказал Юрген.

— Говно твои расчеты, — немедленно перебил его Жуковицкий. — Не поверю, чтобы Лера…

— Я не сказал, что угроза исходит от Валерии Алексеевны, — твердо возразил Юрген, — я сказал: с ее стороны.

— Не вижу разницы, — проворчал Альберт Витальевич.

— Тем не менее она существует. Валерия Алексеевна не имеет против вас умысла, как не имеет его яма, в которой вы рискуете сломать ногу, или готовящийся свалиться вам на голову кирпич. И даже не сам кирпич, а крыша, на краю которой он лежит…

— Не понимаю, — сказал Жуковицкий.

Это была неправда, но ему хотелось, чтобы Юрген, пропади он пропадом, наконец-то начал выражаться яснее — по-русски, по-человечески, как его и просили.

— Ну, например, если я скажу вам, что за углом вас поджидает некая неприятность, вы ведь не станете обвинять угол, верно? И меня вы не обвините в том, что я возвожу на этот угол напраслину…

— Ясно, ясно. Не она, а из-за нее, так?

Юрген кивнул. Альберт Витальевич пожал плечами.

— Ну, так это и без астрологии ясно. Спросил бы меня, я бы тебе то же самое сказал. Из-за женщин у нас, мужиков, вечно сплошные неприятности, так что же мне теперь — оскопиться? У тебя имеется какая-то конкретная информация или опять одни туманные домыслы?

— Нет, — сказал Юрген, — никаких домыслов. Расположение звезд таково, что двоякое толкование исключено полностью. Все случится в ближайшее время, скорее всего, послезавтра, и спасти вас могут только самые решительные действия.

— Так-так, — подаваясь вперед, произнес Альберт Витальевич, — это уже интересно. Давай-ка с этого места поподробнее...

Разговор длился почти час, а когда астролог, наконец, ушел, Альберт Витальевич еще долго сидел неподвижно, глядя застывшим взглядом на тлеющие в камине угли и пытаясь понять, кто он все-таки такой, этот Эдик Юркин — чародей или платный провокатор.

* * *

В ресторане было пусто. Скучавший у дверей охранник, по совместительству выполнявший функции зазывалы и потому наряженный в японское кимоно и широкие самурайские штаны — хакама, находившиеся в противоречии с его сытой, типично славянской физиономией, от нечего делать обратил внимание на посетителя, который подъехал к заведению на новенькой серебристой «десятке». Демократичный отечественный автомобиль пребывал в таком же несоответствии с дорогим костюмом клиента и фешенебельным рестораном, куда тот заскочил перекусить, как и самурайский наряд охранника с его обликом солнцевского быка. Охранник проводил клиента задумчивым взглядом до самых зеркальных дверей, после чего сразу же забыл о нем, вернувшись к привычному занятию — выковыриванию грязи из-под ногтей.

Занимаясь этим в высшей степени важным и ответственным делом, охранник время от времени поглядывал на припаркованную у ресторана «десятку», всю рябую от капель нудного моросящего дождика. Сам он ездил на джипе — маленьком, трехдверном, да вдобавок изрядно потрепанном «исудзу». Но все-таки это был джип, а не «жигуленок»! При этом костюм, в который был одет владелец вот этой гордости отечественного автопрома, стоил, наверное, немногим дешевле его автомобиля. С чего бы это?

Впрочем, еще немного поковырявшись у себя под ногтями, охранник решил, что тут все ясно. Просто тип, приехавший на «десятке», — мелкий, но рассчитывающий сделать карьеру служащий какой-нибудь солидной, уважаемой фирмы. Дорогой костюм для него — рабочая одежда и даже, если угодно, орудие производства. А автомобиль — тоже, кстати, не самый дешевый, — просто средство передвижения, с помощью которого только и можно уберечь упомянутый выше костюм от неприятных последствий давки в общественном транспорте и уличной грязи. Кроме того, портфель — тонкий, матерчатый, но тоже новенький и дорогой, — клиент не оставил в салоне автомобиля, а захватил с собой в ресторан. Возможно, здесь у него была назначена деловая встреча. Пытаясь произвести впечатление на потенциального партнера, люди, как правило, не скупятся...

Стоило охраннику прийти к такому выводу, как напротив входа в ресторан остановилось такси — обыкновенная «Волга» цвета яичного желтка, размалеванная до такой степени, что напоминала рекламный щит на колесах. Оттуда выбрались двое крепких ребят. Охранник убрал в карман зубочистку, он всегда настораживался при виде себе подобных. Эти мальчики, на его взгляд, были не из тех, что ездят на такси и обедают в дорогих японских ресторанах — в качестве средства передвижения им, по мнению охранника, куда больше подошел бы «лэндкрузер», а то и «хаммер», зато еда требовалась попроще и посытнее, чем морепродукты с неизменным рисом. На потенциальных деловых партнеров щуплого очкарика в дорогом заграничном костюме эти ребята тоже не походили, хотя тут, в Москве, да и вообще в России, можно увидеть и не такие чудеса.

Навес над входом в ресторан был совсем маленький, а эта парочка славянских шкафов явно не привыкла вежливо ужиматься, проскальзывать куда-либо бочком и вообще тесниться, так что охраннику волей-неволей пришлось выйти под дождик, чтобы освободить путь. Этого, увы, оказалось мало: один из подъехавших в такси мордоворотов выжидательно повернул к нему широкую красную ряшку, даже не пытаясь взяться за дверную ручку. Мысленно обматерив этого доморощенного аристократа, охранник привычно вошел в роль, шагнул вперед и, угодливо согнув спину, распахнул зеркальную дверь. Первый мордоворот шагнул мимо него, как мимо пустого места, зато второй небрежно сунул в моментально протянувшуюся руку хрусткую бумажку серовато-зеленого оттенка.

— Аригато, — механически поблагодарил охранник.

Это было единственное слово, которое он знал по-японски, зато, пожалуй, самое нужное на этой вредной работе. В самом деле, чего только люди не вытворяют ради денег!

Добыча, кстати, оказалась плевой — несчастных десять баксов. Впрочем, день — время мертвое, клиентов мало, и на чай дает далеко не каждый. Ничего, скоро наступит вечер, крупная рыбка пойдет косяком, денежки рекой польются... А пока что и десять тугриков — навар. Как говорится, ни одна блоха не плоха...

Пассажиры желтого такси пробыли в ресторане совсем недолго, минут пять, от силы десять. Охранник как раз закончил чистить ногти на левой руке и перешел к правой, когда дверь у него за спиной вдруг распахнулась с таким дребезгом, словно изнутри ее без особенных церемоний пнули ногой. Колокольчики так и зашлись беспорядочным бряканьем и звоном, и на крылечке появились, не без труда протиснувшись в узковатый для такой компании проем, давешние мордовороты, между которыми, обнимая их за обтянутые черной кожей крутые плечи, мешком висел тот самый очкарик — обладатель серебристой «десятки», дорогущего костюма «от кутюр» и плоского матерчатого портфеля. Ноги его в дорогих кожаных туфлях бессильно волочились, бороздя носками пол, голова свесилась на грудь и моталась из стороны в сторону, галстук выбился из-под пиджака и висел строго вертикально, как строительный отвес. Мордовороты заботливо поддерживали его с двух сторон, не давая упасть. Один из них нес в свободной руке портфель, а другой — очки. Лица несчастного охранник не видел, зато отлично разглядел длинное волокно морской капусты, прилипшее к галстуку, и расплывшееся вокруг этого волокна жирное пятно, хорошо заметное на гладком однотонном шелке.

Он посторонился, не зная, что и думать, но уже понимая, что лучше не думать вообще. Очкарик провел в ресторане около получаса, даже меньше. Надраться до полного беспамятства слабеньким японским сакэ за это время было, по мнению охранника, немыслимо. Хотя люди, конечно, бывают разные — кому-то ведра мало, а кто-то понюхает пробку и готов...

Зато двое мордоворотов пробыли внутри всего ничего — практически, только вошли и вышли. Как будто знали, что очкарику станет плохо, и приехали специально, чтобы его забрать. Как будто он их вызвал. Как будто...

— Слышь, самурай, — обратился к охраннику тот из мордоворотов, который нес очки. Очки эти он на глазах у охранника аккуратно положил в нагрудный карман куртки, потом залез освободившейся рукой в другой карман, боковой, и вынул оттуда ключ на брелоке с логотипом ВАЗа. — Не в службу, а в дружбу. Открой-ка вон ту тачку. Видишь, сомлел человек.

— Что это с ним? — не торопясь выполнять просьбу, которая прозвучала, как приказ, поинтересовался охранник. — Когда он успел так нарезаться? Припадочный, что ли?

— Почему — припадочный? — обиделся бык с портфелем. — Может человеку стать плохо? А то сразу — припадочный... Надо еще разобраться, не от вашей ли жратвы его скрутило.

— Может, «скорую» вызвать? — спросил охранник.

— Вызовут, — пообещал первый мордоворот. — Еще пара вопросов, и без «скорой» дело точно не обойдется.

Охранник понял намек и без дальнейших разговоров пошел открывать «десятку». Быки аккуратно погрузили очкарика на заднее сиденье и положили рядом с ним портфель. Во время этой процедуры охранник с облегчением убедился, что возникшее у него подозрение оказалось беспочвенным — очкарик был жив, хотя и выглядел не ахти. Крови не было, а все остальное охранника не касалось. Может ведь, в самом деле, человеку стать нехорошо за обедом?

Отступив от машины на шаг, он едва не наткнулся на ментов — обыкновенных сержантов патрульно-постовой службы, в обязанности которых как раз входит поддержание порядка в общественных местах. Морды у сержантов были знакомые, примелькавшиеся — охранник видел их частенько, особенно по вечерам, когда у человека в погонах появляется масса возможностей пощипать перебравших клиентов или ресторанных шлюх.

— Чего тут у вас? — спросил один, без особенного любопытства глядя на обмякшего на заднем сиденье собственной машины очкарика.

— Да вот, клиент перебрал, — чисто рефлекторно, не успев продумать даже самые очевидные последствия такого ответа, сказал охранник.

— А, — равнодушно произнес мент, и парочка спокойно двинулась по маршруту.

Охранник подавил вздох. Все было, как всегда. Они, черт бы их побрал, даже не поинтересовались, кто и куда намеревается везти потерявшего сознание человека, хотя наверняка заметили — не могли не заметить, — что щуплый клерк в дорогом заграничном костюме никак не может быть приятелем или хотя бы хорошим знакомым двух быков в кожаных куртках. Ну, что же, если ментам на это наплевать, то ему и подавно...

— Молодца, братан, — сказал ему мордоворот, из нагрудного кармана у которого до сих пор торчали очки в тонкой золотой оправе. — Правильно мыслишь! Валяй в том же духе, для здоровья это очень полезно. Держи за труды.

На этот раз охраннику даже не пришло в голову сказать свое коронное «аригато», хотя получил он не вшивую десятку, а две бумажки по сто долларов. Повернувшись к машине спиной, он побрел под моросящим дождичком на место, под навес. За спиной у него заработал стартер, фыркнул глушитель, и стало тихо.

В дверях уже стоял официант. Вид у него был встревоженный и озабоченный, и охранник про себя порадовался тому обстоятельству, что свидетелем происшествия стал мужик. Бабы, пока жизнь их хорошенько не помнет, пребывают в блаженной уверенности, что днем, да еще в центре большого города, да еще и на своем рабочем месте, могут перекричать кого угодно и прекратить любое безобразие, и ничего им за это не будет на том простом основании, что они — бабы, то есть женщины, которых, как известно, обижать нельзя. Мужчине, видите ли, дать в рыло и даже засунуть перышко под ребро можно — на то он и мужчина. А им, понимаете ли, нельзя... Тьфу!

— Ты что-нибудь понял? — спросил официант, глядя в ту сторону, где скрылась серебристая «десятка».

— А чего тут понимать? — извлекая из-под кимоно сигареты, деланно изумился охранник. — Нарезался, как свинья, средь бела дня...

— Он выпивку даже не заказывал, — сообщил официант. — Сидел, жевал, читал газетку. Тут входят эти двое, подошли, присели, переговорили о чем-то, потом встали, обступили, гляжу — уже волокут... Хорошо, хоть по счету расплатились... Только дело тут все равно нечисто, отвечаю.

Охранник со скучающим видом посмотрел в серое небо, с которого продолжал сеяться мелкий нудный дождичек, прикурил сигарету и вздохнул.

— Тебе на чай дали? — спросил он.

Вообще-то, задавать такие вопросы у них было не принято: считалось, что чаевые — это личное дело каждого. Однако вопрос был задан, и не просто так, из праздного любопытства. Официант это понял и потому ответил, как на духу:

— Десять баксов сунули, жлобы.

— На, возьми, — сказал охранник, отдавая ему одну из полученных от клиентов стодолларовых купюр. — И моли бога, чтобы больше их не видеть. У них свои дела, у тебя — свои. Тебе что, больше всех надо?

— В смысле? — не понял официант, который работал тут всего третью неделю и еще не успел до конца понять, что к чему.

— В смысле, береги здоровье, — сказал ему охранник. — Его потом ни за какие бабки не купишь.

Докурив, он бросил окурок в урну у входа, напоследок огляделся по сторонам и нырнул в тепло и вкусные запахи ресторана: настало самое время перекусить и выпить чашечку крепкого кофе.

ГЛАВА 2

На закате, который был не виден за сырыми плотными тучами, на обочину пустого загородного шоссе съехала серебристая «десятка». Шины коротко прошуршали по гравию, оставляя на нем неглубокие продолговатые вмятины. Тормозные огни погасли; «дворники», в последний раз смахнув с ветрового стекла капли дождя и брызги дорожной грязи, замерли в крайнем нижнем положении. Двигатель заглох, фары погасли, но из машины никто не вышел.

Моросящий дождь поливал и без того мокрый асфальт, тихо шумел в кронах обступивших узкую полоску пустого шоссе сосен, стекал по голым красноватым ветвям берез и желтой прошлогодней листве придорожных кустов. Изредка налетавший откуда-то короткими порывами ветер срывал тяжелые капли с мокрых ветвей, и они выбивали короткую барабанную дробь по крыше автомобиля. Стекло со стороны водителя было немного опущено, и в узкую щель лениво выплывали, моментально растворяясь в сыром воздухе, синеватые клубы табачного дыма.

Так прошло две или три минуты. Потом где-то за поворотом возник характерный шум движущегося на большой скорости по мокрой дороге мощного автомобиля, и вскоре оттуда в облаке мелких водяных брызг показался, тускло сияя включенными фарами, тяжелый японский джип. С ходу проскочив мимо «десятки», внедорожник резко затормозил, прошел пару метров юзом, оставляя на мокром асфальте две курящиеся паром полосы, включил белые фонари заднего хода и, пятясь, съехал на обочину, остановившись в полуметре от капота «десятки». С забрызганного грязной водой чехла запасного колеса свирепо скалил зубы нарисованный тигр, привинченная к мокрому железу пластина номерного знака была украшена державным триколором, свидетельствовавшим о принадлежности владельца автомобиля к депутатскому корпусу.

Обе передние дверцы джипа распахнулись одновременно, и оттуда ловко выпрыгнули двое крепких молодых парней. На ходу поднимая воротники кожаных курток и втягивая в плечи круглые стриженые головы, они торопливо подошли к серебристой «Ладе», откуда навстречу им, точно так же ежась от сырости, вылезли еще двое — такие же молодые, спортивные, коротко стриженые и так же одетые в черную скрипучую кожу.

— Все нормально? — спросил один.

— А то ты не видишь, — лениво отозвался водитель «десятки», до самого верха затягивая «молнию» своей кожанки. — Раз мы тут — значит, все нормально.

— Ну так какого хрена тут мокнуть? Раньше сядем — раньше выйдем.

— Типун тебе на язык, — сказал водитель «десятки» и, повернувшись, распахнул заднюю дверцу. — Вылезай, урод. Поезд прибыл на конечную станцию, просьба освободить вагоны!

Подождав немного, он наклонился к открытой двери и протянул руку с явным намерением помочь тому, кто сидел внутри, «освободить вагоны», но пассажир уже выбирался наружу — медленно, с трудом, с явной неохотой, но выбирался, поскольку деваться ему все равно было некуда.

Его дорогой заграничный пиджак куда-то пропал, равно как и галстук, и очки, и тонкий матерчатый портфель. Еще совсем недавно идеально отутюженные брюки были измяты и испещрены какими-то пятнами, в которых, если приглядеться, можно было узнать обыкновенную грязь, известку, кровь и даже, кажется, рвоту. Разорванная в нескольких местах, выбившаяся из брюк, расстегнутая почти до самого низа, когда-то белая рубашка выглядела не лучше; разбитое в кровь, распухшее до неузнаваемости лицо ровным счетом ничего не выражало — это был просто кусок сине-черного окровавленного мяса. Двигаясь неуверенными, судорожными рывками, как испорченная заводная кукла, избитый до полусмерти человек вылез из машины и выпрямился, ожидая дальнейших распоряжений своих мучителей — казалось бы, еще живой, но уже практически вычеркнутый из списков живущих.

Водитель «десятки» схватил его за плечо, грубо развернул лицом к лесу и толкнул между лопаток в сторону придорожного кювета.

— Пошел, падаль!

Избитый человек сделал два неверных шага и упал на колени, упершись обеими руками в каменистую землю обочины.

— Погоди, Муха, — сказал водитель джипа. — Вечно ты торопишься, как голый на бабу...

Хрустя мокрой щебенкой, он подошел к джипу, открыл багажник и, вынув оттуда лопату с чистым, явно ни разу не бывшим в употреблении черенком, швырнул ее на землю рядом с пленником.

— Бери, — сказал он, — пригодится.

Окровавленная, ободранная ладонь механическим движением сомкнулась на чистом дереве черенка, пачкая его кровью и грязью. Пленник с трудом поднял лопату, слабым ударом вогнал кончик выкрашенного черной краской штыка в неподатливую смесь мокрого песка и щебенки и тяжело поднялся, опираясь на черенок, как на костыль.

— Пошел, — повторил водитель «десятки», и он пошел, с трудом передвигая подгибающиеся ноги, глядя прямо перед собой и волоча по земле лопату, кончик которой чертил на песке извилистую, дрожащую линию.

Жуткое окровавленное пугало, очень мало напоминавшее человека, несколько часов назад уверенно входившего в дорогой японский ресторан, спустилось в неглубокий, заросший мокрой желтой травой кювет, пересекло его, оставляя в траве широкую борозду, с трудом выбралось на противоположную сторону и, не разбирая дороги, двинулось в лес. Водитель джипа поглядел ему вслед, выплюнул намокшую сигарету, растер ее подошвой ботинка и снова полез в багажник. Вынув оттуда, поставил на землю полиэтиленовый мешок, в каких хранят удобрения, с закрученной и перевязанной обрывком веревки горловиной. В мешке была известь.

Деловито захлопнув дверь багажного отсека, водитель достал новую сигарету, закурил и подхватил с земли мешок.

— Айда, — сказал он своему напарнику, держа дымящуюся сигарету огоньком в ладонь, чтобы не мокла, — наша очередь.

— Давайте-давайте, — поддержал его водитель «десятки». — Нам этот петух за полдня уже вот так надоел!

Он чиркнул ребром ладони по кадыку, показывая, до какой степени ему надоел «этот петух», и, не дожидаясь ответа, полез обратно в машину. Его товарищ с удовольствием последовал этому примеру. Устроившись на сиденьях, они закурили и стали без особого любопытства наблюдать за развитием событий сквозь забрызганное дождем стекло.

По-прежнему не разбирая дороги, как потерявший управление механизм, безучастно глядя прямо перед собой, приговоренный продрался через мокрые придорожные кусты и побрел по мягко подающемуся под ногами покрывалу мха, опавшей хвои и тронутых тлением, почерневших березовых листьев. Мокрые ветки хлестали его по распухшему от побоев лицу, но он не делал попыток уклониться или хотя бы прикрыться рукой — ему было все равно, он больше не ощущал боли или она стала ему безразлична. У него за спиной негромко потрескивали гнилые сучья — убийцы в кожаных куртках неторопливо шли следом, и один из них нес испачканный изнутри сероватой негашеной известью полиэтиленовый мешок.

— Стой, — сказал человек с мешком, когда дорога скрылась из вида, заслоненная стволами деревьев и кустарниками. — Давай, копай. Да не сачкуй, для себя же стараешься. Даю тебе полчаса. Сколько выкопаешь — все твое. Я бы на твоем месте постарался. Кому охота, чтоб собаки косточки глодали?

Помедлив, приговоренный повернулся к своим палачам. Разбитые, толстые, как оладьи, губы раздвинулись, из черной щели беззубого рта послышался невнятный, шипящий звук.

— Чего? — издевательски переспросил водитель джипа, опуская на землю мешок.

— Мне обещали, — с трудом выговаривая слова, произнес приговоренный. — Если все скажу, буду жить.

— Такой большой, а в сказки верит, — попыхивая сигаретой, сообщил водитель своему напарнику. — Давай, копай, козья морда! Долго нам тут торчать? Не видишь, что ли, дождик идет! А я, блин, простуды боюсь, понял?

— Понял, — хрипло произнес приговоренный и взял лопату наперевес.

— Ну, так и не тяни, — посоветовал водитель. — Чего зря мучиться? Главное, не дрейфь, больно не будет. Все самое плохое с тобой уже случилось.

Приговоренный пару раз кивнул головой. Впечатление было такое, что ему просто тяжело ее держать, но это были именно кивки — похоже, он тоже считал, что хуже ему уже не будет.

— Короче, — обращаясь к своему напарнику и явно продолжая начатый еще по дороге сюда рассказ, уже совсем другим тоном заговорил водитель, — эта коза ему бакланит: я, говорит, девушка честная, я этого твоего клофелина сроду в глаза не видела и даже, базарит, не знаю, что это такое и с чем его едят. Нажрался, мол, как свинья, сам бабки потерял, а теперь я виновата...

— Вот сука, — сочувственно сказал напарник.

— Ну! — горячо подхватил водитель. — Развелось их, как на бродячей собаке блох, нормально перепихнуться не с кем. Короче, берет он ее за хобот и тащит к Таракану на фазенду. А она...

Приговоренный неуверенно ткнул лопатой в мох, отвалил косматый, слежавшийся пласт, обнажив рассыпчатый желтый песок с черными комочками старых сосновых шишек. Голоса убийц доносились до него словно издалека. Боли не было — он просто не чувствовал своего тела. Страха он тоже не испытывал, и это было странно — рыть для себя могилу, знать, что через несколько минут перестанешь существовать, и ни капельки при этом не бояться. Не было даже обиды на тех, кто втравил его в эту историю, из-за кого он сейчас стоял под дождем и копал яму, в которой когда-нибудь, быть может, найдут его черные, обглоданные известью кости. Впрочем, это вряд ли: кому он нужен? Его использовали, как клочок туалетной бумаги, только и всего. А кого интересует туалетная бумага после того, как ею воспользовались?

Как ни странно, мысли его были ясны и текли плавно, не путаясь и не сбиваясь. Такой финал сейчас казался ему вполне закономерным: он шел к этой минуте всю свою жизнь, уклоняясь от конфликтов, всегда выбирая меньшее из двух зол, не замахиваясь плетью на обух, не плюя против ветра — словом, везде и всюду двигаясь по линии наименьшего сопротивления. Когда финансовый директор одной из принадлежащих хозяину фирм у него на глазах по самое плечо запустил руку в хозяйский карман и предложил ему малую толику за молчание, он не стал возражать: малая толика, если разобраться, была не так уж и мала, а об умении хозяина быть благодарным в кругу сослуживцев ходили легенды — разумеется, мрачные.

Потом, когда к нему явился некий тип в цивильном костюме и предъявил сначала корочки майора ФСБ, а потом и подробную аудиозапись его переговоров с проворовавшимся финансовым директором, он опять двинулся по пути наименьшего сопротивления — не пошел к хозяину с повинной, не подался в бега, а покорно принял предложенные условия. Тем более что условия эти казались не слишком обременительными — так, кое-какая информация о деловых связях и привычках хозяина, за которую к тому же платили живыми деньгами.

И теперь, когда все это каким-то непостижимым образом вылезло наружу, как шило из мешка, он с привычной покорностью ковырял новенькой лопатой густо перевитый сосновыми корнями песок, не осмеливаясь даже возразить: дескать, хотите спрятать труп — копайте сами, а я в гробу видал эти земляные работы...

Дождь как-то незаметно прекратился, налетевший ветер прогнал тучи, и, подняв голову, приговоренный увидел над верхушками сосен розоватое закатное небо. Разглядеть солнце мешали деревья, и это было дьявольски обидно: умереть, так и не увидев напоследок, как садится солнце...

Опустив глаза, он посмотрел на своих палачей. Они стояли в какой-нибудь паре шагов, обращая на него внимания не больше, чем на можжевеловый куст, и оживленно что-то обсуждали. Сосредоточившись на том, что они говорили, бедняга осознал, что речь идет о зверском групповом изнасиловании пойманной с поличным проститутки-клофелинщицы, которую, натешившись вдоволь, придушили куском изоляционного провода и закопали где-то в лесу за чертой какого-то дачного поселка. Судя по всему, палачи находили это происшествие забавным. Морды у них были сытые, тупые и самодовольные, как у парочки племенных хряков, на кожаных куртках поблескивали, подсыхая, капли дождя. Неожиданно для себя приговоренный понял, что держит в руках лопату и что это орудие труда можно использовать по-всякому. В конце-то концов, терять ему уже действительно нечего, так сколько можно плыть по течению?!

Увлеченный разговором водитель джипа заметил угрозу слишком поздно. Он не успел даже закрыться рукой, и испачканный налипшим желтым песком штык лопаты с размаху опустился на его стриженую голову чуть повыше левого виска. Удар был совсем слабый, но здоровенный бык в кожаной куртке, как подкошенный, рухнул на колени, обхватив руками голову. В следующее мгновение коротко бахнул выстрел; приговоренный выронил лопату, качнулся и упал навзничь.

Водитель джипа медленно поднялся с колен, прижимая ладонь к рассеченному лбу. Между пальцами у него текла кровь, он морщился от боли, но в остальном был цел и невредим. Его напарник с побледневшим от испуга лицом стоял рядом, все еще держа на прицеле окровавленное мертвое тело. Из дула пистолета лениво вытекал серый пороховой дымок.

— Ну, — сквозь зубы процедил травмированный водитель, — и нахрена ты это сделал? Кто теперь копать-то будет?

— Так, а чего он? — наконец-то опуская пистолет, пробормотал напарник. — Я уж думал, тебе кранты...

— Кранты, кранты... Соображать надо! Давай, бери лопату и вперед. Как говорится, не хочешь работать головой — работай руками.

— Перевязать надо, — пряча за пазуху пистолет, сказал напарник. — Только промой сначала хорошенько.

— Разберемся, — разглядывая перепачканную кровью ладонь, ворчливо пообещал водитель. — Вот урод! Чуток бы посильнее, и была бы вентиляция... Короче, давай, не возись. Заканчивай тут, а я пойду в аптечке пороюсь...

Он повернулся спиной к убитому и двинулся в сторону дороги, прижимая к ране носовой платок и свободной рукой стряхивая с кожаной куртки насыпавшийся с лопаты сырой песок. Напарник проводил его взглядом, подобрал едва не ставшую орудием убийства лопату и, поплевав на ладони, принялся копать.

* * *

На закате дождь, почти непрерывно ливший полторы недели кряду, вдруг прекратился, небо расчистилось, и над крышами показалась луна — полная, круглая, серебристая, как новенькая никелевая монета, и яркая, как прожектор. Наблюдая это природное явление, Глеб Сиверов чертыхнулся: внезапное улучшение погоды в его планы не входило. Конечно, в центре такого города, как Москва, настоящей ночи не бывает, фонари здесь с успехом заменяют луну, и в смысле видимости луна или отсутствие оной ровным счетом ничего не меняет. Однако, когда после затяжного нудного дождя вдруг выдается вот такой чудный вечерок, обывателя так и тянет на прогулку. А кому прогуливаться лень, тот нет-нет, да и поглядит в окошко —

просто так, чтобы лишний раз убедиться в том, что надоевший дождик не зарядил снова. Вот так оно сплошь и рядом и получается: был обыватель, от нечего делать глазеющий в окошко, а стал свидетель, который, сам оставаясь незамеченным, срисовал твою фотокарточку во всех подробностях...

Впрочем, пока Слепой, размышляя в таком духе, искал в условленном месте старенький «форд», а потом гнал эту тарахтящую тележку через запутанный лабиринт дворов и технических проездов к Ленинградке, а оттуда — к Белорусскому вокзалу, погода опять изменилась. При кажущемся безветрии откуда-то приползли тяжелые сырые тучи, и, проезжая мимо Военно-воздушной академии, Глеб увидел, как на треснувшее ветровое стекло упали первые капли дождя. В бегущем розовато-желтом свете уличных фонарей они сверкали и переливались, как драгоценные камни. Это было красиво, и Сиверов медлил включать «дворники», пока стекло не стало совсем рябым.

От припаркованного у обочины милицейского «крайслера» наперерез ему вдруг шагнул, поднимая светящийся полосатый жезл, инспектор ДПС в темном, еще не успевшем просохнуть дождевике с надвинутым до самых глаз треугольным капюшоном. Глеб поморщился: гаишник, сующийся под колеса в самом начале работы, был, по его мнению, хуже черной кошки. Он дисциплинированно включил указатель поворота и подрулил к обочине.

Рутинная проверка документов отняла совсем немного времени. Убедившись, что все в порядке, инспектор протянул в открытое окно права и техпаспорт и вдруг задержал руку, будто передумав возвращать Глебу документы.

— А почему вы за рулем в перчатках? — спросил он.

— Потому что я киллер, — сообщил Глеб, — и как раз еду к очередному клиенту.

«Идиот», — подумал он при этом, толком не зная, кого именно имеет в виду — гаишника или себя.

— Правда? — протянул гаишник таким тоном, что Сиверов мысленно проклял черта, который дернул его за язык. С ментами и таможенниками шутить нельзя, это известно любому дураку; с ними нельзя шутить, даже если ты чист и невинен, как новорожденный младенец, а уж сидя за рулем чужой машины, с фальшивыми документами и с пистолетом за пазухой, вообще следует быть тише воды, ниже травы. Лучше уж откровенная грубость, чем вот такая, с позволения сказать, шутка...

— Конечно, неправда, — рассудительно, как умственно отсталому ребенку, сказал Глеб. — Просто ладони потеют. Скользко, неприятно, липко...

— Это бывает, — медленно, с явным сомнением согласился гаишник и все-таки вернул документы, не забыв, правда, еще разок сравнить фотографию в водительском удостоверении с оригиналом. — Счастливого пути...

Глеб попрощался с ним так сердечно, как только мог, поднял стекло и аккуратно, как на экзамене по вождению, тронул машину с места. «Плохо, — думал он, вклиниваясь в поток уличного движения. — Теперь этот паршивец меня запомнит. Странно, почему он даже не попытался меня обыскать? Ему ведь очень этого хотелось...»

Бросив взгляд в зеркало заднего вида, он понял причину. Проверяя у него документы, гаишник был один. Второй подошел только что, держа в руке пакет — скорее всего, с какой-то снедью. Первый гаишник что-то горячо ему втолковывал, тыча жезлом вслед уезжающей машине — объяснял, наверное, почему не рискнул своим драгоценным здоровьем, попытавшись обыскать странного типа, управляющего машиной в кожаных перчатках и темных очках, а главное, прямо заявившего, что он — киллер на работе...

Некоторое время Глеб еще поглядывал в зеркальце, гадая, будет ли за ним погоня, а потом выкинул гаишников из головы. Ну, остановили... С кем не бывает! А что примета плохая, так Федор Филиппович абсолютно прав, когда говорит, что суеверие — плод невежества и лени. Легче всего свалить свою неудачу, буде таковая случится, на перебежавшую дорогу черную кошку или, вот как сейчас, на ни в чем не повинного гаишника.

И все-таки эта встреча оставила неприятный осадок. В ней чудилось недвусмысленное предостережение: брось, дурак, не суйся, не рискуй, подожди...

«Старею, — подумал Глеб. — Начинаю беречь здоровье, прислушиваться к внутренним голосам... А что умного может посоветовать внутренний голос? Ему ведь только того и надо, чтоб ты лежал на диване с хорошей книгой в руках, в тепле, сытый и всем довольный, и чтобы звучала хорошая музыка. Внутренний голос потому и называется внутренним, что исходит изнутри, из неизученных недр организма, которому по определению не нужно ничего, кроме еды, питья, сна, секса и немудреных развлечений. Если следовать советам внутреннего голоса, глазом моргнуть не успеешь, как обрастешь шерстью и обзаведешься роскошным, цепким хвостом. Впрочем, пардон: при моей профессии меня вместе с моим организмом шлепнут задолго до того, как у меня что-нибудь такое отрастет в районе копчика...»

Чтобы окончательно отвязаться от навеянных встречей с дорожным патрулем дурных предчувствий, он поплевал через левое плечо, а потом, сверившись с часами, немного прибавил газу. Не сделать дела сегодня означало отложить операцию еще как минимум на неделю, и было неизвестно, что может произойти за эту неделю, и представится ли ему по истечении названного срока еще один столь же удобный случай.

Сегодня была пятница, вечер которой нынешний клиент Глеба, человек педантичный и склонный к традиционному укладу жизни, обыкновенно проводил в ложе Большого театра, где в компании любовницы наслаждался оперными ариями или глазел на мускулистые ляжки балерин. За посещением театра обыкновенно следовал ужин в ресторане, всегда одном и том же, после чего парочка проводила ночь — что характерно, одну-единственную ночь в неделю — в городской квартире любовницы.

Загородный дом клиента охранялся, как крепость на осадном положении. Передвигался он в бронированном «мерседесе», неизменно сопровождаемый одним, а в наиболее ответственных случаях и двумя джипами с охраной. В офисах, учреждениях и общественных местах, которые клиент удостаивал своим посещением, он постоянно оставался на людях, охраняемый как минимум двумя бодигардами. То есть это на виду их постоянно было не меньше двух, а сколько мыкается за кулисами, не зная, чем себя занять, оставалось только догадываться. У него была собственная служба безопасности, оснащенная, вооруженная и обученная, как элитное войсковое спецподразделение, и в этой глухой, неприступной линии обороны имелась только одна брешь: вечер пятницы, когда клиент, руководствуясь одному ему известными соображениями, ночевал в квартире любовницы. В этом не было никакого смысла: жена клиента умерла несколько лет назад от рака в дорогой лондонской клинике, и любовница с тех самых пор открыто жила в его доме, постоянно выходя с клиентом на люди и появляясь с ним на страницах светской хроники. Собственная городская квартира у клиента, разумеется, тоже имелась, и притом не одна, так что эти пятничные ночевки в скромном гнездышке незамужней дамочки можно было объяснить разве что не вполне осознаваемой тягой хоть к какому-то разнообразию.

Гнездышко было трехкомнатное — вполне достаточно, чтобы создать уют и изредка принимать гостей, но маловато для того, чтобы спокойно, без оглядки, предаваться любви, памятуя о скучающих в соседней комнате охранниках. Посему охрана по пятницам оставалась снаружи, неся посменную вахту в припаркованном у подъезда автомобиле. Когда клиент возвращался из ресторана, двое охранников входили в квартиру и производили осмотр — к счастью, как показало установленное Глебом видеонаблюдение, довольно поверхностный. Убедившись, что внутри клиента никто не подстерегает, охранники впускали парочку в квартиру и деликатно удалялись. Хозяин покидал гнездышко в десять утра на следующий день, после чего оно, как правило, пустовало целую неделю, вплоть до следующей пятницы.

Осуществляемая охранниками проверка помещений исключала такой простой способ выполнения задания, как минирование входной двери — мочить охрану Глеб не собирался, да это и не имело смысла, поскольку снаружи оставалось еще трое вооруженных телохранителей. К тому же это была бы грубая, непрофессиональная работа.

Загоняя машину во двор, он вздохнул. Грубая, непрофессиональная работа... А то, что он намеревался сделать через пару часов, это что — образец тонкости и изящества?

Он представил себе, как это будет. Вот охрана, поверхностно осмотрев квартиру и не обнаружив в ней посторонних, запускает клиента с женщиной вовнутрь, прощается и уходит. Клиент, как это у него заведено, подходит к бару, чтобы налить себе граммов двадцать «Тичерз», а хозяйка тем временем переодевается, после чего на четверть часа запирается в ванной. Клиент проводит эти пятнадцать минут, сидя в кресле перед включенным телевизором — листает газету и потягивает виски, время от времени рассеянно поглядывая на экран. Смотрит он, как по заказу, не биржевые новости и не аналитические программы, а низкопробные голливудские боевики со стрельбой и взрывами — включает на середине и без сожаления выключает, как только в ванной щелкает дверная задвижка. Но между включением телевизора и щелчком задвижки проходит четверть часа — бездна времени, за которое с клиентом может случиться (и сегодня непременно случится) какая-нибудь неприятность.

Глеб загнал машину на ярко освещенную стоянку перед Белорусским вокзалом, заглушил двигатель, сунул в ящичек под приборной панелью мобильный телефон и вышел в промозглую сырость ненастного вечера. Фонари размытыми пятнами света сияли сквозь частую сетку мелкого дождя, отражаясь в мокром зернистом асфальте, под ногами блестели лужи. Мокрые разноцветные крыши автомобилей сверкали, словно заново отлакированные, забрызганные грязью борта и крылья милосердно скрывала тень — густая, черная, какая бывает только от ламп повышенной яркости производства всемирно известной фирмы «Филипс». В свете этих ламп, которых кругом было понатыкано просто невообразимое количество, все выглядело каким-то не вполне реальным, совсем иным, чем днем, словно все это — и автомобили на стоянке, и рекламные тумбы, и тяжелый каменный мост, по которому то и дело с грохотом проползали электрички, и даже здание вокзала — специально изготовили на фабрике и установили здесь буквально за десять минут до приезда Глеба. Человек в мокрой офицерской плащ-накидке с огромным треугольным капюшоном, подошедший к Сиверову, чтобы получить с него плату за стоянку, тоже имел ночной нереальный вид, несмотря на торчавшую в зубах сигарету, огонек которой то и дело выхватывал из густой тени под капюшоном скверно выбритый двойной подбородок.

От привокзальной площади до нужного Глебу места было десять минут неторопливой ходьбы. По мере того, как он удалялся от вокзала, приезжих на тротуаре становилось все меньше. Капли дождевой воды собирались на кончике длинного козырька его кожаного кепи, некоторое время висели, покачиваясь, перед глазами и беззвучно падали вниз, уступая место новым. По плечам и груди кожаной куртки сползали извилистые струйки. Глеб шагал под дождем, старательно думая о всякой всячине — о том, например, как скверно человек приспособлен к климату, в котором вынужден обитать. В жару ему жарко, в мороз холодно, в дождик мокро, а в засуху мечтается о тропическом ливне... Зубы у него портятся — не подходит еда, болячки одолевают — опять же потому, что организм совершенно не приспособлен к образу жизни, который человек поневоле ведет. Может быть, мы и впрямь потомки каких-нибудь инопланетян — потерпевших крушение звездолетчиков или, например, ссыльных преступников, натворивших каких-то нехороших дел в соседней галактике?

Сиверов поймал себя на том, что намеренно думает о чем угодно, только не о предстоящем деле. О деле думать не хотелось. Он провернул уже бессчетное количество подобных дел, и все это ему порядком надоело.

А с другой стороны — ну, что еще он умеет? Приходилось признать, что момент, когда жизнь еще можно было изменить, бесповоротно упущен. Не в таксисты же идти...

Впереди показалось освещенное ртутным фонарем черное устье сводчатой арки, ведущей во двор нужного дома. И агент по кличке Слепой мигом выбросил из головы посторонние мысли. Начиналась работа, и теперь от того, насколько он будет внимателен и сосредоточен, зависело многое, в том числе и его собственная жизнь.

...В салоне припаркованного на площади перед Белорусским вокзалом потрепанного «форда», в узком ящике под приборной панелью, слева от рулевой колонки, жужжал и мелодично пиликал мобильный телефон, оставленный тут во избежание неприятных неожиданностей — например, вот такого, раздавшегося в неурочное время, звонка. На светящемся дисплее вместо имени или телефонного номера абонента значилось «Ф. Ф.».

В телефонной трубке, которую прижимал к уху генерал Потапчук, один за другим тянулись длинные гудки. Генерал считал их и, досчитав до двадцати, понял, что ему никто не ответит. Это означало, что он опоздал. Продумывать последствия такого опоздания Федору Филипповичу очень не хотелось, да в этом и не было необходимости: все было ясно и так.

Оставив в покое городской телефон, он снял трубку другого, внутреннего, и коротко бросил в микрофон:

— Мою машину к подъезду.

Услышав в ответ краткое «есть», генерал выдвинул верхний ящик письменного стола и вынул оттуда тяжелый, тускло отсвечивающий вороненым металлом пистолет.

До места он добрался менее чем за четверть часа и сразу понял, что опоздал окончательно. Во дворе старого многоэтажного дома, окружив красную пожарную машину, ворочалась и мокла под моросящим дождем огромная толпа встревоженных, одетых как попало людей, освещенная синими сполохами проблесковых маячков. Слышались разговоры о теракте; поминались недобрым словом кавказцы и наши славные правоохранительные органы, не способные навести в столице хотя бы видимость порядка.

Выбравшись из машины, генерал поднял голову и безошибочно отыскал взглядом три окна на четвертом этаже. Стекла были выбиты, свет внутри не горел. Раздвигая плечом толпу, заранее нащупывая во внутреннем кармане плаща служебное удостоверение, Федор Филиппович двинулся прямо на милицейское оцепление.

Дорогу ему заступил майор с такой откровенно кавказской физиономией, что генерала ничуть не удивило его дурное настроение: у майора имелись все основания принимать раздававшиеся в толпе замечания как по поводу милиции, так и по поводу «черных», от которых в Москве житья не стало, на свой счет.

— Что здесь произошло? — продемонстрировав удостоверение и заставив, тем самым, майора сменить гнев на милость, сердитым начальственным тоном осведомился генерал.

Он полагал, что знает ответ на этот вопрос лучше собеседника, но нужно было убедиться. Да и поверить в то, что это действительно случилось с Глебом, было тяжело.

— Взрыв, — коротко ответил майор и вытянул толстый указательный палец. — Вон, где окна выбиты. Какой-то хрен... виноват, товарищ генерал, какой-то неизвестный пытался не то проникнуть в квартиру, не то просто заминировать дверь. Устройство сработало, и вот... Словом, подробности выясняются.

Федор Филиппович ощутил ноющую боль в груди. Она отдавала в руку и мешала дышать. Он нащупал в кармане плаща упаковку валидола, но доставать таблетки на глазах у майора не стал.

— А этот неизвестный, он что — погиб? — спросил Потапчук с видом человека, не слишком интересующегося ответом.

— Когда грузили, еще дышал, — сообщил майор. — Везучий сукин сын! Я бы его, честно говоря, своими руками придушил, но, чую, если выкарабкается, рассказать сможет многое. За пазухой у него висел «Стечкин» с глушителем. Серьезный клиент! Не пойму только, как это он так лопухнулся, что подорвался на собственном взрывном устройстве...

— Куда его увезли?

— В Склиф, кажется, — с сомнением произнес майор. — Прикажете уточнить?

— Не нужно, — сказал Федор Филиппович. — Спасибо.

Он вернулся к своей машине, чувствуя себя совсем больным и старым, тяжело опустился на заднее сиденье и сунул под язык таблетку валидола.

Боль в груди улеглась, стало полегче, и генерал даже обрел некую видимость былой уверенности в себе. Возможно, подействовал валидол, а может быть, необходимость срочно принять какое-то решение и безотлагательно привести его в исполнение, как обычно, помогла ему собраться.

— В институт Склифосовского, — коротко бросил он, захлопнув дверцу.

На выезде из арки водителю пришлось притормозить, чтобы разминуться со встречной машиной, которая стремилась въехать во двор. Эта машина, тяжелый бронированный «мерседес», тоже приостановилась. Стекло вдруг плавно поползло вниз, и в образовавшемся проеме Потапчук увидел ненавистную белесую физиономию клиента. Господин депутат смотрел на генеральскую машину, и, хотя тонированное стекло не позволяло ему разглядеть, кто находится внутри, у Федора Филипповича было чувство, что клиент прекрасно его видит и смотрит ему прямо в глаза.

Затем губы клиента дрогнули, сложившись в снисходительную, издевательскую улыбочку, и оконное стекло поползло вверх. Федор Филиппович преодолел минутное искушение распахнуть дверцу и, выхватив пистолет, попытаться сделать то, что не удалось Глебу, а потом машины разъехались, и предпринимать что-либо стало окончательно поздно.

ГЛАВА 3

— А ты молодец, Эрнст Карлович, — сказал Жуковицкий, протягивая астрологу широкий стакан виски со льдом. — Ей-богу, молодец! Признаться, у меня мороз по коже. Прямо колдовство какое-то. Ну, скажи, как ты это делаешь? Смотришь в хрустальный шар или копаешься палочкой в куриных потрохах?

Юрген с благодарным кивком принял стакан, по-птичьи заглянул в него одним глазом и сделал осторожный, маленький глоток. На его губах играло подобие улыбки; он был заметно польщен похвалой. Впрочем, при упоминании куриных потрохов он слегка поморщился, как человек, которого начинает утомлять непроходимая тупость собеседника.

— Никаких чудес, — сказал он, — никакого колдовства. Я уже говорил вам, Альберт Витальевич: астрология — это наука, а не шаманство. Понимаете? Наука! Такая же точная, как физика... Но достижения современной физики вас почему-то не удивляют...

— Ну, физика! — воскликнул Жуковицкий, опускаясь в кресло. Пренебрежительно отодвинув в сторону ведерко со льдом, он налил себе почти полстакана неразбавленного виски, с воодушевлением отхлебнул и откровенно облизался, как кот, наевшийся сметаны. — Физика — дело другое, там все понятно…

— Правда? — вежливо усомнился Юрген. — Я вам завидую. Лично я даже не пытаюсь понять, каким образом работает, скажем, компьютер. Или мобильный телефон. Вы видели, что находится внутри корпуса? Три-четыре проводка и пара полосок фольги, и вот эта чепуха каким-то образом ухитряется хранить массу информации и выполнять кучу функций. Как? Почему? Вам это понятно? Мне — нет.

— В чем-то ты, конечно, прав, — согласился Жуковицкий, смакуя виски. — И все-таки физика — совсем другое дело. В конце концов, ее в школе проходят! И, если задаться целью, понять, как работает тот же мобильник, можно. А ты… Ты же в будущее заглядываешь! Это просто мистика.

— Никакой мистики, — упрямо возразил Юрген. — Заметьте, Альберт Витальевич, я с вами честен. Вы же сами подбрасываете мне лакомый кусочек! Стоит мне только согласиться с вами — дескать, да, таинство, древнее мистическое искусство, — и дело в шляпе. Можно зажигать ароматические свечи, которые вас так раздражают, брать в руки хрустальный шар и, глядя в него, с умным видом нести чушь, получая за это приличные гонорары. Но мне претит это шаманство, и я вам прямо заявляю: я — ученый, а не колдун! А мистическим ореолом мою профессию окружили невежды — те самые физики-химики, которым очень удобно ощущать себя главными хранителями истины на планете. Общество повернулось к астрологии спиной столетия назад, и виновата в этом, несомненно, церковь. Справиться с развитием технологии попы не сумели, зато астрологии нанесли невосполнимый ущерб. Это было очень просто сделать, потому что в те времена охватить всю громаду накопленных за тысячелетия знаний способны были немногие. Возиться с железками, изобретая велосипед, — это, знаете ли, проще, чем вести астрологические расчеты.

— Ну, понес, понес, — благодушно отмахнулся Жуковицкий. — Чего ты взвился-то? Я ведь, наоборот, похвалить тебя хотел, выразить восхищение…

— Просто не хочется примерять картонный колпак со звездочками, — заявил Юрген.

— Ну, не хочется, и не надо. Согласен, ты — ученый… Хотя я все равно не пойму, что это за наука такая, каким образом звезды могут влиять на земные дела. Где звезды, а где мы? Какое им до нас дело?

— Им ни до чего нет дела, — согласился астролог. — Ваша ошибка заключается в антропоцентризме. Вы по привычке смотрите на человека как на царя природы. А мы не цари природы, мы — такое же ее явление, как облака, землетрясения и морские приливы…

Жуковицкий демонстративно зевнул и залпом допил виски. Лицо Юргена вновь изобразило детскую обиду, что случалось всякий раз, когда Альберт Витальевич, вот как сейчас, грубо ссаживал его с любимого конька, не дав закатить полуторачасовую лекцию о богатой истории и неисчерпаемых возможностях астрологии. Заметив это, Жуковицкий усмехнулся, но тут же подумал, что с Юргеном надо быть осторожнее. Гений он или нет — вопрос спорный, но в том, что Эрнст очень полезен, Альберт Витальевич убеждался уже неоднократно. Да как полезен! Если бы этот черемис со своей лженаукой был под рукой с самого начала, можно было бы избежать многих ошибок и вызванных ими неприятных последствий. Э, да что говорить! Если бы не Юрген с его предсказаниями, никакого Альберта Витальевича Жуковицкого уже не было бы на свете. Отчаявшись помешать ему законными методами, эта свинья в генеральских погонах, Потапчук, чтоб ему ни дна, ни покрышки, решил прибегнуть к физическому устранению. И, если бы звезды не нашептали Юргену на ушко точное время и место покушения, на кладбище отправился бы не киллер, а сам Альберт Витальевич…

Он вспомнил, как все было, и опять испытал странное, непривычное чувство страха пополам с глубоким удовлетворением. Потапчук теперь, наверное, долго будет ломать голову, пытаясь понять, как это могло случиться. Отсюда удовлетворение; что же до страха, то его по вполне понятным причинам вызывал не только и не столько инцидент с участием киллера, сколько возможности Юргена, теперь казавшиеся практически безграничными. Разговаривая с ним, Альберт Витальевич все время побаивался, что астролог видит его насквозь и читает самые потаенные мысли так же легко, как закорючки в своих потрепанных талмудах.

— Перед вами теперь открываются очень широкие перспективы, — заговорил Юрген, причмокивая кусочком льда, который он втянул из стакана вместе с виски и теперь посасывал, как леденец. Голос у него все еще был немного обиженный, но астролог уже оттаивал, как это случалось всегда, когда он получал возможность поговорить о своем любимом деле. Жуковицкий не имел ничего против, пока Юрген выдавал конкретную информацию, а не ударялся в исторические экскурсы. — Я еще раз все проверил. Негативные влияния, хоть и не исчезли совсем, теперь сведены до минимума. То есть, как я и предсказывал, за кризисом пришло спокойствие, и оно обещает быть довольно продолжительным.

«Все верно, — слушая его, думал Жуковицкий. — Это, приятель, я мог бы рассказать тебе сам, не прибегая к помощи звезд. Негативные влияния, про которые ты мне тут толкуешь, это проклятый Потапчук. Как было бы славно, если бы он, как ты выразился, исчез совсем! Ничего, придет время — я с ним еще разберусь. А пока хорошо уже и то, что его удалось «свести до минимума», и пройдет, наверное, не один месяц, прежде чем он оклемается от полученного удара и попробует еще что-то предпринять против меня. А я к тому времени окрепну еще больше и что-нибудь придумаю, чтобы стереть этого старого подонка с лица земли. Жалко, что этот его киллер отдал концы в Склифе. Если бы его удалось расколоть, на Потапчуке можно было бы с чистой совестью поставить крест — после таких позорных провалов людей в органах не оставляют...»

— Сейчас, — продолжал Юрген, — самое время взяться за осуществление ваших планов.

— Приятно слышать, — Жуковицкий был искренне рад. — Значит, звезды дают «добро»? А как на это посмотрит совет директоров, они не говорят?

Астролог вздохнул и с задумчивым видом, громко хрустя разжевал кусочек льда. Жуковицкого передернуло от этого звука — у него были плохие, слишком чувствительные зубы, стоматолога он навещал не реже раза в месяц, и фокусы, подобные тому, что только что продемонстрировал Юрген, вызывали у него рефлекторное содрогание.

— Вы никак не хотите понять, — сказал астролог, — что я составляю свои прогнозы, основываясь на явлениях космического масштаба. Расположение светил в данный момент для вас благоприятно, и это все, что я могу вам сказать. По крайней мере, сейчас.

Альберт Витальевич досадливо крякнул и налил еще виски.

— Воля твоя, Эрнст Карлович, но тебя, ей-богу, без бутылки не поймешь. Покушение ты предсказал с точностью чуть ли не до минуты, место назвал точно, будто в воду глядел. Выходит, это твоя наука может. А просчитать мои шансы в деле, которое важнее сотни таких покушений, она, видите ли, не в состоянии! Это для нее, видите ли, слишком мелко! Да ты хоть понимаешь, о чем идет речь? Россия на мировой арене — это сегодня Газпром, и больше ничего. Кто держится за вентиль, тот диктует условия. Это, по-твоему, мелко? Россию, дорогой, с любой орбиты видно, это тоже, если угодно, объект космического масштаба...

Юрген хмыкнул, заглядывая в стакан.

— Ну, ладно, допустим, я для твоей хваленой науки — слишком ничтожный объект. Так, козявка мелкая, никчемная... А ты напряги воображение, подойди к этому делу с другого конца. Вот, к примеру, твой Нострадамус в незапамятные времена предсказал, что Германией будет править Гитлер. Даже фамилию назвал! А насчет России у него ничего такого не сказано? Не встречалась тебе в его писаниях знакомая фамилия?

— Все это не так просто, — объявил Юрген.

— Да уж понимаю, что непросто! — саркастически воскликнул Жуковицкий. — Казалось бы, что может быть проще прямого ответа на прямо поставленный вопрос: да — да, нет — нет... Не тут-то было! Виляешь, Эрнст Карлович, и я знаю, почему. Ведь если, к примеру, ты мне прямо в глаза резанешь: нет, дескать, не упоминается у Нострадамуса твоя фамилия, или, наоборот, упоминается, но под таким соусом, что лучше бы уж и вовсе не упоминалась, — что тогда? Тогда, вроде, ты мне больше и не нужен. Или наоборот: там, у Нострадамуса, так прямо и написано, что грядет, мол, великий тиран, и звать его Алик Жуковицкий... Хорошо? Мне — да, хорошо. А тебе, опять же, полный расчет и выходное пособие в зубы: гуляй, Эдик, ты свою работу выполнил... Вот ты туману и напускаешь, чтоб от кормушки не прогнали. А?

Юрген, как ни странно, выслушал эту тираду вполне благодушно, как будто это не его только что почти прямо обвинили в шарлатанстве. Ему сейчас полагалось бы оскорбиться и даже, черт возьми, осторожно, не доводя дела до греха, вспылить: дескать, да как вы смеете, да если я вас не устраиваю, поищите себе другого астролога... Но Юрген сидел, положив ногу на ногу, в глубоком кресле, водил под носом стаканом и улыбался чуть ли не сочувственно, как будто Альберт Витальевич жаловался ему на какую-нибудь стыдную и неприятную болезнь — на геморрой, к примеру, или, того смешнее, триппер.

— Нострадамус, — задумчиво, едва ли не мечтательно повторил он, когда Жуковицкий умолк. — Нострадамус был одним из величайших гениев в истории человечества, такие рождаются раз в миллион лет. Еще в шестнадцатом веке он предсказал многие направления развития науки и техники, в том числе появление электричества, радио и телевидения. Да что там! Он предвидел полеты в космос, он предвосхитил множество открытий — в биологии, физике, химии... Он был врачом, поэтом, ученым, он боролся с чумой и предсказывал будущее... Его предсказания охватывают период до 3797 года, и они, заметьте, до сих пор ни разу не были опровергнуты жизнью, чтобы там ни болтали наши газеты. Вот вы упомянули о Гитлере. Но Нострадамус предсказал и правление Франко. Он написал, что Франко будет безбедно править тридцать восемь лет, как это и было на самом деле. Он даже угадал условный сигнал к началу франкистского мятежа — в его четверостишии упоминаются голубое небо и облака, а знаком к началу выступления послужила переданная по радио фраза: «Над всей Испанией безоблачное небо».

— Все это очень познавательно, — закуривая, согласился Жуковицкий, — но я не вижу, какое отношение это имеет к предмету нашего разговора.

— Самое прямое и непосредственное, — быстро ответил Юрген. — И я вам это докажу, если вы наберетесь терпения.

— Почему бы и нет, — сказал Альберт Витальевич. — Вечер у меня свободный, и мы сейчас празднуем нашу маленькую победу... Так почему, в самом деле, празднуя маленькую победу, не поговорить о победах больших? Если, конечно, ты, Эрнст Карлович, намерен говорить именно об этом...

— Более или менее, — ответил астролог. — Я намерен попытаться объяснить, почему в одних случаях мне удается предсказать все до мелочей, а в других мои прогнозы выглядят настолько расплывчато, что это вызывает у вас вполне законное неудовольствие и даже, оказывается, какие-то подозрения в мой адрес...

— Ну-ну, — сказал Жуковицкий, — я же просто пошутил.

— Надеюсь, — сухо сказал Юрген. — Но, согласитесь, шутка — это просто форма, в которую облечена вполне конкретная мысль. Вы можете даже не придавать этой мысли значения, но, раз она пришла вам в голову, следует разобраться.

— Ладно, — сдался Жуковицкий, — валяй, разбирайся. Расскажи, откуда берутся эти... э... помутнения на поверхности твоего хрустального шара?

Юрген ухмыльнулся, отдавая должное шутке, и благодарно кивнул, когда хозяин снова наполнил его стакан. Глаза у него заблестели, щеки зарумянились, движения стали порывистыми.

— Прежде всего, — хватив добрый глоток виски, снова заговорил астролог, — я, увы, не Нострадамус. Не слушайте тех, кто утверждает, что астрология со времен Возрождения шагнула далеко вперед. Если вы услышите это от кого-нибудь, знайте, что перед вами шарлатан, охотник за легкими деньгами. Все четыреста с гаком лет, прошедшие с той поры, астрология стояла на месте и даже деградировала — спасибо святой инквизиции. Поэтому таких мастеров, как Нострадамус, Неро или Альберт Великий, сегодня просто не существует. По сравнению с ними все мы — дикари, вроде тех варваров, что, разрушив Рим, вступили во владение жалкими обломками великой цивилизации. Поэтому робкая критика «Центурий» Нострадамуса, которую можно встретить в популярной литературе по астрологии, есть не что иное, как попытка сохранить лицо и набрать дополнительные очки за счет человека, который давно мертв и ничего тебе не может возразить. Заметьте, что его и хвалят достаточно робко: дескать, если не считать мелких ошибок, все его предсказания до сих пор оказывались верными... А почему? Да потому, что нынешние недоучки, и ваш покорный слуга в их числе, просто не в состоянии проверить его выкладки! Мы не можем ни подтвердить его предсказания, ни опровергнуть — мы можем только болтать о них, воровато заглядывая в скверные переводы всякий раз, когда речь идет о составлении действительно серьезного прогноза!

Разгоряченный собственной пламенной речью, он залпом осушил стакан. Жуковицкий, мысленно потешаясь, снова долил ему виски, чего Юрген, казалось, даже не заметил.

— «Центурии», — отхлебнув из стакана, продолжал он мечтательно, — великое поэтическое творение, по объему превосходящее «Божественную комедию» Данте и не менее, а может быть, и более талантливое, чем она! И написано оно, заметьте, шифром, над разгадкой которого уже четыре сотни лет ломаются головы поумнее моей! Принято считать, что «Центурии» дошли до нас не в полном объеме. По самой распространенной версии, значительная их часть, касающаяся событий, которые произойдут после 2300 года, сожжена и безвозвратно утрачена.

— Подумаешь, — решив слегка подзадорить собеседника,

вмешался Жуковицкий. — Триста лет ни мне, ни тебе не протянуть, так какая разница?..

— Самая распространенная версия не всегда самая правдивая, — с подозрительной кротостью заметил Юрген. — Содержание и судьба утраченных бумаг известны нам только с чужих слов — полагаю, со слов сыновей Нострадамуса, которые после его смерти занимались изданием отцовских рукописей. А у них могла быть тысяча причин скрыть истину — причин, о которых нам теперь остается только гадать. Возможно, и бумаги не сгорели, и речь в них шла вовсе не о периоде с 2300 по 3797 годы... вернее, не только об этом периоде.

— К чему это ты клонишь? — насторожился Жуковицкий.

Разговор этот был ему, в общем, неинтересен и даже скучен, но развитое чутье делового человека, политика и бизнесмена, как всегда, не подвело: он мигом уловил прозвучавшие в последней реплике Юргена многообещающие нотки.

Астролог вместо ответа широко взмахнул сжимавшей стакан рукой, обильно окропив его пахучим содержимым ковер и колени. Альберт Витальевич осознал, до какой степени Эдик набрался, только увидев этот жест и услышав пьяное хихиканье.

— Напоили вы меня, Альберт Витальевич, до потери сознания, — слегка заплетающимся языком констатировал Юрген.

— Пей, пей, расслабляйся, — сказал Жуковицкий. — Ты это заслужил, как никто. Я тебе жизнью обязан.

— Ловлю на слове, — снова хихикнув, заявил астролог и осторожно поставил стакан на край стола. — Вообще, если бы не это дело, — он кивнул на стакан, — я бы вам всего этого не сказал. Это — тс-с! — большой профессиональный секрет. Понимаете, в нашей среде ходят упорные слухи, что в той части «Центурий», которая считается утраченной, Нострадамус изложил основы своего метода вычислений. При жизни ему приходилось прятаться от инквизиции, за проскопию тогда можно было запросто угодить на костер...

— Проскопия?

— Предсказание будущего... Так вот, многие его пророчества открываются словами: «Так желает господь», или «Так суждено быть». Дескать, это все — откровения свыше... На самом-то деле все его предсказания были результатом тщательных вычислений, повторить или хотя бы проверить их сегодня никто не может. Так вот, поговаривают, что недостающая часть «Центурий» была вовсе не сожжена, а спрятана — скорее всего, потомками Нострадамуса, которые побаивались лишиться дохода от издания рукописей, если все, кому не лень, начнут применять его метод на практике. Поговаривают также, что эти бумаги написаны шифром, ключ к которому ныне утрачен. По слухам, придворный астролог Петра I, вывезенный им из Голландии, нашел этот ключ и весьма успешно им пользовался, но это уже легенда… Хотя, если припомнить царствование Петра Алексеевича, приходится признать, что звезды были к нему весьма благосклонны. Он один сделал для России больше, чем все его наследники, вместе взятые…

— Занятно, — сказал Альберт Витальевич. — Ну, и что из всего этого следует?

Астролог поднял отяжелевшую голову, вяло нащупал слева от себя стакан и осушил его одним махом.

— А вы не поняли? Эх, вы, великий тиран… Я уже битый час пытаюсь вам втолковать, что человек, в распоряжении которого окажется недостающая часть «Центурий» и ключ к ее прочтению, станет непобедимым и всесильным — диктатором, царем, императором… да кем хотите! Главное — уметь прочесть написанное…

— Главное, чтобы все это не оказалось обыкновенной байкой, — поправил Жуковицкий. — И потом, что толку переливать из пустого в порожнее? Может быть, ты знаешь, где хранится вся эта писанина?

— Нет, — тяжело, по-лошадиному, помотав головой, со вздохом признался Юрген, — этого я не знаю. И никто не знает. А жаль.

— Жаль, — согласился Альберт Витальевич, — тут я даже спорить не стану — что жаль, то жаль. Ну и что? Человек предполагает, а бог располагает… Хочешь еще выпить? Нет? Ну, тогда иди спать, звездочет, комната для гостей в твоем распоряжении…

* * *

Поднявшийся после полудня сильный ветер немного разогнал тучи, и в их разрывах впервые за много дней проглянуло солнце. Рябые от ветра лужи ярко блестели в его лучах, и даже серый бурьян, что окаймлял разбитую, грязную грунтовую дорогу, при таком освещении приобрел теплый, приятный глазу золотистый оттенок.

По дороге, с плеском разбрызгивая лужи, подвывая двигателем, крякая рессорами и похрустывая шестеренками коробки передач, медленно полз потрепанный, грязный грузовой микроавтобус. Справа виднелись голые кроны старых берез и тополей. Там находилось старое кладбище, заложенное в ту пору, когда покойников еще не укладывали бок о бок, не бросали одного на другого, как дрова, а относились к смерти с должным уважением и даже сажали на кладбищах молодые деревца, чтоб мертвецам было веселее лежать в земле под шум листвы.

У опушки кладбищенской рощи стояла до самой крыши забрызганная грязью черная «Волга». Номеров было не разобрать; неутомимые «дворники» протерли на ветровом стекле две полукруглые амбразуры. Немолодой, одетый в летную кожанку коренастый водитель, чавкая раскисшей от затяжных дождей глиной, прохаживался вокруг, пиная скаты, пробуя рессоры и время от времени украдкой поглядывая на своего пассажира. Пассажир, пожилой мужчина в щегольском черном плаще и немодной, низко надвинутой на глаза кепке, стоял у кладбищенской ограды, держа в опущенной руке полевой бинокль. Ветер рвал полы его плаща, забираясь под одежду, но человек с биноклем не обращал на него внимания. Деревья шумели над головой, в пятнистом от смятых, изорванных облаков небе кружились черные птицы — грачи, а может быть, обыкновенные галки или вороны. Из поднебесья то и дело доносились их крики — словом, несмотря на проглянувшее солнышко, обстановка была мрачная, под стать настроению. А впрочем, кладбище есть кладбище, веселиться тут как-то не принято...

Человек в кепке поднес к глазам бинокль, подрегулировал резкость и отыскал окулярами ползущий через голое поле микроавтобус, который тяжело переваливался с ухаба на ухаб, издали напоминая застигнутое штормом в открытом море мелкое рыболовное суденышко. Солнечный луч, отраженный линзой, на миг ослепил водителя микроавтобуса; щурясь, он повернул голову туда, где ему почудилась яркая вспышка, но, разумеется, ничего не разглядел, кроме темной массы старых деревьев и кружившей в небе птичьей стаи, похожей на чаинки в стакане с энергично размешанным кипятком.

Справа от дороги, по которой двигался микроавтобус, виднелся частокол крестов, фанерных пирамидок и покосившихся, утонувших в бурьяне памятников из цемента пополам с мраморной крошкой. Пестрели искусственными цветами и золотом прощальных надписей поблекшие, облезлые венки. У самой дороги захоронения были посвежее, продолговатые холмики желтого суглинка еще не успели осесть и порасти травой, но и они уже приобрели покинутый, сиротливый вид. Москва — город большой и суетный, и обитатель этого помешавшегося на деньгах мегаполиса, отдав концы и упокоившись на таком вот дальнем кладбище, не может рассчитывать на избыток внимания со стороны своих близких. Хорошо, если памятник поставить соберутся, а нет, так и не надо: спасибо уже и на том, что похоронили по христианскому обычаю, в земле, а не спалили в печке, как сосновую колоду...

Слева, где бурьян был повыше и погуще, кресты, фанерные пирамидки и цементные плиты отсутствовали, не говоря уже об оградках и венках. Здесь, местами совершенно скрытые травой, рядами торчали покосившиеся колышки с прибитыми на них потемневшими, покоробившимися от непогоды фанерными табличками. Кое-где еще можно было разобрать надписи: порядковые номера захоронений и даты смерти. Здесь хоронили безымянных, неопознанных покойников: бездомных стариков, нищих, бомжей, опустившихся привокзальных проституток, а также гастарбайтеров, приехавших в Москву из братских республик бывшего Советского Союза искать счастье, а нашедших лишь безымянную могилу в продуваемом всеми ветрами поле недалеко от городской свалки. Один из этих бедолаг лежал сейчас на железном полу в кузове, завернутый вместо савана в мешок из плотного черного полиэтилена.

Впрочем, этот жмур был не из простых, а, как говорится, с историей. Водитель микроавтобуса эту историю знал — профессиональные водители всегда знают все на свете или, по крайней мере, думают, что знают, — и, как все водители, был не прочь поговорить в дороге, а его помощник, прыщавый парнишка лет двадцати, был готов слушать с подобающим вниманием. Рассказ старшего товарища, хоть и выглядел порядком приукрашенным, все-таки помогал отвлечься от неприятных мыслей, которые одолевали юного могильщика всякий раз, как он оказывался на своем рабочем месте.

В основе неспешного повествования, которое, вертя баранку, дергая рычаг и играя педалями, вел умудренный опытом шофер труповозки, лежал истинный факт, однако красочные подробности, коими был обильно уснащен рассказ о происшествии у Белорусского вокзала, имели с этим фактом очень мало общего. Как правило, так оно и бывает; именно таким путем сегодня создаются мифы — точно так же, как создавались три тысячи лет назад, и как, наверное, будут создаваться тысячи лет спустя.

Если верить рассказу водителя, в доме недалеко от Белорусского вокзала имел место настоящий бой, в ходе которого тот самый неопознанный покойник, что лежал сейчас в грузовом отсеке его колымаги, убил на месте сначала любовницу крупного криминального авторитета, потом двоих его охранников, а затем и одного из подоспевших к месту перестрелки ментов. Еще трое ментов были ранены, причем один из них до сих пор лежал в реанимации, балансируя между жизнью и смертью. А затем, расстреляв все до единого патроны и поняв, что прорваться через кольцо окружения ему не удастся, меткий стрелок выдернул чеку из гранаты, подпустил противника поближе и разжал ладонь.

Каким образом этот отморозок еще в течение некоторого времени жил на больничной койке в институте Склифосовского, умудренный опытом водитель не мог даже предположить. Нормальные люди после подобных происшествий отправляются к праотцам, причем, как правило, в разрозненном, разобранном виде, так что праотцам бывает нелегко определить, кто это к ним пожаловал. Да что там! Нормальному человеку, чтобы помереть, бывает достаточно поскользнуться на обледенелой ступеньке или, промочив ноги, взяться за поручень в троллейбусе. А таких, как этот, который сейчас в кузове, даже смерть берет нехотя, через силу — и не брала бы, да деваться некуда...

Когда в изломанном, примятом ногами землекопов бурьяне мелькнул последний колышек с табличкой — светлой, еще не успевшей потемнеть от непогоды, с разборчивой, сделанной черной краской по трафарету стандартной надписью, — водитель затормозил и выключил передачу. Заглушив двигатель, он первым выпрыгнул из кабины в скользкую, жирную, густую, как подтаявшее масло, глинистую грязь и, сойдя с дороги, приблизился к первой в длинном ряду одинаковых прямоугольных ям. Они были выкопаны впрок навесным ковшом переоборудованного в экскаватор колесного трактора, и было этих ям видимо-невидимо. Между ними желтели кучи вынутого экскаватором суглинка, в размякшем от долгого дождя дерне виднелись оставленные колесами трактора глубокие колеи. Затянувшись в последний раз, водитель равнодушно бросил окурок в яму и, хрустя бурьяном, вернулся к машине.

— Раз-два — взяли, — сказал он напарнику, который глядел на него из кабины, и открыл распашную дверь грузового отсека.

Из железного кузова потянуло карболкой и дезинфекцией, а заодно и другим, едва уловимым, но вполне откровенным запашком. Напарник, шлепая по грязи, обошел машину и остановился рядом, брезгливо морща нос от этого запаха.

— А поближе подъехать ты не мог? — недовольно поинтересовался он. — Что мы, нанялись эту падаль на горбу таскать?

— Во-первых, его таскать мы как раз нанялись, — смерив его с головы до ног полунасмешливым взглядом, степенно ответил водитель. — А во-вторых, если подъехать ближе, тащить на горбу придется уже не его, а вот этот сундук. — Он гулко похлопал тяжелой ладонью по забрызганному грязью жестяному борту. — А мне что-то не верится, что мы с тобой вдвоем сумеем ее на плечах вынести, если она, родимая, на брюхо сядет. А поэтому, Женя, кореш ты мой драгоценный...

— Да ясно, ясно все, — проворчал напарник, поняв, что отвертеться от неприятной обязанности не удалось и жмурика все же придется тащить к месту его последнего успокоения на руках.

— Поэтому, браток, — с нажимом повторил водитель, который привык, начав фразу, во что бы то ни стало договаривать ее до конца и полагал эту свою привычку признаком твердого характера и мужской самостоятельности, — бери-ка ты его за любой конец, какой больше нравится, и понесли, а то как раз обеденный перерыв пропустим.

Он одним мощным рывком наполовину выдвинул из кузова старые медицинские носилки и, вопреки собственным словам не оставив напарнику выбора, первым ухватился за резиновые ручки. Напарник привычно подхватил другой конец, и импровизированная похоронная процессия двинулась в короткий последний путь. Плотный черный полиэтилен весело поблескивал на солнце, почти полностью скрывая очертания тела, и тихонько шуршал, когда ветер принимался трепать углы мешка. Носилки беспорядочно раскачивались; потом молодой напарник, сообразив, сменил ногу, подправил шаг, подстроившись под размеренную поступь водителя, и рывки прекратились.

Они остановились на краю ямы. Неопытный Женя только сейчас сообразил, что надо было прихватить из кузова брезентовые шлеи, какими пользуются грузчики мебельных магазинов и могильщики, и начал было опускать свой конец носилок на землю, чтобы сбегать к машине, но водитель остановил его одним коротким, выразительным взглядом через плечо.

— Невелика птица, — угадав все, что хотел сказать Женя, произнес водитель. — Прощальный салют и траурный митинг ему не полагается. Сойдет, блин, и так.

Сразу после этой фразы он начал решительно задирать правую сторону носилок, одновременно опуская левую. Напарнику ничего не оставалось, как последовать его примеру. Носилки опрокинулись, тяжелый полиэтиленовый сверток соскользнул с них и с глухим шумом упал на дно ямы. Он был хорошо виден с того места, где стоял молодой, но было невозможно определить, где у покойника голова, где ноги, и как, вообще, он лежит — лицом к небу, как полагается, или, наоборот, уткнувшись носом в глину.

Возвращаясь к машине за лопатами, молодой могильщик по имени Женя все никак не мог отогнать эту навязчивую мысль: куда смотрит покойник? Еще он думал о том, что людей нельзя хоронить вот так, словно дохлых свиней, и что привыкнуть к этому будет трудно. Да ему, по правде говоря, и не хотелось к этому привыкать. На эту работу он попал случайно, а сегодня вдруг понял: надо уходить как можно скорее, пока не превратился в такое же бесчувственное, самодовольное бревно, как его старший товарищ...

Пассажир черной «Волги» по-прежнему наблюдал за этой предельно упрощенной траурной церемонией с вершины кладбищенского пригорка в мощный полевой бинокль. Он уже порядком озяб на ветру, но не уходил, хотя в городе его ждала масса неотложных дел, куда более важных, чем эти похороны, больше похожие на захоронение кучки ненужного мусора. Он подозревал, что за ним тоже наблюдают, и дело тут было совсем не в шофере, который, присев бочком за руль, щепкой счищал с ботинок налипшую глину.

За пассажиром действительно пристально наблюдали. Некто, просто и непритязательно одетый в джинсы, турецкую кожаную куртку и кожаное же кепи с длинным козырьком, присев за покосившимся цементным памятником с эмалевым медальончиком, на котором красовалось сильно подретушированное изображение какой-то бабуси в повязанном по-деревенски платке, провожал каждое его движение объективом видеокамеры. Камера была дорогая, профессиональная, с увеличением, которому мог позавидовать любой бинокль, и, когда оператор давал наезд, ему был виден каждый волосок на голове пассажира «Волги» и каждая ворсинка на его плаще. Притаившийся среди могил оператор спокойно выполнял свою работу, сожалея в данный момент лишь о том, что в руках у него видеокамера, а не хорошая, пристрелянная винтовка с оптическим прицелом. Немного смещая камеру влево, он видел через плечо своего клиента пару землекопов, которые уже забрасывали безымянную могилу мокрым рыжим суглинком, орудуя лопатами с энергией, свидетельствовавшей об их горячем желании поскорее отсюда убраться.

Глядя на них, оператор всякий раз думал о том, что и его, очень может статься, ждет точно такой же или очень похожий конец. Только его наниматель, в отличие от пассажира черной «Волги», ни за что не явится на кладбище, чтобы хоть издали одним глазком посмотреть на похороны. Не такой он человек, ему такая мысль даже в голову не придет…

Наконец, яма была засыпана. Не утруждая себя выравниванием печального рыжего холмика, водитель труповозки подобрал с земли деревянный колышек с табличкой и вогнал его заостренным концом в изголовье могилы, которое, учитывая обстоятельства, вполне могло оказаться изножьем. Он вогнал колышек поглубже, несколько раз ударив лопатой по его верхнему концу; притаившийся за надгробием неизвестной старухи оператор дал максимальное увеличение, поймав в видоискатель табличку с порядковым номером и датой, которая совпадала с датой взрыва в жилом доме близ Белорусского вокзала. Сделав это, он удовлетворенно кивнул: теперь хозяин получил нужные ему доказательства.

Пассажир черной «Волги» опустил бинокль.

— Земля тебе пухом, — сказал он.

Произнесено это было негромко, но с таким расчетом, чтобы водитель, по-прежнему сидевший за баранкой боком, свесив ноги в грязных ботинках наружу, услышал каждое слово. Увы, до окончательного прояснения всех обстоятельств подозревать приходилось всех и каждого, в том числе и водителя. В делах такого рода никакие подписки о неразглашении, никакие, даже самые тщательные проверки ничего не решают. Сколько ни проверяй человека, сколько ни выковывай из него идеального служаку, он все равно останется человеком. А человеку свойственно сохранять лояльность по отношению к тому или иному общественному институту лишь до тех пор, пока ему не предложат что-то лучшее. Человек работает либо за идею, либо за деньги, причем в последнее время второй вариант распространен куда более широко. А господин, который в данный момент противостоял пассажиру черной «Волги», был состоятелен настолько, что мог пачками скупать генералов, не говоря уже о такой мелкой и, по определению, безыдейной сошке, как водители генеральских автомобилей.

Поэтому, произнося прощальные слова, человек с биноклем учел все, даже направление и скорость ветра, а потом повернулся к утыканному крестами и памятниками полю спиной и пошел к машине, на ходу рассеянно обматывая бинокль ремешком.

Уже запустив двигатель, водитель, который, как и предполагалось, прекрасно расслышал и верно расценил произнесенную пассажиром фразу, обернулся через плечо и осторожно, сочувственно поинтересовался:

— Кого хоронили-то, товарищ генерал?

Генерал Потапчук немного помедлил с ответом, взвешивая «за» и «против», а потом медленно, будто через силу, сказал:

— Стрелка. Лучшего из всех, кого я знал.

Водитель, работавший в органах уже семнадцатый год и носивший во внутреннем кармане пилотской кожанки удостоверение старшего прапорщика ФСБ, не стал больше задавать вопросов. Он включил передачу и осторожно, чтобы не забуксовать в липкой грязи, дал газ.

ГЛАВА 4

Краеведческий музей представлял собой обычное для этих мест кирпичное одноэтажное строение с деревянной мансардой, украшенной затейливой резьбой, сильно траченной временем и непогодой. Среди других подобных строений он выделялся разве что чуть более крупными размерами — надо полагать, до революции здесь обитал какой-то купец, промышленник, а может, и поп, охмурявший народ в высившейся неподалеку каменной церквушке, — да привинченной к беленой кирпичной стене черной с золотом табличкой, извещавшей всех, кто умел читать, о том, что это не жилой дом и не заготовительная контора, а именно музей.

В данный момент ни таблички, ни резьбы, ни всего остального не было видно, поскольку на дворе стояла ночь, а небо затянули тучи, сквозь рваную пелену которых лишь время от времени размытым пятном желтоватого света проглядывала луна. В темноте смутно белел кирпичный фасад первого этажа с черными провалами окон; в отдалении зеленовато-голубой звездочкой мерцал одинокий фонарь, да сияла теплым оранжевым светом пара окошек, за которыми не то кто-то мучился бессонницей, не то хлестали чай вприкуску, неся трудную вахту, ночные сторожа.

— Луна, как бледное пятно, сквозь тучи темные мелькала... или блистала? — произнес в тишине прокуренного автомобильного салона капитан Воропаев.

— Помолчи, — ответили ему.

Гурин тоже был капитаном, но его оставили за старшего, и Воропаеву пришлось подчиниться. К тому же, Гурин был прав: трепаться, от нечего делать перевирая стихи, сейчас было не время.

Он был неподвижен, словно рядом с Воропаевым в кабине потрепанного командирского «уазика» сидел не живой человек, а манекен из магазина готовой одежды или надгробный памятник. Да, пожалуй, именно памятник, а точнее — бюст, поскольку, кроме плеч и головы напарника, выступавших над краем оконного проема, Воропаев не видел ничего.

Потом Гурин шевельнулся, заставив скрипнуть пружины продавленного водительского сиденья, и поднес к самому лицу запястье левой руки. Краем глаза Воропаев уловил зеленоватое мерцание фосфоресцирующего циферблата.

— Сколько? — тихонько спросил Воропаев.

— Долго возится, — ответил старший. — Как бы нас тут не замели.

— Кто? — резонно возразил Воропаев. — Здешние менты? Да они десятый сон видят!

Гурин промолчал, поскольку обсуждать тут было нечего. Его последняя реплика, однако, направила мысли Воропаева в новое русло, и тот осторожно, стараясь не шуметь, вынул из-за пазухи теплый пистолет и положил его на колени, сжимая правой рукой рубчатую пластмассовую рукоятку, а левой — увесистый, гладкий цилиндр глушителя. Если здешние менты действительно спали, им лучше было не просыпаться, а если кому-то из них все-таки не спалось, — держаться подальше от краеведческого музея, поскольку у капитана Воропаева не было никакой охоты брать на душу лишний грех.

— Интересно, — сказал он спустя пару минут, — кто он все-таки такой?

— А я знаю? — лениво откликнулся Гурин. — Какая-то шишка.

Воропаев пренебрежительно фыркнул, очень довольный тем, что напарник перестал корчить из себя большое начальство и поддержал разговор. — Тоже мне, шишка! Бугор на ровном месте... Если он такая важная персона, что мы с тобой должны быть у него на подхвате, какого хрена ему понадобилось лезть в этот сундук с клопами?

Капитан ФСБ Воропаев имел в виду краеведческий музей затерянного на просторах Восточной Сибири поселка Шарово, напротив которого в данный момент стоял их «уазик» с фальшивыми номерными знаками.

— Значит, понадобилось, — сказал Гурин. — Не нашего ума дело. Меньше знаешь — дольше живешь. А вообще, друг мой Василий, в таких вот, как ты выразился, сундуках с клопами порой попадаются оч-чень любопытные экспонаты. Места здесь дикие, неосвоенные, и кто только по ним не шастал! И белые, и красные, и староверы-раскольники, и всякие ссыльные... И все, что характерно, со своим скарбом. В здешних краях, наверное, столько всякой всячины сгинуло, что и представить невозможно. И кое-что, не сомневайся, осело в бабушкиных сундуках, по чердакам да по таким вот музеям. И пылится оно, никому не нужное, и смотрят на него здешние бараны — смотрят и ни черта не понимают...

— Ну, не знаю, — проворчал лишенный не только романтической жилки, но даже и самого элементарного воображения Воропаев. — Что уж тут такого ценного может быть? Золотишко церковное или, скажем, колчаковское? Ну, так золото — оно и в Африке золото, насчет него любой валенок догадается, что оно подороже дерьма стоит.

— Не все золото, что блестит, — ответил Гурин и завозился, устраиваясь поудобнее на скрипучем сиденье. — Вот, к примеру, известно ли тебе, друг Василий, что здесь, в Шарово, еще в восемнадцатом веке отбывал бессрочную ссылку некто Конрад Бюргермайер?

— Это еще кто?

— Серый ты, Василий, как солдатская портянка. Бюргермайер этот был придворным астрологом Петра Первого, понял? Долго был, лет десять. А потом не потрафил чем-то царю-батюшке, тот и сослал его навечно в эту вот дыру. Спасибо еще, что ноздри не вырвал.

— Да, — задумчиво, даже меланхолично, протянул Воропаев, — вот были времена! Ну, и что этот астролог?..

— А хрен его знает, — равнодушно ответил Гурин.

— Тьфу! — с досадой плюнул Воропаев. — А чего ж ты тогда мне мозги пудришь? Астролог, астролог... При чем тут он вообще?

— Да я-то почем знаю? Ни при чем, наверное.

Некоторое время Василий переваривал полученную информацию, после чего пришел к выводу, что она не представляет ровным счетом никакого интереса.

— Эх, ты, — сказал он, — кладезь премудрости! Несешь, сам не знаешь, что...

— Тихо! — перебил его Гурин. — Кажется, выходит.

Повернув голову, Воропаев увидел, как в одном из темных окон краеведческого музея на мгновение блеснул осторожный лучик света. Потом свет погас, негромко стукнула аккуратно прикрытая оконная рама, на фоне беленой кирпичной стены беззвучно промелькнула стремительная тень, а через мгновение задняя дверь «уазика» открылась, и машину слегка качнуло на рессорах.

— Заводи, — послышался сзади негромкий хрипловатый голос. — Валим отсюда.

— На аэродром? — поворачивая ключ зажигания, уточнил Гурин.

— Да, — лаконично ответил человек на заднем сиденье.

Воропаев позавидовал этой лаконичности: сам он в такой ситуации непременно поинтересовался бы, не хочет ли Гурин трястись отсюда через всю Россию до самой Москвы на этом вот отечественном металлоломе. На нем и до аэродрома-то доехать — пытка...

Гурин тронул машину с места. Лишь отъехав на приличное расстояние от музея и сделав несколько поворотов, он включил фары. Человек на заднем сиденье, весь обтянутый черным, как японский ниндзя или боец контртеррористического спецподразделения, содрал с головы трикотажную шапочку-маску с прорезями для глаз и затолкал ее в карман. Лицо у него было скуластое и волевое, как у героя кинобоевика, волосы густые и темные; имени его ни Воропаев, ни Гурин не знали, а кличка у него была странная — Библиотекарь. На библиотекаря этот строго засекреченный тип походил меньше всего на свете; размышляя на эту тему, Воропаев первым делом вспоминал уже ставший хрестоматийным диалог из «Операции "Ы"»: «Почему "Ы"?» — «А чтоб никто не догадался!» Лучшего объяснения странной кличке капитан придумать не сумел, да его, скорее всего, и не существовало: уж кто-кто, а капитан Воропаев точно знал, по какому принципу агентам присваиваются оперативные псевдонимы! С отделом, где служили они с Гуриным, например, долго и плодотворно сотрудничал стукач, который подписывал свои донесения «агент Зина». А был этот агент Зина семипудовым дядечкой с бородищей по грудь, пьяницей, бабником, сквернословом, большим любителем дать кому-нибудь в рыло и, для разнообразия, доктором физико-математических наук...

— Что-то вы долго, — вертя баранку, спокойно заметил Гурин.

— В этом музее черт ногу сломит, — вполне благодушно, что свидетельствовало о превосходном настроении, сообщил Библиотекарь.

Воспользовавшись этим обстоятельством, Воропаев решил немного разговорить загадочного пассажира.

— Нашли, что искали? — спросил он, поворачиваясь к собеседнику.

Библиотекарь посмотрел на него, как на пустое место.

— Борт будет ждать только до четырех ноль-ноль, — сказал он. — Успеем?

Гурин посмотрел на часы.

— По-любому, — с пренебрежительной интонацией профессионального гонщика заявил он. — Хоть ползком, хоть на карачках.

Воропаев хотел суеверно поплевать через левое плечо, но воздержался: как раз там, за его левым плечом, сидел Библиотекарь, которому могло не понравиться, что на него плюют, пусть даже чисто символически.

Свет фар прыгал по разбитой мостовой, из которой лишь кое-где выступали корявые островки древнего, положенного, наверное, еще в полузабытые советские времена асфальта. По сторонам дороги тянулись низкие строения, имевшие заброшенный, нежилой вид и такие грязные, растрескавшиеся и облупленные, словно здесь несколько дней кряду шли кровопролитные бои с применением всех видов стрелкового оружия и даже артиллерии. Кругом на сотни километров простиралось, как в песне, «зеленое море тайги», а тут, в поселке, Воропаев не заметил ни одного деревца — видимо, аборигенам было не до благоустройства. Похоже, им вообще было ни до чего; если их что и интересовало, так это деньги и водка. Было решительно непонятно, откуда в таком месте взялся краеведческий музей и, главное, каким чудом это некоммерческое, убыточное заведение просуществовало до сего дня. Видимо, его создал и до сих пор, выбиваясь из последних сил, волок на своем горбу какой-то чокнутый энтузиаст истории родного края. И можно было не сомневаться, что, когда он, наконец, надорвет себе жилы и откинет копыта, его детище мгновенно загнется и будет забыто всеми, самое большее, через месяц. Так что, если даже Библиотекарь только что умыкнул из музея самое ценное, что там было, вреда культурному наследию здешних обитателей он не нанес никакого — все равно пропадет...

Придя к такому выводу, капитан Воропаев снова задумался о том, что все-таки понадобилось тут Библиотекарю — птице, судя по всему, действительно важной, вроде киношного агента 007. И ведь он не сам по себе! Кто-то его сюда направил, выделил в помощь двух опытных оперативных работников, снабдил деньгами и инструкциями, а теперь вот, пожалуйста, подогнал специально для него военно-транспортный самолет, который будет ждать до четырех ноль-ноль на ближайшем аэродроме. Так обставляются только дела государственной важности, и в свете всех этих приготовлений банальная кража со взломом из захолустного краеведческого музея представляется уже далеко не такой банальной. Так что же он там искал и нашел ли? Судя по его настроению, таки да, нашел. Вернулся он с пустыми руками, и, значит, то, что он искал, легко помещается в кармане или, скажем, за пазухой. Ну, и что это может быть?

Капитан Воропаев тут же, не сходя с места, мог бы назвать с десяток предметов, которые легко помещаются в кармане, и из-за которых при этом стоило бы гонять через полстраны тяжелый транспортный самолет. Но всем этим предметам было решительно нечего делать в витринах или запасниках краеведческого музея — они не могли попасть туда даже случайно, поскольку не представляли никакого интереса для зевак.

Ничего не придумав, он решил, что Гурин прав: это не их ума дело, и нечего ломать голову над тем, что тебя не касается. Через несколько часов они вернутся домой и больше никогда не увидят Библиотекаря. И черт с ним! Мало ли кого Воропаев больше никогда не увидит. Это была рутинная командировка, и слава богу, что обошлась она без осложнений. Сделал дело, отрапортовал начальству, — и забудь, как страшный сон. Подумаешь, тайны Мадридского двора...

Поселок давно остался позади, под колеса машины легло разъезженное, разбитое гравийное шоссе — то, что в народе называется «щебенка с гребенкой». «Уазик» бодро барабанил колесами по частым поперечным гребешкам этой стиральной доски; чтобы не откусить себе язык, приходилось до боли в челюстях стискивать зубы. Размышлять на отвлеченные темы стало невозможно, и Воропаев задался вполне конкретным вопросом, на который ему до сих пор никто не дал ответа: как, черт возьми, ровная, старательно укатанная песчано-гравийная дорога за каких-нибудь полгода превращается в такую вот стиральную доску? Понятно, откуда на дороге берутся колеи, ухабы и рытвины, но как образуется эта мелкая поперечно-полосатая дрянь — это же уму непостижимо! Ведь такое даже нарочно не сделаешь, а тут, пожалуйста, делается само, когда никто его об этом не просит...

Какое-то время дорога шла более или менее прямо, а потом начала петлять между какими-то лесистыми холмами, прямо как змея, норовящая ухватить себя за хвост. За одним из таких поворотов фары вдруг выхватили из темноты стоящий на обочине сине-белый милицейский «уазик», а мгновением позже во мраке ярко засияли зеленовато-желтые светящиеся полоски, двигавшиеся как будто сами по себе, а на самом-то деле, конечно, нашитые на одежду какого-то бешеного, замученного бессонницей и служебным рвением провинциального гаишника. Кого он, этот мусор, подстерегал посреди ночи в темном, дремучем лесу — уму непостижимо, но он был тут. А рядышком, как и следовало ожидать, немедленно обнаружился второй, и этот второй, шагнув на проезжую часть, профессионально-небрежным, щеголеватым жестом выбросил перед собой светящийся полосатый жезл, требуя остановиться.

— Гляди, какой франт нарисовался, — неприязненно проворчал Гурин. — Водяра у них кончилась, что ли? Что делать будем, командир?

— Спокойно, — напряженным голосом откликнулся сзади Библиотекарь. — Бумаги у нас в порядке, так что не надо пыли и пузырей. В крайнем случае позолотишь ему ручку.

— Мозги бы ему провентилировать, а не ручку позолотить, — с ненавистью процедил Гурин, включая указатель поворота и съезжая на обочину.

— Спокойно, — повторил Библиотекарь. — Это всегда успеется.

Воропаев, спохватившись, накрыл полой куртки пистолет, который до сих пор держал в руках. Колеса коротко прошуршали по высокой мертвой траве, которой заросла обочина, машина остановилась в паре метров от милицейского «бобика». Гурин завертел ручку, и стекло слева от него рывками поползло вниз.

Оба мента уже шли к машине, прикрываясь ладонями от света фар. Гурин щелкнул переключателем, оставив включенными только габаритные огни. Даже при таком освещении было хорошо видно, что гаишники одеты в бронежилеты и вооружены автоматами.

— Странно, — тихонько сказал Воропаев, поглаживая под полой рукоять пистолета. — Может, это за нами?

— Исключено, — так же тихо, но очень твердо отрезал Библиотекарь. — Просто ловят кого-то.

— Проверка документов, — представившись, сообщил гаишник, на плечах которого тускло отсвечивали лейтенантские звездочки.

— Здорово, земляк, — дружелюбно приветствовал его Гурин, нарочито неторопливо копаясь во внутреннем кармане. — И что это вам не спится?

— Служба, — коротко ответил лейтенант и вдруг без предупреждения, совершенно неожиданно, почти в упор выстрелил в Гурина из пистолета.

В лицо Воропаеву словно плеснули из кружки чем-то горячим, липким и комковатым. Пуля, пройдя навылет, шевельнула волосы над его правым виском и со звоном ударилась в оконное стекло. Она не пробила его насквозь, а просто разбила на куски, потому что, проделывая в голове Гурина сквозное вентиляционное отверстие — точь-в-точь, как он сам собирался поступить с гаишником, — потеряла большую часть своей убойной силы.

Движимый исключительно рефлексом, Воропаев выстрелил по маячившей за окном фигуре, ударил по дверной ручке, вышиб плечом дверь и боком вывалился в ночь. Он колобком прокатился по грязной обочине, вскочил на ноги, присел и так, скорчившись, стараясь занимать как можно меньше места в пространстве, с треском вломился в голые, сырые и грязные придорожные кусты. Какая-то острая ветка едва не оставила его без глаза, прочертив по скуле кровавую борозду; другая хлестнула по губам, исторгнув из груди глухой матерный рык; потом земля под ногами вдруг куда-то пропала, и Воропаев рухнул в пустоту, с шумом приземлившись на дно какой-то ямы. Это спасло ему жизнь: за спиной прогрохотала длинная очередь, и сверху на голову посыпались сбитые пулями прутья. Потом ударил еще один автомат, набросав за шиворот сырой земли и мертвых листьев, и Воропаев снова выругался сквозь зубы: стреляли двое, а значит, единственная выпущенная им пуля либо пришлась лейтенанту в бронежилет, либо вообще ушла за молоком.

Он высунулся из своего укрытия и выстрелил по метавшимся около машин темным фигурам. В ответ опять прогрохотала автоматная очередь. Воропаев пригнулся, а когда снова высунул голову из ямы, в свете габаритных огней увидел распластанную на дороге, обтянутую черным спецкостюмом фигуру и гаишника, который стоял над ней, широко расставив ноги и направив лежащему человеку в затылок свой куцый милицейский автомат. Автомат коротко простучал, озарив косматую траву обочины злыми оранжевыми вспышками, Библиотекарь несколько раз конвульсивно содрогнулся и замер — несомненно, мертвый, как кочерга.

Это означало, что миссия Воропаева завершена и что он может с чистой совестью уносить ноги. И не просто может, а обязан, поскольку его начальству будет небесполезно знать, что, черт возьми, все-таки случилось с командированной в поселок Шарово группой, и куда подевался их драгоценный Библиотекарь.

Мент, присев на корточки, обшаривал многочисленные карманы мертвого Библиотекаря. Воропаев осторожно поднял пистолет. Ему пришло в голову, что было бы неплохо поквитаться с этими подонками — если не за Библиотекаря, на которого ему было, по большому счету, глубоко наплевать, то хотя бы за Сашку Гурина, чья кровь сейчас медленно подсыхала у него на лице. Но тут в глаза ему ударил сноп ослепительного электрического света — второй гаишник, чтоб ему пусто было, развернул фару-искатель своего драндулета и нащупал его лучом. Менты ударили в два ствола, не жалея патронов, на голову градом посыпался мусор, и Воропаев понял, что о боевых действиях не может быть и речи.

Повернувшись к дороге спиной, он выбрался из ямы и ужом, по-пластунски, пополз через густой подлесок прочь, куда глаза глядят.

* * *

Эдуард Максимович Юркин (он же Эрнст Карлович Юрген, магистр белой магии и действительный член международной ассоциации авестийской астрологии) съехал по пологому пандусу в подземный гараж и притормозил перед полосатым краснобелым шлагбаумом, преграждавшим въезд на стоянку. Нажатием кнопки он опустил тонированное стекло слева от себя; охранник в застекленной будке наклонился, вглядываясь, приветливо кивнул, узнав его, по-военному отдал честь и поднял шлагбаум. Юрген небрежно кивнул в ответ. Он уже научился принимать сдержанное подобострастие вышколенной обслуги с таким же вежливым показным равнодушием, но душа его до сих пор ликовала всякий раз, когда он сталкивался с приметами своего нынешнего образа жизни. О, как далек он был теперь от затерянного в марийских лесах поселка со смешным названием Козьмодемьянск! Мог ли он тогда, двадцать лет назад, впервые взяв в руки популярную брошюрку по астрологии, хотя бы мечтать о таком стремительном взлете?

Юрген снова нажал вмонтированную в подлокотник водительского кресла кнопку, приведя в действие стеклоподъемник, и дал газ. Мощный двигатель чуть слышно заворчал под обтекаемым капотом, и вишневый «ровер», лаково поблескивая бортами в мертвом свете неоновых ламп, покатился вдоль длинного ряда дорогих, престижных автомобилей.

Отыскав раз и навсегда закрепленное за ним парковочное место, Эрнст осторожно загнал туда автомобиль. До недавнего времени он водил «Оку», доставшуюся в наследство от отца — инвалида второй группы, и до сих пор не до конца освоился с габаритами своего нового автомобиля, казавшегося ему огромным, как океанский лайнер.

Заглушил двигатель, выбрался из машины и сладко потянулся, разминая затекшие мышцы и жалея только о том, что отец не дожил до этого дня, не увидел, каких высот достиг его сын. Астрология, которую покойный папаша именовал не иначе как словоблудием, а то и, простите за выражение, херней на постном масле, дала его сыну все, о чем Юркин-старший не мог и мечтать, всю жизнь вкалывая на лесопилке в своем занюханном Козьмодемьянске. Эрнст хорошо запомнил нескрываемое пренебрежение, с которым отец всегда относился не только к его увлечению астрологией, но и ко всему, что он делал в жизни, и действительно жалел, что отец умер слишком рано, не дав возможности насладиться местью. Теперь же оставалось только надеяться, что оккультные науки не врут, и астральное тело дорогого папочки, взирая из верхнего мира на ошеломляющий прижизненный успех никчемного, как ему казалось, сына, от зависти кусает свои астральные локти. Юргену хотелось, чтобы папаша отгрыз их по самые плечи, но, увы, он был слишком сведущ в оккультизме и точно знал, что никаких локтей у астрального тела быть не может, и что, избавившись от оков гниющей плоти, дух человека переходит в чистую энергию, которой земные дела попросту неинтересны. Жаль, жаль! Но что поделаешь?

Неторопливо прошествовав по просторному, чистому, отлично освещенному гаражу, где со всех сторон на него смотрели, подмигивая красными глазками, любопытные объективы следящих видеокамер, Юрген вошел в кабину лифта. Скоростной лифт беззвучно и стремительно вознес его на двадцать шестой этаж новой элитной башни, откуда открывался прекрасный вид, весьма располагавший к возвышенным размышлениям. На ходу шаря по карманам в поисках ключей, Юрген прошел по коридору и остановился перед дверью своей квартиры, на косяке которой ровным рубиновым огоньком горела контрольная лампочка охранной сигнализации. Эрнст Карлович проделал все необходимые манипуляции с ключами и электронным чипом, вошел в прихожую, нащупал внутри стенного шкафа клавишу подтверждения, нажал ее и только после этого включил свет и снял ботинки.

Огромная, отделанная по последнему писку строительной моды, дорого и со вкусом обставленная квартира встретила его звенящей тишиной барокамеры — звукоизоляция тут была отменная. Это было особенно приятно после целого дня, проведенного в суете и несмолкающем шуме большого города. Немелодично напевая «Гип, гип, ура, джентльмены, все отлично, погода в Лондоне без перемен», Юрген в одних носках двинулся в гостиную, включил свет, повесил на спинку стула надоевший пиджак, снял галстук и полез в холодильник. Время было позднее, и, памятуя о советах диетологов, Эрнст Карлович решил ограничиться йогуртом и легким овощным салатом.

— Бросьте, Эдуард Максимович, — послышался позади него хрипловатый и совершенно незнакомый мужской голос. — Выкиньте эту козью пищу в мусоропровод и съешьте хороший кусок мяса!

От неожиданности Юрген вздрогнул, и пакет с йогуртом и миска с заранее нарезанным салатом из свежей капусты выскользнули у него из рук.

Сделав несколько глубоких вдохов и выдохов, чтобы унять сердцебиение, Юрген осторожно обернулся, уверенный, что увидит позади себя громилу в маске, вооруженного ножом, а может быть, даже пистолетом.

Он ошибся. Сидевший в его любимом кресле у широкого,

во всю стену, окна человек, хоть и был высок и широкоплеч, громилу нисколько не напоминал. У него была фигура античного бога, которую не могли скрыть ни черный костюм, ни расслабленная поза, и чеканный профиль, обрамленный аккуратной черной бородкой и усами. Незнакомец смотрел на Юргена с немного насмешливым прищуром, но безо всякой враждебности. Уголки красиво очерченного рта были приветливо приподняты. Рубашка и галстук гостя были того же цвета, что и костюм, то есть траурно-черные. Этот похоронный наряд в сочетании с перчатками, надетыми несмотря на теплую погоду, произвел на Юргена крайне неблагоприятное впечатление, рассеять которое не смогли ни улыбка незнакомца, ни его показное дружелюбие.

— Мужчина должен питаться мясом, — как ни в чем не бывало, продолжал этот тип. — Мясом, черным хлебом и красным вином. Именно красным, поскольку оно благотворно влияет на кровообращение, укрепляет сердечно-сосудистую систему и, как показали последние исследования, даже улучшает слух. Как у вас со слухом, Эдуард Максимович?

Только теперь Юрген сообразил, что его называют настоящим именем. В Москву он приехал уже Эрнстом Юргеном, а все, кто знал его как Эдика Юркина, остались далеко, в прошлой жизни — все, не считая нынешнего хозяина, Альберта Витальевича Жуковицкого.

Э, да что имя! Как, спрашивается, этот тип сюда проник? Двадцать шестой этаж. Запертые двери и окна. Охрана в холле первого этажа. Охрана в гараже. Сигнализация, будь она неладна! И вот, извольте — сидит, как у себя дома, даже не сняв черных перчаток! И в ботинках. Прямо на ковре. М-мать!!!

— Как вы сюда попали? — собравшись с силами, задал он самый главный вопрос.

Незнакомец усмехнулся — лениво, снисходительно, как мог бы усмехаться сытый хищник. Лев, например.

— Пусть это останется моим маленьким секретом. — Сблизив большой и указательный пальцы левой руки, незнакомец показал, какого, по его мнению, размера должен быть секрет. — Да что я говорю — пусть! — будто спохватившись, перебил он сам себя. — Это просто останется секретом, безо всяких «пусть». Каждый имеет право на маленькие профессиональные тайны. Я же не спрашиваю, как вам удается предсказывать будущее!

Осведомленность этого типа, одетого, как протестантский

пастор на похоронах, нравилась Юргену даже меньше, чем его перчатки. Впрочем, на перчатки можно было пока не обращать внимания. Грабитель и, тем более, наемный убийца не стал бы вступать с ним в переговоры. Все, что было ценного в доме, лежало если не на виду, то в местах, вполне доступных даже без взлома, а прикончить Юргена, подкравшись к нему со спины, незнакомцу не составило бы ни малейшего труда. Но он явно был настроен поговорить, и это показалось Эрнсту добрым знаком.

— Чего вы хотите? — спросил он, все еще стоя в мокрых носках над йогуртовой лужей перед распахнутым настежь холодильником.

— Я ведь уже сказал, — улыбнулся незнакомец. — Мяса, черного хлеба и красного вина. Я чертовски проголодался, а шарить без спроса по чужим холодильникам не в моих правилах. Заодно и потолкуем.

— Значит, по холодильникам шарить нельзя, а по квартирам — можно? — попытался быть ироничным насмерть перепуганный астролог.

— Я не шарил по вашей квартире, — уточнил незваный гость. — Я в нее просто залез. То есть проник. Тайно. Понимаю, вам это неприятно, но вы поймете, почему я так поступил, когда вникнете в суть дела.

— Так у вас ко мне дело? — Юрген осторожно переступил залитую йогуртом горку капусты и вынул из холодильника блюдо с холодным мясом.

— Представьте себе, — сказал незнакомец, одобрительно поглядывая на мясо. — Вино, вино не забудьте! Вон, я вижу на дверце бутылку «Пино Нуар». Не шик-блеск, конечно, но вполне сойдет. Доставайте, доставайте, Эдуард Максимович! Проявите свойственное русской душе гостеприимство.

— Какой я вам русский? — буркнул Юрген, выставляя на барную стойку бутылку красного сухого вина.

— Ну, по крайней мере, ближе к русскому, чем к латышу... Или вы выдаете себя за эстонца? Простите, запамятовал. Столько всего приходится держать в голове, вы себе просто не представляете...

Юрген вдруг сообразил, кто перед ним, и обомлел. Некоторое время назад он довольно ловко вычислил информатора, внедренного ФСБ в окружение Жуковицкого. Что стало с этим человеком, астролог не интересовался, однако больше он его не видел, из чего следовало, что федералы остались без информации об Альберте Витальевиче. Смириться с этим они, конечно, не могли, вот и подослали своего человека к Юргену... Ай-яй-яй, вот так история!

Незнакомец, похоже, умел читать мысли.

— Давайте договоримся сразу, — предложил он, — чтобы не было недоразумений, недопониманий и прочих досадных «недо»... Я не являюсь сотрудником спецслужб, явившимся сюда, чтобы завербовать вас, шантажируя информацией о некоторых ваших не совсем благовидных поступках. Я не являюсь также наемным убийцей, алчущим вашей крови, или грабителем, которому нужны ваши сбережения. Тем более что вы с некоторых пор числитесь в людях цивилизованных и, несомненно, держите свои накопления не дома, а в банке. А бытовой электроники и прочего барахла у меня своего навалом, благодарствуйте.

— Не за что, — автоматически ответил Юрген, роясь в кухонном ящике в поисках штопора. Стоять к незнакомцу спиной было немного боязно, но он рассудил, что этому античному полубогу не составит труда свернуть ему шею голыми руками в любой момент и независимо от того, какой стороной своего тела Юрген будет к нему повернут — лицом, спиной, боком или, может быть, в три четверти. — Хорошо, — окончательно подавив предательскую дрожь в голосе, продолжал он, резкими движениями ввинчивая штопор в пробку. — Будем считать, что выяснили, кем вы НЕ являетесь. Тогда кто вы такой и что вам от меня нужно?

Незнакомец легко поднялся, подошел к стойке, выбрал на магнитном держателе нож, придирчиво осмотрел лезвие, одобрительно кивнул и принялся деловито и аккуратно нарезать мясо тонкими аппетитными ломтиками.

— Кто я такой — неважно, — сказал он, ловко орудуя ножом. Поскольку перчаток он так и не снял, придерживать мясо ему приходилось вилкой. Впрочем, судя по его манерам, Юрген мог предположить, что незнакомец не стал бы хватать еду руками, даже будучи без перчаток — не так он был воспитан, чтобы игнорировать столовые приборы. — И от вас, Эдуард Максимович, мне ровным счетом ничего не нужно. То есть, пардон, заврался, о маленьком одолжении мне вас все-таки придется попросить.

— Ну, слава богу, — язвительно воскликнул Юрген. — А то я уже начал подозревать, что вы просто так, от нечего делать, залетели ко мне в гости через форточку, как Карлсон к Малышу.

— Показать вам спину? — с улыбкой предложил незнакомец. — Поверьте, там нет даже намека на пропеллер.

— Так что вам надо, не пойму?

— Маринованной черемши у вас нет? А чеснока? Жаль. Кетчуп в качестве приправы никуда не годится, пусть его едят американцы... О! Я вижу хрен. Хрен сгодится, хотя хрен с сухим вином — это... м-да.

— Можно подумать, маринованный чеснок с сухим вином сочетается лучше, — осторожно съязвил Юрген.

Он уже начал понемногу осваиваться и даже почти перестал бояться.

— Маринованный чеснок хорошо сочетается с черным хлебом и холодным мясом, — наставительно сообщил незнакомец. — Как, впрочем, и хрен. А вино — по крайней мере, то, которое вы держите у себя в холодильнике, — в данном случае выступает просто как напиток. Как жидкость, чтобы не есть всухомятку. В винах надо учиться разбираться, Эдуард Максимович. Вы многого достигли, а перспективы перед вами разворачиваются такие, что у меня, признаться, дух захватывает. Так что учитесь разбираться в винах, а то может случиться конфуз.

— Откуда это вам известно — насчет перспектив? — насторожился Юрген. — На моего коллегу вы не похожи.

— Боже сохрани! — мужчина с комическим ужасом воздел кверху руки, в одной из которых поблескивал кухонный нож. — А насчет перспектив мне известно потому, что во многом они зависят от результата нашей с вами беседы.

Отодвинув заметно поскучневшего после этого заявления Юргена твердым плечом, он аккуратно накрыл на стол и откупорил бутылку.

— М-да, — сказал он, понюхав горлышко. — Не помои, конечно, но... А, ладно, сойдет. Давайте бокалы.

Они выпили, не чокаясь. Юрген, мучимый проснувшейся на нервной почве жаждой, выхлебал свой бокал в два огромных глотка, а незнакомец лишь слегка пригубил, заметно при этом поморщившись — видимо, продукция румынских виноделов действительно пришлась ему не по вкусу. Отставив бокал, гость с волчьим аппетитом, но при этом ухитряясь соблюдать все мыслимые правила застольного этикета, набросился на хлеб и мясо. Глядя на него, Юрген вспомнил, что тоже голоден, и, махнув на все рукой, последовал благому примеру.

— Согласитесь, что есть вкуснее всего вечером, после захода солнца, — с набитым ртом, но при этом вполне внятно, вещал гость. — Человеку, ведущему активный образ жизни, обильный ужин просто необходим. Обед можно пропустить. Я, например, никогда не обедаю, потому что после еды, как все простые смертные, соловею и делаюсь ленив, а это при моей работе просто недопустимо. Утром выпиваю чашечку кофе, иногда с бутербродом, обед пропускаю, зато уж вечером, если есть такая возможность, даю себе волю. И, как видите, фигура моя от этого ничуть не пострадала. Вообще, если человек склонен к полноте, ему никакая диета не поможет. Изнуряя себя голодовкой и пытаясь соблюсти придуманный невеждами в белых халатах режим питания, он только расшатает свою нервную систему и испортит желудок. Есть надо не по какому-то там режиму, а по потребности, когда голоден. Вы со мной согласны? Можете не отвечать. Я по лицу вижу, что согласны. Разум ваш может не соглашаться, зато желудок — полностью на моей стороне. Правда ведь?

Юрген неопределенно пожал плечом. Вся эта застольная трепотня была ему до лампочки.

— И потом, — продолжал гость, подливая хозяину вина, — все эти диеты и прочие виды самоистязания попросту бессмысленны. Человек голодает, отказывает себе в простейших удовольствиях, изнуряет себя дурацкими физическими упражнениями в тренажерном зале, а потом с ним происходит какая-нибудь нелепая случайность, и он, усталый, голодный и раздраженный, отправляется в мир иной, где, как нам с вами доподлинно известно, ему уже ни за что не удастся наверстать упущенное. Ну, сами посудите, какой в этом смысл?

Юрген замер, не донеся до рта бокал, и подозрительно уставился на гостя.

— На что это вы намекаете?

— На то, что жизнь коротка. Жизнь дается человеку один раз, и прожить ее надо так, чтобы не было мучительно больно за бесцельно прожитые годы, — с удовольствием процитировал гость. — Автор этих слов распорядился своей собственной жизнью так, что хуже не придумаешь, однако под данным заявлением я готов подписаться. Вы неплохо поднялись, Эдуард Максимович, но неужели вам не хочется большего, чего-то по-настоящему значимого? Чего-то такого, чтобы вас вспоминали столетия спустя и называли, к примеру, Эрнстом Великим?

— Знаете, — отставляя в сторону нетронутый бокал, сухо произнес Юрген, — несмотря на довольно странную манеру ходить в гости, вы в высшей степени приятный собеседник. Однако время позднее. У меня был тяжелый день, я чертовски устал и хотел бы, чтобы вы, наконец, перешли к делу.

— А я уже перешел, — непринужденно сообщил нисколько не смущенный этим выпадом незнакомец, ловко цепляя на вилку и препровождая в свою тарелку очередной ломоть мяса. — У меня к вам серьезное деловое предложение, — продолжал он, обильно сдабривая мясо хреном. — Полагаю, оно вас заинтересует. Речь идет о коммерческой сделке. Как говорится, у нас товар, у вас — купец.

— Вообще-то, говорится как раз наоборот, — заметил Юрген, вспомнив, как засылали сватов в родном Козьмодемьянске.

Эрнст вдруг увидел эту картину ясно, как наяву, и она неожиданно пронзила сердце сладкой тоской. «Ностальгия, — с некоторым удивлением подумал он. — Это еще откуда? Впору к психоаналитику записываться...»

— Не будьте формалистом, — отмахнулся незнакомец. — В конце концов, я вас не сватаю, я просто предлагаю вам товар. И, между прочим, очень точно описываю ситуацию. У меня товар, а у вас, как бы вам ни хотелось этот товар заполучить, просто не хватит на него денег. Зато у вас есть купец, способный оплатить данную покупку. Ведь вы же на короткой ноге с Жуковицким, верно? Вот и попросите у него денег.

— Погодите, не так скоро, — растерялся Юрген. — С чего это вы взяли, что ваше предложение меня заинтересует? А тем более Жуковицкого?

— Если оно вас не заинтересует, я буду крайне разочарован в людях, — объявил гость. — А заодно и в себе, поскольку до сих пор я ни разу не допускал таких катастрофических ошибок в выборе делового партнера.

— Ну-ну, — снисходительным тоном произнес астролог, начиная ощущать себя хозяином положения: незнакомец, как оказалось, пришел навязать ему какой-то товар, а значит, несмотря на все его странности, представлял собой всего-навсего слегка модифицированную разновидность коммивояжера — распространителя косметики, моющих средств или, скажем, бытовых электроприборов. — Так что это за товар такой, на который у меня не хватит денег? Золотой прииск? Межконтинентальная ракета?

— Фотокопия недостающей части «Центурий», — оставив без внимания прозвучавшую в вопросе иронию, как ни в чем не бывало ответил незнакомец. — А также подлинные записки Конрада Бюргермайера, придворного астролога Петра Первого, в которых, по слухам, содержится открытый им ключ к шифру Нострадамуса. Вам это о чем-нибудь говорит? Вижу, что говорит. Выпейте вина, Эдуард Максимович, вы побледнели...

ГЛАВА 5

Завтрак был, без сомнения, калорийным, питательным и вообще в высшей степени полезным для выздоравливающего организма. Это, увы, никоим образом не влияло на его вкусовые качества, и, чтобы впихнуть в себя эту безвкусную размазню, увенчанную тощей рыбной котлеткой, нужно было сделать изрядное волевое усилие.

Делать разнообразные усилия, как волевые, так и физические, ему было не привыкать, а организм действительно остро нуждался в энергии для восстановления сил. В последние две недели он наконец-то начал испытывать здоровый голод, и это его радовало. А вкус... Ну, что вкус? В конце концов, тому, кто приучен в случае острой необходимости утолять голод дождевыми червями и насекомыми, больничная овсянка нипочем...

Отставив на тумбочку тщательно подчищенную хлебной коркой тарелку и пустой стакан из-под слишком сладкого компота, он прилег на кровать, по уже укоренившейся привычке притворяясь куда более слабым, чем был на самом деле. Ему подумалось, что это притворство — напрасный труд. Для кого, собственно, он притворяется? Ну, допустим, в палате установлена следящая камера. Очень может быть. Почему бы и нет? То, что камеры не видно, не означает, что ее нет. Значит, следует считать, что она есть, пока не будет твердо доказано обратное. Спрятать ее могли, например, вон в той вентиляционной отдушине — лучшего места просто не придумаешь, да и не видно его здесь, другого места...

Словом, если камера есть, симулировать слабость — святое дело. Это неплохой способ ввести противника в заблуждение. Вот только те, кто умирает от слабости, не уплетают безвкусную больничную пищу с таким волчьим аппетитом. Умирающих от слабости приходится кормить почти насильно, с ложечки, а то и вовсе через капельницу. Но, если не есть, слабость, которую сейчас приходится симулировать, одолеет и без того измученный организм.

«К черту, — подумал он, скользя взглядом из-под полуопущенных век по уже ставшей привычной, почти родной обстановке. — От таких мыслей действительно можно заболеть. С чего, в конце концов, я взял, что имею дело с противником? Откуда это ясно, что за мной ведется круглосуточное наблюдение, и кому это надо — следить за таким полутрупом, как я? Нет, конечно, на свете сколько угодно людей, у которых нет оснований желать мне добра. Но, попадись я к ним в руки, лечить меня они бы уж точно не стали. Они бы не стали даже тратить на меня пулю — это бы просто не понадобилось. Достаточно было всего-навсего присесть рядышком и спокойно, с удовольствием наблюдать, как я отдаю концы. Судя по всему, много времени это не заняло бы».

Он отлично помнил, как все произошло. У него было задание, простое и ясное: убрать человека, который с некоторых пор почти в открытую, и притом небезуспешно, пытался заполучить единоличный контроль над такой мощной корпорацией, как российский Газпром. Это предоставляло неограниченные финансовые возможности, а вместе с ними, почти неизбежно, и огромное политическое влияние. Учитывая личность клиента и некоторые моменты его деловой и политической карьеры, оставшиеся без крайне неприятных последствий ввиду их полной недоказуемости, допустить этого было нельзя. Неизвестно, на каком уровне было принято решение о ликвидации — исполнителям подобные вещи знать не полагается, — но сделать это надлежало аккуратно, с соблюдением полной конфиденциальности.

Выследив господина депутата, он явился на дом к его любовнице, чтобы устроить там засаду. Никого не побеспокоив, отключил охранную сигнализацию. Без каких бы то ни было проблем отпер дверь заранее изготовленным дубликатом ключей. Никем не замеченный и, что самое смешное, почти на сто процентов уверенный, что дело уже, можно сказать, в шляпе, повернул ручку и потянул дверь на себя.

И услышал отчетливый, сухой щелчок сработавшего запала.

Вот, собственно, и все, что он помнил. Можно было предположить, что жизнь ему спасла железная дверь квартиры: она открывалась наружу и, выбитая мощным взрывом, припечатала его к стене, переломала бог знает, сколько костей, но приняла на себя основную массу осколков, которые в противном случае неизбежно превратили бы его в груду мясного фарша. В себя он пришел уже здесь, в этой палате, откуда только неделю спустя двое санитаров с фигурами борцов-тяжеловесов и с неестественно бесшумной походкой убрали реанимационную аппаратуру.

Лежа на спине, агент по кличке Слепой еще раз оглядел помещение.

Одноместная палата, небольшая, но очень светлая. Кремовые стены без намека на тоскливый больничный кафель, современная мебель — кровать, встроенный платяной шкаф, тумбочка, — идеально ровный белоснежный потолок — все было чистенькое, без единого пятнышка, без малейшей потертости, словно это помещение только что сдали в эксплуатацию. При этом пахло здесь не стройкой и даже не больницей, а чем-то приятным, смутно знакомым — кажется, ароматизированным моющим средством, вроде того, которым натирают полы в супермаркетах. Гладкий, матово лоснящийся, теплого светлого оттенка ламинированный пол, стерильно чистый, оборудованный по последнему слову техники санузел с душевой кабиной, приветливый, хотя и неразговорчивый персонал, великолепный уход — все это меньше всего напоминало тюрьму.

И, тем не менее, это была если не тюрьма, то нечто, весьма на нее похожее.

Наружная стена палаты, против которой стояла кровать, на высоте примерно двух с половиной метров загибалась вовнутрь под углом примерно в сорок пять градусов, образуя откос, в котором было прорезано продолговатое, горизонтальное, как амбразура дота, окно. Пациент, таким образом, даже стоя не мог видеть из этого окна ничего, кроме неба — то голубого, то серого, ненастного, то ночного, усеянного звездами. Разумеется, можно было придвинуть к окну стул или тумбочку и, взгромоздившись на эту подставку, попробовать увидеть больше. Но что-то подсказывало Глебу, что это будет напрасный труд: это место явно строилось очень неглупыми людьми, которые, надо полагать, постарались все предусмотреть.

Невозможно было угадать, из чего сделана входная дверь — гладкая, отделанная под дерево того же цвета, что и пол. Но всякий раз, когда она открывалась или закрывалась, Глеб слышал щелчок электрического замка, а дверное полотно поворачивалось на петлях с той плавной неторопливостью, которая свидетельствует о приличном весе. Эта дверь была несокрушима — по крайней мере для человека, не имеющего никаких инструментов и приспособлений, кроме собственных рук. Окно выглядело немногим лучше: его легкомысленная прозрачность, позволявшая видеть небо, не скрывала того простого факта, что оно представляло собой глухой тройной стеклопакет в прочной алюминиевой раме, которая была намертво вмурована в стену. Ни петель, ни ручек на этом окне не наблюдалось; окно предназначалось исключительно для освещения в дневное время, но никак не для вентиляции, и прочностью почти наверняка не намного уступало двери.

Эти отверстия Глеб изучил давно и нашел их совершенно непригодными в качестве путей для побега. Оставалось проверить на прочность здешний персонал, и он проделал это три дня назад, когда ему впервые позволили встать с кровати. Сделав вид, что потерял равновесие, он на глазах у молоденькой, хрупкой с виду медсестры начал мешком валиться на пол. Сестричка, стоявшая примерно в трех метрах, в мгновение ока очутилась рядом, подхватила его на лету и не только удержала, но и вернула в вертикальное положение. Причем проделано это было с быстротой и ловкостью профессионального дзюдоиста, демонстрирующего новичку простенький приемчик, а сквозь мягкую фланель больничной пижамы Глеб ощутил неожиданную силу и твердость тонких девичьих рук. Миловидная сестричка еще не успела ослабить захват, а электрический замок уже щелкнул, тяжелая дверь распахнулась, и через порог шагнул санитар — приземистый детина с перебитым носом, неправдоподобно широкими, как у мультипликационного силача, плечами и бицепсами, на которых едва не лопались рукава белого медицинского халата. На сизом бритом черепе приплюснутым блином сидела белая шапочка, в вырезе халата виднелся треугольник майки защитного цвета, а снизу из-под полы откровенно и неприкрыто выглядывали камуфляжные брюки, заправленные в высокие ботинки армейского образца. В нагрудном кармане лежала пачка сигарет, а в левом боковом кармане, без сомнения, находились наручники. Когда санитар убедился, что все в порядке, и повернулся лицом к двери, Глеб разглядел очертания наплечной кобуры.

По идее, все это указывало на принадлежность здешнего персонала к силовым структурам. Но кто сказал, что ими располагает только государство? Давешний клиент, например, имел в своем распоряжении отличную службу безопасности, а денег у него могло хватить на постройку и содержание хоть десятка таких вот комфортабельных, оснащенных всем необходимым частных тюрем. И, между прочим, с точки зрения господина депутата выздоровление Глеба почти наверняка представлялось желательным: живой, надежно запертый, целиком и полностью находящийся в твоей власти киллер куда лучше мертвого. Живого можно допросить, чтобы узнать, кто его подослал, и записать его откровения на пленку. А допрашивать полутруп — дело неблагодарное. Дашь ему разок ботинком в ребра, чтоб стал разговорчивее, а он возьмет и откинет копыта. Вот и разговаривай с ним тогда...

За неимением лучшего Слепой решил принять это предположение как рабочую гипотезу и действовать соответственно. Если окажется, что он ошибся и сильно сгустил краски, тем лучше: как говорится, надейся на лучшее, а готовься к худшему. Хотя, если немного подумать, откуда оно возьмется — лучшее? Если бы все было хорошо и славно, он бы сюда не попал. Никто не минирует двери квартиры собственной любовницы, почти жены, просто так, на всякий случай. Значит, господин депутат точно знал, кто, когда, куда и с какой целью придет. Значит, имела место либо утечка информации, либо грубая подстава с целью ликвидировать агента по кличке Слепой. И в том, и в другом случае немногочисленные ниточки этого дела сходились на фигуре генерала Потапчука. Думать так о Федоре Филипповиче было очень неприятно, но ничего другого Глеб просто не мог предположить. А если господин генерал все-таки решил от него избавиться, вывести своего агента за скобки, то ждать от него помощи не приходилось.

Но если Федор Филиппович решил списать его в расход, к чему все эти хлопоты с лечением? Он ведь был уже практически мертв, так какого дьявола?..

Как обычно, дойдя в своих размышлениях до этого места, Глеб почувствовал, что окончательно запутался. Ему катастрофически не хватало информации, да и полученная при взрыве контузия, надо полагать, до сих пор сказывалась на его способности к аналитическому мышлению.

И, как всегда, стоило ему прийти к этому неутешительному выводу, как электрический замок входной двери щелкнул, и на пороге появилась медсестра. Имени этой девицы, как и ее сменщицы, Глеб не знал — на все попытки выведать у них эту ценную информацию девушки отвечали уклончивыми улыбками. Сиверову эта уклончивость представлялась следствием скорее воинской дисциплины, чем девичьей скромности, и, поразмыслив, он решил не обращать на это внимания: в конце концов, в его нынешнем состоянии он вряд ли мог представлять интерес для девушек, да и самому ему было, честно говоря, не до ухаживаний, пусть даже и шутливых.

Вслед за медсестрой в палату ввалился амбал в белом халате, толкая перед собой инвалидное кресло на велосипедных колесах. Кресло, как и все тут, было с иголочки — настолько новое, что от него по всему помещению так и разило резиной и пластиком.

— На прогулку пойдете? — спросила сестра таким тоном, словно ее и впрямь интересовал ответ.

Глебу захотелось просто для разнообразия сказать «нет» и посмотреть, что из этого получится, но он благоразумно воздержался. Вариантов развития событий после такого ответа существовало только два: его могли погрузить в кресло силой или оставить в покое — лежать на койке, смотреть в небо через наклонное окошко и в сотый раз гонять одни и те же мысли по замкнутому кругу.

— Конечно, — сказал он и был вознагражден белозубой улыбкой — вполне профессиональной, оставившей красивые карие глаза спокойными и деловито-равнодушными, но все равно милой, особенно по сравнению с мрачной рожей громоздившегося в дверном проеме амбала.

Не говоря ни слова, сестра бросила быстрый взгляд через плечо, и амбал пришел в движение, как будто его включили нажатием кнопки. Заранее растопыривая похожие на окорока ручищи, чтобы половчее поднять Глеба с кровати и переместить в кресло, он шагнул вперед мимо посторонившейся медсестры. От него за версту несло чесноком и сапожным кремом, и Глеб поспешно сел.

— Не надо, — сказал он, — я сам.

— Сам так сам, — согласилась сестра, взглядом остановив санитара.

Глеб сбросил с кровати ноги, нашарил ступнями больничные шлепанцы, встал и, качнувшись для порядка, перебрался в кресло. При этом он подумал, что от услуг санитара с креслом пора отказаться: еще немного, и его заподозрят в симуляции. А с другой стороны, чем скорее он начнет ходить, тем скорее окажется в допросной камере, оборудованной, как и все в этом странном месте, по последнему слову современной техники. «Вот попал, — думал он, с полным комфортом катясь в инвалидном кресле по длинному и пустому коридору, в котором не было ни одного окна. — Куда ни кинь, все клин!»

Когда санитар вкатил кресло в кабину лифта, Глеб подумал, что времени у него осталось совсем мало. Судя по всему, здешний персонал не лыком шит: они наверняка знают о его физическом состоянии едва ли не больше, чем он сам. Симуляцией их не очень-то обманешь; как только они сочтут, что по состоянию здоровья их пациент способен пережить допрос третьей степени, этот допрос не заставит себя долго ждать. Следовательно, нужно было в срочном порядке искать способ покинуть это гостеприимное местечко. Возможно, это будут напрасные хлопоты; возможно, грозящая Глебу опасность существует только в его воображении. Тем лучше! Убравшись отсюда, он в любом случае ничего не потеряет, а вот оставшись, может потерять все.

Лифт тронулся, и Сиверов привычно сосредоточился на задачке, которую никак не мог решить: с какого именно этажа его спускают.

* * *

Иван Яковлевич прошелся по просторному кабинету и остановился перед окном, заложив за спину большие руки с мясистыми ладонями и сцепив в замок коротковатые толстые пальцы. Изо рта у него торчала зажженная папироса, и на фоне окна, за которым стоял яркий полдень, были отчетливо видны лениво клубящиеся облака дыма, придававшие Ивану Яковлевичу вид некоего мифологического огнедышащего существа, взирающего на суетный мир сверху вниз и уже не в первый раз пытающегося решить, что ему с этим миром сделать: вымарать к чертовой бабушке и начать все сначала или оставить, как есть — авось, само как-нибудь рассосется.

При невысоком росте Иван Яковлевич Корнев отличался богатырским телосложением — то есть напоминал куб или, если угодно, шар на крепеньких кривоватых ножках. Так, наверное, выглядел бы Илья Муромец, одетый в современный деловой костюм с несвежей рубашкой, старомодным галстуком, и гладко выбритый — без бороды, усов и кудрей, с огромной сверкающей лысиной в обрамлении коротенькой седоватой щетины, заменявшей ему прическу. Иван Яковлевич был генералом контрразведки, а значит, действительно принадлежал к числу людей, которые по своему усмотрению управляют судьбами мира. Курил он исключительно папиросы, и не какой-нибудь плебейский «Беломорканал», а те самые, которые предпочитал покойный генералиссимус Иосиф Виссарионович Сталин — «Герцеговину Флор». При этом не был ни ярым приверженцем покойного генералиссимуса, ни таким уж апологетом твердой руки или ежовых рукавиц — о, нет! Просто он курил «Герцеговину Флор» с тех самых пор, когда зарплата, наконец, начала позволять ему такую роскошь, и курил ее до сих пор, хотя даже его коллеги, по долгу службы обязанные знать все на свете, не могли хотя бы приблизительно предположить, где он берет эту легендарную отраву. Возможно, это звучит странно, но, будучи генералом контрразведки и предпочитая всем остальным табачным изделиям любимые папиросы покойного тирана, генерал-майор Корнев оставался вполне приличным человеком — был галантен с женщинами, тверд с мужчинами, умел держать слово, пользовался уважением сослуживцев и любовью близких.

Глядя на суетный мир сверху вниз через широкое, отмытое до скрипа окно, попыхивая папиросой и сцепив за спиной короткие толстые руки, генерал-майор спросил:

— Этот?

Федор Филиппович с облегчением поставил на стол рядом с нетронутой чашкой Корнева свою и встал. В чашках был чай — расфасованная в пакетики дешевая дрянь с запахом ежевики и вкусом хлорированной водопроводной воды. По сравнению с этим напитком чрезмерно крепкий кофе, который, бывало, заваривал Глеб Сиверов, казался нектаром.

Избавившись от предложенного местным начальством угощения, генерал Потапчук подошел к окну. Они смотрели наружу сквозь щели между матерчатыми лентами вертикальных жалюзи — то есть могли видеть все, сами оставаясь невидимыми.

Из окна открывался вид на уютный больничный дворик с обсаженными аккуратно подстриженными шпалерами кустов цементными дорожками, купами старых лип и скромным фонтаном в центре. При своих небольших размерах этот парк для выгула инвалидов снизу, с утопающих в зелени дорожек, наверняка должен был представляться прикованным к креслам на колесиках людям безграничным. Они не могли видеть ни высокого кирпичного забора, оплетенного поверху колючей проволокой, ни расположенного за этим забором проволочного ограждения в три ряда, через которое был пропущен электрический ток, ни вооруженных армейских патрулей. Это было им ни к чему — они лечились, поправляли здоровье, а те, кто их сюда поместил, как умели, заботились о том, чтобы внешний мир их не беспокоил.

По дорожке между зелеными шпалерами санитар в белом халате неторопливо катил инвалидное кресло. Даже отсюда, сверху, было хорошо видно, что это громадный амбал, которому белый медицинский халат идет как корове седло. В кресле, закрыв глаза, в расслабленной позе, запрокинув бледное, осунувшееся лицо, сидел человек в больничной пижаме. Его левая рука висела на марлевой перевязи, голова была забинтована, на правой ноге тоже красовалась повязка. Этот пациент имел блаженный вид человека, побывавшего на грани между жизнью и смертью, хорошо об этом помнящего и потому наслаждающегося каждым мгновением бытия. Это выглядело настолько правдоподобно, что Федор Филиппович на секунду засомневался: неужели все так и есть?

— Этот, этот, — со странной, немного язвительной интонацией подтвердил полковник медицинской службы Вдовиченко — хозяин данного заведения. На нем был мятый белый халат, из-под которого выглядывали офицерская рубашка с защитного цвета галстуком и брюки с лампасами. Лицо у полковника было длинное и костистое, редкие русые волосы он зачесывал назад, а почтения к старшим по званию проявлял немногим больше, чем врач районной поликлиники к явившимся на прием пенсионерам.

— Да, этот, — подтвердил Федор Филиппович и спросил, обращаясь к полковнику: — Ну, как он тут у вас?

— Великолепно, — все с той же непонятной язвительностью, о причинах которой генерал Потапчук, впрочем, смутно догадывался, ответил Вдовиченко. — Вполне созрел для выписки.

— Как? — искренне изумился Потапчук. — Уже?

Вдовиченко, прежде чем ответить, щелчком выбил из мягкой бумажной пачки сигарету и закурил.

— Мне таких пациентов даром не надо, — сказал он. — Забирайте вы его от греха подальше, ей-богу.

Генерал Корнев медленно повернул тяжелую лысую голову и с удивлением, как на внезапно заговоривший стул, воззрился на полковника. Федор Филиппович едва заметно усмехнулся.

— Что, шалит? — поинтересовался он таким тоном, каким любящие родители осведомляются о поведении своего ребенка в детском саду.

— Шалить не шалит, — сказал полковник, — но явно подумывает, как бы рвануть когти.

Генерал Потапчук высоко задрал брови, демонстрируя полное непонимание.

— Как это? — спросил он, словно опасаясь, что военврач не поймет его пантомимы.

— Исследует обстановку, — сказал полковник. — Пробует все на зуб, проверяет на прочность. Симулирует помаленьку, прикидывается более слабым, чем есть на самом деле. А сам позавчера затеял от пола отжиматься.

— И как? — с огромным интересом спросил Федор Филиппович.

— Пять раз, — сказал врач. — Потом упал. Но встал, что характерно, сам. Когда санитар вбежал в палату, чтобы его поднять, он уже лежал на кровати и изображал умирающего.

— Наш человек, — одобрительно произнес генерал Корнев.

Федор Филиппович со странным выражением покосился на него, пожевал губами, но промолчал.

— Да, — сказал он после паузы. — Гвозди бы делать из этих людей...

— Так он у тебя, говоришь, в погибших числится? — спросил Иван Яковлевич.

— И не в первый раз.

— Это хорошо. Выходит, хвостов никаких.

— Никаких, — солгал генерал Потапчук. — Послужной список отсутствует...

— Человек ниоткуда, — с удовлетворением констатировал Корнев. — Это хорошо. И, судя по всему, не дурак, а это еще лучше.

— Послушай, Иван Яковлевич, — грозно начал Потапчук. — Хочу тебя предупредить. Не стоит даже пытаться использовать его втемную. Во-первых, он сам тебе этого не позволит, а во-вторых...

Полковник медицинской службы Вдовиченко сделал скучное лицо и вернулся к столу, где его дожидался остывший чай.

— А во-вторых? — повторил генерал Корнев, не выпуская изо рта изжеванный мундштук папиросы и с интересом глядя на Федора Филипповича.

— Будешь иметь дело со мной, — пообещал Потапчук.

Некоторое время Иван Яковлевич внимательно вглядывался в его лицо, словно прикидывая, насколько это хлопотно и опасно — иметь дело с генералом ФСБ Потапчуком, — а потом, рассмеявшись, хлопнул Федора Филипповича по плечу.

— Брось, Федор! Ну, что это за детский сад, в самом деле? «Вы будете иметь дело со мной!» — воскликнул маркиз и обнажил шпагу... Ты что, не доверяешь мне? Мы же с тобой сто лет знакомы! Сколько пудов соли вместе съели, теперь, поди, и не сосчитаешь...

— Да, — согласился Потапчук. — Вместе рубали белых саблями на скаку, вместе потом служили в артиллерийском полку...

— Каких еще белых? — простодушно изумился Корнев и опять рассмеялся. — А, это поэзия!

— Да, — подтвердил Федор Филиппович. — В виде стихов. Я все-таки не пойму, Иван, зачем он тебе понадобился.

Генерал Корнев гулко ударил себя тяжелым кулаком в выпуклую грудь.

— Не могу! — сказал он проникновенно. — Ну, веришь — не могу! Ты же военный человек, Федор, должен понимать: существуют вещи, о которых не то что жене или отцу с матерью — самому себе вслух рассказывать запрещено!

— Запрещено или стыдно? — как бы между делом уточнил Федор Филиппович.

Бычья шея генерала Корнева налилась темной кровью.

— Федор, ты меня знаешь, — веско, чуть ли не с угрозой, сказал он. — Я двадцать пять лет служу, и служу, заметь, не за ордена и не за чечевичную похлебку! Мне стыдиться нечего! Я за четверть века ни разу чужую задницу вместо своей не подставил!

— Как же ты жив-то до сих пор? — с самым невинным видом изумился Потапчук.

Полковник Вдовиченко в кресле за накрытым для чаепития столом окончательно заскучал и начал, прихлебывая из чашки чуть теплый чай, с отсутствующим видом перелистывать какую-то историю болезни. Он не любил, когда при нем выясняли отношения генералы: в подобных случаях все шишки, как правило, достаются младшему по званию, которому не посчастливилось стать свидетелем этого боя быков. Лучше всего сейчас было бы уйти, но полковник не мог этого сделать: во-первых, это был его собственный кабинет, где, между прочим, тоже хранилось немало секретных, не предназначенных для постороннего глаза бумаг, а во-вторых, его, дисциплинированного офицера, отсюда пока никто не отпускал.

Генерал Корнев некоторое время молчал, шумно дыша носом, из чего следовало, что он по достоинству оценил шутку своего коллеги. Из этого следовало также, что в данной шутке содержалась изрядная доля правды. Иван Яковлевич очень хотел выглядеть прямым, бесхитростным служакой, и сплошь и рядом это ему удавалось. Однако бесхитростный контрразведчик — это катахреза, то есть совмещение несовместимых понятий, и оба генерала прекрасно об этом знали.

— Ну ладно, — проворчал, наконец, генерал Корнев. — Не хочешь — не надо. Подумаешь, цаца! В конце концов, это была твоя идея. Это еще разобраться надо, кого и зачем ты, Федор Филиппович, мне подсовываешь.

В кабинете наступила тишина, нарушаемая только шелестом страниц, которые нервно листал полковник Вдовиченко, да чирканьем спички о коробок — генерал Корнев, человек консервативный, не признавал зажигалок и в данный момент как раз пытался добыть огонь, чтобы зажечь очередную папиросу.

Генерал Потапчук молчал. Прошло секунд тридцать, прежде чем полковник Вдовиченко осознал, что это неспроста. Он поднял голову и увидел, что оба генерала с одинаковым выражением лиц — вернее, безо всякого выражения, — смотрят прямо на него. Полковник все понял.

— Прошу прощения, — сказал он, поддергивая рукав белого халата и глядя на часы, — у меня начинается обход. Если вы позволите...

— Конечно, — с доброжелательной улыбкой произнес генерал Потапчук.

— Свободен, полковник, — поддержал его генерал Корнев. — Ты не беспокойся, мы тебя подождем. Заодно и присмотрим, чтоб тут никто ничего...

— Собственно, это необязательно, — вставая и беря под мышку историю болезни, которую до этого перелистывал, неубедительно возразил полковник. — У меня секретов нет...

— Конечно, — повторил Федор Филиппович.

— Бабушке своей расскажи, — добавил прямодушный Иван Яковлевич. — Какие могут быть секреты после того, как Франкенштейн и Железная Маска от тебя выписались?

— Разрешите идти? — деревянным голосом осведомился полковник Вдовиченко.

— Свободен, — повторил генерал Корнев.

— Конечно, — повторил генерал Потапчук, который, казалось, временно забыл все остальные слова великого и могучего русского языка.

Выдворенный из собственного кабинета полковник медицинской службы Вдовиченко покинул помещение, унося под мышкой историю болезни какого-то не известного широкой общественности спасителя мира.

— Ну, — сказал генерал Потапчук, когда за ним закрылась дверь, — и в чем ты, Ваня, намерен разобраться?

Иван Яковлевич посмотрел вниз, где дюжий санитар в камуфляжных брюках и высоких армейских башмаках катал по цементной дорожке инвалидное кресло с обряженным в больничную пижаму человеком, и повернулся к окну спиной.

— Не то чтобы разобраться — сказал он, — а понять все-таки хотелось бы. Я же вижу, ты над этим своим человечком трясешься, как мамаша над долгожданным первенцем. И при этом пытаешься сбагрить его мне, толком даже не зная, как его станут использовать. Пойми, Федя, работа у меня такая — во всем сомневаться. Вот я и сомневаюсь: а нет ли тут подвоха?

Федор Филиппович помолчал, обдумывая ответ. Генерал Корнев его не торопил: он видел, что старый приятель не отмалчивается, а именно обдумывает формулировку. Кроме того, он был кровно заинтересован в предложении Потапчука и боялся неосторожным словом спугнуть удачу.

— Подвоха тут никакого, — сказал, наконец, генерал Федор Филиппович. — Просто, как ты верно подметил, я им очень дорожу, а обстоятельства таковы, что ему необходимо на некоторое время исчезнуть. Понимаешь, у меня провалилась операция. Причем провалилась как-то очень странно. Ей-богу, Иван, тут какой-то мистикой отдает. Об этом деле знали только я и он, больше никто. А кончилось все так, словно наш объект получил информацию из первых рук. У него, — генерал кивнул в сторону окна, — стопроцентное алиби, поскольку выжил он только чудом.

— Значит, это ты настучал, — с тяжеловесным генеральским юмором констатировал Иван Яковлевич.

— Так точно, — не оценив шутки, мрачно констатировал Потапчук. — Но я не стучал. Следовательно, мы имеем дело либо с чудом, либо с отлаженной системой шпионажа — прямо у меня под боком, в моем кабинете на Лубянке, у меня дома, где угодно. Ты не поверишь, Иван, но я даже заменил все пуговицы на своем костюме — спорол, раскусил каждую плоскогубцами, купил в магазине новые и сам, своими руками, пришил...

— Зря мы полковника отпустили, — задумчиво произнес куда-то в пространство генерал Корнев. — Я ведь даже не знаю, есть ли у него тут отделение для психических... Эк тебя, Федя, припекло!

— Припекло, — честно признался Потапчук.

— А этот парень, — тоже кивнув в сторону окна, продолжил за него Корнев, — слишком много знает... Послушай, Федор, а тебе не приходило в голову... э... гм... Ну, словом, что его лучше было бы... того?..

— Это не обсуждается, — сухо произнес Федор Филиппович.

— Ну и правильно, — с каким-то облегчением похвалил его Корнев. — Так и надо. Как в том кино: я, говорит, не за белых и не за красных, а, как во дворе, — за своих. Ну и молодец. Хуже нет, чем своих ребят сливать, уж мы-то с тобой знаем... Ну, тогда ладно. Будем считать, что все ясно. Да ты не волнуйся, у меня он будет, как у Христа за пазухой! Работа тихая, кабинетная, хотя и ответственная, секретность — э, брат!.. Ты такой секретности, поверь, даже и не нюхал. Так что, когда он в должность вступит, можешь считать его без вести пропавшим. До тех пор, конечно, пока назад не попросишь. Тогда, клянусь, получишь своего любимчика в целости и сохранности. По первому требованию.

— А чем все-таки он будет у тебя заниматься? — спросил Федор Филиппович, не до конца убежденный в искренности собеседника. — Или это секрет?

— Секрет, — с сокрушенным видом кивнул генерал Корнев. — Секрет на сто лет. Но тебе, Федя, я скажу. Не все, конечно, а только то, что можно. Он будет... как бы это выразиться?.. смотрителем библиотечного фонда.

Сделав это неожиданное заявление, Иван Яковлевич окутался густым облаком табачного дыма и из его глубины стал заинтересованно наблюдать за тем, как его коллега борется с остолбенением.

— Прости, — одержав в этой борьбе частичную победу, осторожно произнес Федор Филиппович, — но у него, мягко говоря, немного другая специальность. Библиотекарь из него... Не знаю. Я даже как-то сравнение не подберу...

— Понимаю, — выпуская на волю еще одно дымное облако, утвердительно склонил голову Корнев. — Даже отсюда видно, что окончил он вовсе не библиотечный институт. Но это, брат, такая библиотека...

— Какая? — спросил генерал Потапчук, видя, что продолжения не будет.

— А такая, Феденька, — сказал Иван Яковлевич, — что, если я тебе про нее хоть что-то расскажу, мне придется сначала пришить тебя, а потом застрелиться самому, пока другие мне не помогли. Не слишком ли высокая плата за две минуты дружеской откровенности?

В мозгу генерала Потапчука вспыхнула красная лампа и зазвенел сигнал тревоги. Похоже было на то, что Глеб с его помощью угодил из огня да в полымя. Однако пути к отступлению уже были отрезаны, да и другого варианта пока не просматривалось. Поэтому он понимающе ухмыльнулся и, делая вид, что не заметил допущенной Иваном Яковлевичем оговорки, веско произнес:

— Ну, в таком случае, это именно тот человек, который тебе нужен. Можешь на него положиться, он не подведет.

— Значит, по рукам. — Корнев ввинтил окурок в пепельницу, тяжело опустился в кресло у стола и пригубил остывший чай. — Ну и дрянь! Что это, ей-богу — нарочно?

— Недостаток финансирования, — лениво предположил Федор Филиппович.

— У кого — у них?! — Иван Яковлевич возмущенно фыркнул и сердито оттолкнул от себя чашку. — Просто этот Вдовиченко — жлоб. За копейку удавится, одно слово — хохол... Могу поспорить, для себя он такой чаек держит — закачаешься, язык проглотишь! А это дерьмо — для гостей, чтоб долго не засиживались...

— Ну и правильно, — сказал Потапчук. — На всех не напасешься. Вот что, Иван Яковлевич. Пока я не забыл...

Он полез во внутренний карман пиджака, вынул оттуда футляр из мягкой тисненой кожи и протянул его Корневу. Иван Яковлевич заглянул внутрь и удивленно поднял брови. В футляре лежали обыкновенные солнцезащитные очки — обыкновенные, по крайней мере, с виду.

— Это что? — подозрительно спросил он, так и этак вертя очки перед глазами в поисках скрытой внутри оправы шпионской аппаратуры.

— Это очки, — ответил Потапчук. — Самые обыкновенные, из магазина. Если не веришь, можешь просветить их рентгеном. Или просто выбросить и купить взамен другие, по своему выбору.

Иван Яковлевич взвесил очки на ладони. Они весили ровно

столько, сколько должны весить обычные солнцезащитные очки, и ни граммом больше, а тончайшая металлическая оправа, судя по всему, не скрывала в себе никаких сюрпризов.

— Верю, — сказал генерал Корнев. — Очки как очки. Ну, и что я должен с ними делать?

— Передай ему. У него повышенная чувствительность к дневному свету, ему без них тяжело. Это может подтвердить любой окулист.

— Да ладно тебе, — благодушно проворчал Иван Яковлевич, убирая очки в футляр, а футляр — во внутренний карман пиджака. — Что ты заладил — проверь, убедись, любой подтвердит?.. Ей-богу, как подозреваемый на допросе. Передам, конечно! А на словах?

— А на словах ничего не надо. Вообще, лучше сделай вид, что ты меня не знаешь. Не надо этих разговоров.

Он снова выглянул в окно, но по цементной дорожке вокруг фонтана катали уже другого больного — крупного мужчину в байковом госпитальном халате и с марлевым шаром вместо головы. Пользуясь тем, что сидящий за столом Корнев не видит его лица, Федор Филиппович пару раз досадливо дернул щекой, покусал нижнюю губу, а затем, придав лицу приличествующее случаю рассеянно-безмятежное выражение, вернулся к столу.

Иван Яковлевич продул и закурил новую папиросу, после чего генералы еще около четверти часа болтали о пустяках, дожидаясь, как и обещали, возвращения полковника Вдовиченко.

ГЛАВА 6

Новенький «уазик», выглядевший довольно потешно благодаря литым титановым дискам колес и густо, как в джипе «нового русского», затонированным окнам, свернул с центральной улицы небольшого подмосковного городка, прокатился, подскакивая на выбоинах в асфальте, по обсаженному липами тенистому бульвару, свернул еще раз и оказался на привокзальной улице, тянувшейся вдоль железнодорожных путей. Справа, за маневровой веткой, по которой сейчас медленно проползал замызганный тепловоз с десятком порожних вагонов, виднелось недавно отремонтированное и еще не успевшее облупиться бело-голубое приземистое здание вокзала и привокзальная площадь с коммерческими палатками, торгующими всякой всячиной, хронически неработающим фонтаном, в цементной чаше которого стояла зеленовато-желтая гниющая вода, и прочими провинциальными прелестями, вплоть до пасущейся на газоне грязно-белой козы с обманчиво невинной мордой продувной бестии.

Слева промелькнуло серое, массивное здание типографии, потом закрытое кафе с треснувшей по диагонали, загороженной изнутри фанерными щитами пыльной витриной. Если верить надписи на фасаде, составленной из укрепленных на ржавых железных кронштейнах объемных букв, кафе называлось «ВОРОГ»; скользнув по нему рассеянным взглядом, Глеб подумал, что никогда не встречал предприятия общественного питания с более странным названием, а потом сообразил, что данный мрачноватый архаизм образовался путем выпадения всего трех литер из вполне обыкновенной надписи «В ДОРОГУ». В узких щелях между стенами кафе и заборами, которыми были обнесены справа — типография, а слева — какой-то одноэтажный домик казенного вида, громоздились горы слежавшегося, занесенного пылью и опавшей прошлогодней листвой, уже успевшего прорасти сорняками мусора.

За домиком, в котором, как тут же выяснилось, размещался местный архив, показалось здание клуба — массивное, трехэтажное, когда-то, несомненно, шикарное, суперсовременное, с фасадом из сплошного стекла — тоже пыльного, закопченного. Над входом нависал, опираясь на многочисленные квадратные колонны, широкий бетонный козырек, снизу, с изнанки, усеянный рядами круглых ламп — деталь, некогда, без сомнения, представлявшаяся последним словом современного архитектурного дизайна. Именовалось это сооружение Дворцом культуры железнодорожников, о чем всех, кто этого до сих пор не знал, информировала соответствующая вывеска.

Напротив этого здания Иван Яковлевич остановил машину.

— Приехали, — без особой необходимости сообщил он, затягивая ручной тормоз.

Глеб повернул голову и прочел вывеску.

— Что такое «культура железнодорожников»? — спросил он. — Здесь что, выращивают машинистов тепловозов и сцепщиков?

— А также проводников вагонов дальнего следования, — в тон ему добавил Иван Яковлевич и, хохотнув, осторожно хлопнул Глеба по плечу мясистой короткопалой ладонью. — Молодец, сынок, чувства юмора не теряешь. Значит, сработаемся!

Сиверов промолчал, хотя испытывал по этому поводу серьезные сомнения. Он по-прежнему ничего не понимал, хотя в последнее время кое-что начало, наконец, проясняться.

На улице вовсю светило солнце, стоял яркий июньский полдень, и прежде, чем выйти из затемненного тонированными стеклами салона на слепящий дневной свет, Глеб вынул из мягкого кожаного футляра темные очки и привычно нацепил их на нос.

Очки еще в госпитале передал ему Иван Яковлевич. Передал без каких бы то ни было комментариев — просто протянул футляр, сказавши: «Это тебе». Между тем, выслушать хоть какой-то комментарий по этому поводу Глеб не отказался бы, поскольку это были его собственные запасные очки, хранившиеся дома, в выдвижном ящике книжного шкафа. Их ему подарила в прошлом году Ирина. Это были те самые очки, а не их копия: Глеб убедился в этом, обнаружив на левой дужке знакомую царапинку.

Вряд ли Иван Яковлевич был знаком с Ириной Быстрицкой; скорее уж с генералом Потапчуком. Это означало, что Федор Филиппович помнит о Глебе, знает, где он находится и что с ним случилось, не переменил своего к нему отношения, но в силу каких-то известных только ему причин пока не считает возможным войти в личный контакт. Памятуя о происшествии у Белорусского вокзала, Глеб мог предположить, что это были за причины.

Еще это, по всей видимости, означало, что Федор Филиппович встречался с Ириной и, надо полагать, постарался как-то ее успокоить по поводу затянувшегося отсутствия мужа. Впрочем, с таким же успехом появление на сцене знакомых очков в комплекте с незнакомым лысым колобком по имени Иван Яковлевич могло означать и что-нибудь другое, не столь утешительное и столь же вероятное. «Поживем — увидим», — решил Глеб и, поправив на переносице очки, вышел из машины.

Вопреки ожиданиям, Иван Яковлевич повел его не к парадному входу, а куда-то вправо, вдоль загороженного серыми колоннами фасада, за угол, где в глубине, отступив от улицы метров на десять, высился трехметровый кирпичный забор. Над ним виднелась какая-то побитая ржавчиной железная крыша, а дальше торчала, вонзаясь в небо сужающимся кверху закопченным пальцем, кирпичная труба котельной. Несмотря на теплую и даже жаркую погоду, из трубы ленивыми толчками выбивался жидковатый черный дымок. На глазах у Глеба дым повалил гуще. Потом глухие железные ворота в заборе вдруг распахнулись, издав царапающий нервы протяжный ржавый скрип, и оттуда, клокоча движком, выкатился пыльный грузовик. Лязгая разболтанными бортами и воняя выхлопными газами, он медленно прополз мимо, притормозил у выезда на улицу, перевалился через образовавшуюся в этом месте выбоину, повернул направо, с ревом газанул и скрылся за углом. Когда Глеб снова посмотрел на ворота, те уже были закрыты; из трубы котельной, постепенно редея, все так же валил черный дым.

Примерно на полпути между углом здания и кирпичным забором к стене клуба была прилеплена узкая деревянная пристройка, представлявшая собой обшитый досками и накрытый сверху односкатной крышей лестничный марш, ведущий на второй этаж. Над входом в этот архитектурный нонсенс горела забытая электрическая лампочка в пыльном матовом плафоне, а справа от двери к щелястым доскам была привинчена стеклянная табличка, извещавшая о том, что данное нелепое сооружение служит входом в библиотеку Дворца культуры железнодорожников.

— Как самочувствие, сынок? — поинтересовался Иван Яковлевич.

— Как у Алисы в Стране Чудес, — признался Сиверов, — «чем дальше, тем страньше».

Иван Яковлевич снова рассмеялся, показав крепкие, желтые от табака зубы.

— Погоди, это только начало! — воскликнул он. — Помнишь, как у Александр Сергеича? О, сколько нам открытий чудных готовит просвещенья дух... Ну, пошли, что ли?

Под ногами была голая, утоптанная до каменной твердости глинистая земля, местами поросшая жесткой курчавой травкой. За углом пристройки, в траве, которая здесь была немного гуще, среди пестрого мусора лежал, распространяя тяжелый смрад, труп раздавленной колесами полосатой кошки. Над падалью сыто жужжали жирные сине-зеленые мухи. «Какого дьявола я тут делаю?» — уже не в первый раз подумал Глеб. Все вокруг было буквально пропитано тяжелой провинциальной скукой и глухой безысходностью. Представив на мгновение, что ему предстоит прожить в этом славном местечке остаток жизни, Сиверов ощутил острое желание развернуться на сто восемьдесят градусов и бежать со всех ног, куда глаза глядят.

Впрочем, в какую сторону ни беги, пуля все равно догонит. В очередной раз осознав этот простенький и неутешительный факт, он покорно двинулся за Иваном Яковлевичем к облупленной коричневой двери, над которой бледно и ненужно светилась забытая лампочка.

Корнев без колебаний распахнул эту дверь. Внутри, как и следовало ожидать, не оказалось ничего, кроме довольно крутой деревянной лестницы со стертыми ступенями, из которых округлыми бугорками выдавались более стойкие к воздействию десятилетиями попиравших их подошв сучки. Ступеньки недовольно заскрипели, приняв на себя немалый вес Ивана Яковлевича; притянутая мощной пружиной дверь с грохотом захлопнулась за спиной у Глеба, и сейчас же Иван Яковлевич оступился, угодив ногой мимо ступеньки, чертыхнулся и непременно кубарем выкатился бы обратно на улицу, если бы Слепой не поддержал его сзади.

— Черти, — одышливо пропыхтел Иван Яковлевич, — не могут лампочку ввернуть! На улице у них, видите ли, свет горит, а в этой прямой кишке темно, как... как в прямой кишке!

Прихрамывая, Глеб поднимался за ним по лестнице, гадая, какую работу ему, ликвидатору, профессиональному стрелку, секретному агенту ФСБ, могут предложить в этой дышащей на ладан, загибающейся от недостатка финансирования, захолустной клубной библиотеке. Может быть, у них участились случаи воровства популярных детективов и любовных романов, и им требуется человек, который будет мотаться по городу и выбивать книги из недобросовестных читателей? Ничего не скажешь, достойное завершение карьеры...

Наверху обнаружилась крошечная лестничная площадка с подслеповатым, заросшим пылью окошком. Выглянув, Глеб увидел кусочек огороженного кирпичным забором, заросшего по краям лебедой и бурьяном, немощеного двора, посреди которого тихо догнивала поставленная на растрескавшиеся бетонные блоки рама какого-то грузовика. «Тоска», — подумал Сиверов и едва не произнес это вслух.

Кроме окна, на площадке имелась дверь — высокая, двустворчатая, обитая коричневым растрескавшимся дерматином, из прорех которого там и сям выпирали клочья серо-рыжей от старости ваты. Иван Яковлевич сначала потянул, а потом, чертыхнувшись, сильно дернул за облезлую железную ручку, и разбухшая дверь резко распахнулась, едва не сбросив их обоих с лестницы. «Бардак», — негромко, но прочувствованно проворчал Корнев, и Глеб не мог с ним не согласиться.

Переступив высокий, такой же стертый, как и ступеньки, порог, они очутились в неожиданно светлом и просторном помещении, которое казалось тесным из-за стоявших рядами, набитых книгами стеллажей. Итак, это была именно библиотека, а не засекреченный склад ядерных отходов или конспиративная явка. Читателей в этом храме литературы не было ни одного, но сидевшая за облупленным деревянным барьером костлявая, прямая, как ручка от швабры, пожилая дама в огромных, на пол-лица, очках удостоила их лишь беглым взглядом, брошенным поверх журнала «Огонек».

Обычно приветливый со всеми и разговорчивый, даже болтливый, Иван Яковлевич на сей раз, вопреки обыкновению, отплатил ей той же монетой, то есть, не вступая в переговоры, не поздоровавшись, даже не кивнув, решительно направился мимо библиотекарши в глубь помещения, в узкий просвет между двумя стеллажами. Глеб нерешительно открыл рот, но над верхним обрезом «Огонька» виднелась только прилизанная седая макушка библиотекарши, и он, промолчав, последовал за своим провожатым.

Царапая выдающимся пузом книжные корешки, цепляясь за них то галстуком, то распахивающимися полами пиджака, Иван Яковлевич не без труда преодолел препятствие и, еще раз помянув «чертов бардак», вырвался на оперативный простор.

В углу виднелась еще одна дверь — деревянная, вся в многолетних напластованиях и неопрятных потеках масляной краски. Красил ее, скорее всего, кто-то из сотрудниц библиотеки; если этим занимался профессиональный маляр, то был он в тот момент не иначе как мертвецки пьян: длинные потеки окаменевшей коричневой краски сверху вниз, под прямым углом, пересекали даже прибитую к двери табличку «Посторонним вход воспрещен».

Иван Яковлевич направился прямиком к этой непрезентабельной двери, остановился и, порывшись в карманах, протянул Глебу ключ с длинным стержнем и двумя бородками затейливой, сложной конфигурации.

— Это теперь твое, сынок, — сказал он. — Валяй, открывай.

В неподвижном, застоявшемся воздухе библиотеки чувствовался сухой запах книжной пыли, под потолком, явно готовясь перегореть, монотонно жужжала лампа дневного света. Это одинокое тоскливое жужжание навевало дремоту. Глеб посмотрел на Ивана Яковлевича, потом на ключ в его руке и, наконец, перевел взгляд на замочную скважину.

Она была прорезана в металлической накладке, к которой по старинке, двумя концами, крепилась дверная ручка. Треугольная пластинка, когда-то прикрывавшая это отверстие, была в незапамятные времена отведена в сторону и в таком положении замазана толстым слоем краски. За такими замочными скважинами, как правило, скрываются простые, как кремневое ружье, замки, безнадежно испорченные добрых полвека назад, с потерявшимися неизвестно где и когда ключами. Иван Яковлевич же вполне серьезно предлагал Глебу вставить в это замазанное дешевой масляной краской непрезентабельное отверстие вполне современный латунный ключ от новенького крабового замка повышенной секретности, какими в последнее время оборудуют стальные противовзломные двери богатых квартир.

Это выглядело как неумная шутка, но Корнев не производил впечатления человека, склонного к подобным плоским розыгрышам. Его простоватая внешность, бесхитростная, несмолкающая болтовня и даже раздражающая манера называть всех подряд, без разбора «сынками» и «дочками», несомненно, служили лишь ширмой, за которой скрывался холодный и цепкий, в высшей степени прагматичный аналитический ум. Иван Яковлевич немного напоминал Глебу начальника особого отдела армейской части, где он служил до того, как в первый раз был зачислен в списки убитых. Тот особист носил простецкую фамилию Петров, был двухметровым громилой с грубой простодушной физиономией, обожал поговорить о рыбалке и неоднократно во всеуслышание заявлял, что из иностранных языков владеет только русским, да и то со словарем. И прошло больше года, прежде чем Глеб убедился, что капитан Петров представляет собой полную противоположность образу армейского дуба, который так старательно создавал...

Словом, никакими шутками тут, скорее всего, даже не пахло, и все это говорило о вещах куда более серьезных и неприятных — о повышенной секретности, например. Придя к такому выводу, Глеб взял ключ, вставил его в непрезентабельную замочную скважину и четыре раза повернул против часовой стрелки. Каждый оборот сопровождался негромким маслянистым щелчком; вынув ключ из замка, Глеб попытался вернуть его Ивану Яковлевичу, но тот энергично замотал головой и даже выставил перед собой ладонь.

— Твое, — повторил он, и Слепой не стал спорить.

Сунув ключ в карман, он потянул на себя дверь, которая оказалась намного тяжелее, чем можно было ожидать. Глебу подумалось, что внешность бывает обманчива, и верно: уродливая деревянная накладка маскировала толстенную стальную плиту, пятисантиметровое ребро которой блеснуло многочисленными круглыми головками мощных ригелей.

Закрыв за собой эту дверь, Корнев запер ее одним поворотом обнаружившегося с обратной стороны массивного металлического штурвала, вроде тех, какими оборудуют люки подводных лодок и двери бомбоубежищ. За дверью открылся длинный, освещенный люминесцентными лампами, абсолютно голый коридор. Пол здесь был цементный, с вкраплениями мраморной крошки, потолок — бетонный, беленый, а стены — разные: одна гладко оштукатуренная, приятного кремового оттенка, а другая — голая, сложенная из корявых газосиликатных блоков, с толстыми неопрятными швами и застывшими потеками цементного раствора. Примерно на середине этого странного коридора на привинченном к левой, оштукатуренной стене кронштейне неприкрыто торчала следящая видеокамера в похожем на обувную коробку жестяном корпусе, а в дальнем его конце, уменьшенная расстоянием до размеров спичечного коробка, виднелась еще одна дверь.

Замок в этой двери был электрический, кодовый.

— Запоминай код, — бросил Глебу через плечо Иван Яковлевич и небрежно, явно не в первый раз, пробежался пальцами по кнопкам.

Дверь открылась, и они оказались в тесном кубическом помещении с низким потолком, прямо под дулами двух автоматов, которые сжимали в руках крепкие, рослые ребята в пестром армейском камуфляже. Бойцы стояли по обе стороны раздвижной металлической двери, более всего похожей на дверь обыкновенного лифта. Это и был лифт, отличавшийся от обычного только тем, что попасть в него можно было, лишь разблокировав дверь одновременным поворотом двух одинаковых ключей. Замочные скважины находились за спинами автоматчиков, которые, узнав Ивана Яковлевича, молча расступились в стороны, продолжая держать под прицелом постороннего, то есть Глеба.

Во время всей этой процедуры не было произнесено ни слова, и Сиверов заскучал. Тут пахло уже не просто секретностью, а секретным объектом и даже, пропади она пропадом, государственной тайной. По роду своей деятельности Глеб часто соприкасался с государственными тайнами, но это вовсе не означало, что он был от них в восторге.

Лифт, громыхая и лязгая, пошел вниз. Ехали совсем недолго, из чего следовало, что цель их путешествия расположена не слишком глубоко. Внизу их встретила еще пара автоматчиков, мешковатая одежда которых не могла скрыть военную выправку и мощную мускулатуру. А если бы даже и скрывала, то бесстрастные лица с далеко выдающимися вперед каменными подбородками и лишенные выражения, неподвижные, как у статуй, глаза все равно выдали бы в охранниках профессионалов низового звена — простых служак, опытных костоломов, мастеров ближнего боя и, надо полагать, неплохих стрелков.

За дверью, которую охраняли эти двое, открылось низкое и грязноватое, скверно освещенное помещение, где стояли обшарпанный письменный стол, жесткий стул с фанерным сиденьем и облезлый, архаичный картотечный шкаф. На столе под стеклом с отбитым уголком лежал вырванный из газеты календарь; с первого взгляда Глеб решил, что это календарь за прошлый месяц, но, присмотревшись, внес поправку: календарь был за прошлый месяц позапрошлого года. Помимо бесполезного календаря, на столе имелась древняя настольная лампа под пятнистым от облупившейся эмали жестяным абажуром. Именно она и служила здесь единственным источником света. В глубине помещения, за пределами светового круга, угадывалась перегородка из натянутой на металлический каркас проволочной сетки, и там, за перегородкой, смутно выступали из полумрака знакомые очертания книжных стеллажей.

— Бардак, — снова повторил Иван Яковлевич, обнаружив, что в пределах прямой видимости нет ни одной живой души. — Эй, хозяева! — повысив голос, позвал он. — Всем оставаться на местах! Это ограбление!

Откуда-то слева послышался шум обрушившейся в унитаз воды, щелкнула дверная задвижка, и из темноты на свет вышел, вытирая мокрые руки носовым платком, сгорбленный, тщедушный старикан ярко выраженной семитской наружности. Длинный, переломленный посередине характерной горбинкой нос навис над смущенно улыбающимся ртом, который до сих пор сохранил четкие, красивые, почти женственные очертания; мутноватые и слезящиеся стариковские глазки виновато моргали, а остроконечную коричневую лысину обрамляли длинные, мелко вьющиеся седые кудри, придававшие старику сходство с наполовину облетевшим одуванчиком. Одет он был в мешковатые, лоснящиеся брюки, старомодные, сто лет не чищеные полуботинки и мятую, несвежую бледно-серую рубашку с широким полосатым галстуком и архаичными нарукавниками с резинками у локтей и запястий. Вид у этого дряхлого карлика был настолько безобидный и даже комичный, что Глеб далеко не сразу заметил торчавший за поясом ветхих затрапезных брюк огромный автоматический пистолет, который старик, еще раз смущенно и виновато улыбнувшись, мимоходом сунул в верхний ящик письменного стола.

— Моисеич, книжная твоя душа! — громко, как глухому, закричал ему Иван Яковлевич. — Где ты бродишь? Разве так гостей встречают? Сначала в сортире прячешься, старый ты дристун, а потом шпалером пугаешь!

— Извините, — все так же виновато, но вместе с тем приветливо улыбаясь, сказал старик. — Сегодня я вас не ждал.

— Не ждал он... Ну, как дела-то?

— Как обычно, — сказал старик. — Везут и везут. Сегодня опять привезли без малого полтонны, перебирать не успеваю. Откуда столько берется, ума не приложу!

— Контора пишет, — ответил на это Иван Яковлевич. — Ну, ничего, теперь тебе полегче станет. Вот, принимай пополнение. Вашего полку прибыло!

— Рад, рад, очень рад, — произнес старик, часто кивая носатой головой и благожелательно глядя на Глеба слезящимися глазками.

Сиверов особенной радости не испытывал, но тоже заставил себя улыбнуться.

— Это вот, значит, твой коллега, — сказал, обращаясь к нему, Иван Яковлевич. С виду — ничего особенного, зато башка!.. Не башка, а целая академия наук.

— Коллега? — многозначительно переспросил Глеб.

— А? — воскликнул Иван Яковлевич, с победным видом поглядев на Ефима Моисеевича, и снова хлопнул Сиверова по плечу. — Каков?! Зрит в корень, как завещал Козьма Прутков. Именно коллега, — продолжал он, снова поворачиваясь к Глебу. — Вы с ним относительно друг друга расположены, так сказать, по горизонтали, в одной, понимаешь ты, плоскости. Каждый отвечает за свой участок работы, и там, на своем участке, он — полный хозяин. Ну, вроде, как в диких племенах заведено: в мирное время командует старейшина, а если вдруг что такое и так далее — ну, тогда вся полнота власти переходит к военному вождю. Понял?

— Более или менее, — сказал Глеб. — Значит, Ефим Моисеевич старейшина, я — военный вождь, а те костоломы, что торчат здесь на каждом шагу — наше племя. Мило. А кем в этой иерархии являетесь вы?

— Я-то? Ну, это, как его...

— Верховное божество, — вкрадчиво, с мягкой язвительностью подсказал Ефим Моисеевич. — Ну что же, молодой человек, — продолжал он, терпеливо переждав взрыв бурного генеральского веселья, — давайте знакомиться.

— Давайте, — согласился Сиверов. — Меня зовут...

Ефим Моисеевич заставил его замолчать, энергично замотав головой.

— Библиотекарь, — сказал он.

— Что? — слегка растерявшись, переспросил Глеб.

— Библиотекарь, — повторил Ефим Моисеевич. — Теперь вас зовут именно так, и, пока вы работаете здесь, другое имя вам не понадобится.

* * *

Пока Юрген, вооружившись лупой и калькулятором, со всех сторон обложившись справочной литературой, изучал представленные на его рассмотрение документы, Альберт Витальевич развлекал гостя.

Этот самый гость был, как ни крути, сильной, неординарной личностью и умел не только располагать к себе людей, но и навязывать им свою волю. Не назвав ни своего имени, ни фамилии, являясь никем и ничем, он тем не менее не торчал, как бедный родственник, за дверью, ожидая решения своей участи, а сидел за столом с самим Альбертом Витальевичем Жуковицким, депутатом Государственной Думы, бизнесменом и запросто с ним выпивал, непринужденно болтая о пустяках. Временами, поднимая голову от бумаг, Юрген краем уха ловил обрывки их тихой, неторопливой беседы. Речь шла то о сравнительных достоинствах различных типов морских яхт и катеров, то о горных лыжах, то вдруг переходила на легкомоторные самолеты и прыжки с парашютом. О самолетах и парашютах говорил в основном гость, поскольку Альберт Витальевич с парашютом не прыгал ни разу, а его персональный «Як-40» не мог служить предметом для обсуждения, поскольку, во-первых, не был легкомоторным, и, во-вторых, управлял им не владелец, а наемный экипаж профессиональных летчиков. Это была светская болтовня в чистом виде, словно Жуковицкий знал гостя сто лет.

Астролог, впрочем, понимал, что это неспроста. Кажется, Жуковицкий всерьез заинтересовался предложением незнакомца, и в этом Юрген видел свою несомненную заслугу. Несколько лет назад, до знакомства с Эрнстом и даже в начале совместной работы, Альберт Витальевич прямо с порога послал бы незнакомца вместе с его сомнительным товаром ко всем чертям — в ту пору такие вещи его не интересовали, он в них попросту не верил. Теперь же Жуковицкий был заинтересован в приобретении записок Бюргермайера и полного текста «Центурий» едва ли не больше, чем в контрольном пакете акций Газпрома, и это не было заинтересованностью коллекционера, сходящего с ума по раритетам. О, разумеется, это были раритеты, да еще какие! Они и сами по себе стоили не меньше, а может быть, и больше, чем, к примеру, какая-нибудь из работ Леонардо. Но, в отличие от картин, скульптур и прочего барахла, рукописи Нострадамуса и Бюргермайера не были просто мертвыми предметами, предназначенными лишь для удовлетворения тщеславия коллекционера. В умелых руках эти рукописи могли стать бесценным инструментом для достижения любых, даже самых грандиозных и фантастических, целей. Это было сверхмощное оружие, способное дать своему владельцу нечеловеческую, почти магическую силу, и Альберт Витальевич, слава богу, это понимал. Понимал он, к счастью, и то, что без Юргена он этим оружием воспользоваться не сможет, а значит, эти рукописи, перейдя в собственность Жуковицкого, должны были сделать связь между ними еще более тесной, нерасторжимой. Это действительно сулило очень неплохие перспективы, и астролог снова, уже не в первый раз, дал себе слово приложить все усилия к тому, чтобы данная сделка состоялась.

Отодвинув от себя пухлый справочник, он осторожно кашлянул в кулак. Вежливая застольная трепотня мгновенно оборвалась, и Жуковицкий с гостем синхронно повернули к нему одинаково заинтересованные лица. У Альберта Витальевича в руке был стакан с его любимым скотчем, а гость, по всему видать, человек консервативный и раб привычки, как и во время своего визита к Юргену, пил красное сухое вино — не молдавское, разумеется, и даже не румынское, каким его против собственной воли потчевал Эрнст, а дорогое, итальянское.

— Ну? — спросил Альберт Витальевич.

Астролог откинулся на спинку кресла, стараясь не показать, до какой степени его покоробило это пренебрежительное, хозяйское «ну». Любой козьмодемьянский мужик в такой ситуации, не задумываясь, ответил бы коротко и ясно: «Не нукай, не запряг!» Но Юрген давно перестал быть простым козьмодемьянским мужиком; получив от жизни многое, он был вынужден многое терпеть. Эрнст не роптал на судьбу, поскольку твердо знал: у каждой медали две стороны, и болтать, что в голову взбредет, может лишь тот, на чьи слова никто не обращает внимания.

На слова Юргена не просто готовы были обратить внимание — их ждали, и притом с явным, нескрываемым нетерпением. Поэтому, прежде чем заговорить, он сделал многозначительную паузу, во время которой постарался еще раз все хорошенько обдумать и взвесить, чтобы, упаси бог, не попасть впросак.

— Если это фальшивка, — сказал он, осторожно поглядывая на гостя, — то изготовлена она очень грамотно. Четверостишия написаны в манере Нострадамуса, на свойственной ему смеси среднефранцузского и классической латыни, и даже с теми же ошибками, которые он намеренно допускал, чтобы зашифровать нумерологическим кодом даты предсказываемых событий. Разумеется, не подержав бумаги в руках, трудно судить об их возрасте, но... Словом, я, со своей стороны, не вижу в данных материалах никаких прямых указаний на то, что это фальшивка. Это, впрочем, не означает, что я могу с уверенностью назвать их подлинными.

Жуковицкий, хотя и понимал, конечно, что иного ответа ждать не приходилось, недовольно нахмурился, однако на выручку Юргену неожиданно пришел гость.

— Вот речь настоящего эксперта, дорожащего своей репутацией! — воскликнул он. — Осторожность прежде всего, не так ли? Особенно, когда речь идет о столь значительной сумме... Что ж, Эдуард... э... Эрнст Карлович, я ценю вашу откровенность и уважаю мнение специалиста. Что касается определения возраста бумаг, тут я вам ничем не могу помочь. Эти материалы существуют только в виде фотокопии.

— Подлинник уничтожен? — спросил Жуковицкий.

— Насколько мне известно, нет. Он просто недоступен. Поверьте моему слову: то, что чудом удалось один раз, больше не удастся никому и никогда. Снять еще одну копию так же нереально, как и завладеть оригиналом.

— То есть проверить, написаны эти стишки Нострадамусом или вы их сами накропали, не представляется возможным, — констатировал Альберт Витальевич.

— А вы попытайтесь хотя бы из спортивного интереса проверить, кем на самом деле написана известная часть «Центурий», — хладнокровно предложил гость. — Или, например, пьесы Шекспира. О чем мы говорим?! Это в принципе невозможно. Даже имея на руках десяток письменных заключений самых авторитетных экспертных комиссий, вы ни в чем не будете уверены. И вообще, все эти экспертные заключения нужны только для того, чтобы козырять ими перед знакомыми: вот, дескать, что у меня есть! Подлинник! Эксклюзив! Ни у кого нет, а у меня имеется... Но вам-то, Альберт Витальевич, совсем не это нужно!

— Экспертная комиссия — это мысль, — задумчиво пробормотал Жуковицкий, словно из всей речи незнакомца до его сознания дошли только эти два слова.

— Это неудачная мысль, — возразил гость. — Не стану кривить душой и потчевать вас сказочками о бабушкином наследстве и дедушкином сундуке, найденном на чердаке родового поместья. Я не получил эти бумаги в наследство и не купил — я их достал. С огромным трудом и риском. И, сами понимаете, не вполне законным путем...

— Попросту говоря, украл, — уточнил Жуковицкий.

— Скорее, добыл. Но это несущественно. Важно то, что, как только вы пригласите экспертов, о вашем приобретении узнает весь мир. И на следующий день к вам явятся люди в штатском, которым будет наплевать на вашу депутатскую неприкосновенность. Сделка сорвется, я останусь с бумагами, которые мне ни к чему, а вы, извините, с носом. И кому от этого будет легче?

— М-да, — произнес пребывающий в явном затруднении Альберт Витальевич.

— Я бы на вашем месте рискнул, — продолжал напирать гость. — Тем более что времени у вас не так много. Возьмем, к примеру, эту самую депутатскую неприкосновенность. Помните весеннюю чистку в Думе? Ума не приложу, как вас миновала чаша сия. Законодательная деятельность и бизнес несовместимы, это сегодня знают все. А то как-то неловко получается: вроде, вы там, в Думе, под себя законы пишете и печетесь не о народном благе, а о собственном процветании... Вот отберут у вас мандат, и что вы тогда предъявите этим ослам из совета директоров Газпрома? Каким кнутом напугаете, каким пряником поманите?

Юрген с трудом унял волнение. Да, этот парень умел-таки удивить! Во-первых, это был первый человек, который осмеливался резать правду-матку прямо в глаза самому Жуковицкому. А во-вторых, откуда, спрашивается, он все узнал?

Ну, допустим, о том, что угроза лишения депутатских полномочий уже не первый год висит над Альбертом Витальевичем дамокловым мечом, догадаться было несложно. Законотворчество и коммерческая деятельность действительно несовместимы, об этом говорят и пишут чуть ли не с момента образования Думы, а воз и ныне там. Но откуда этот тип узнал про Газпром? Впрочем, если бы не знал, то вряд ли, наверное, принес бы свои бумаги именно Жуковицкому...

— Ладно, — неприязненно процедил Альберт Витальевич, которому очень не понравилась прямота и, главное, чрезмерная осведомленность собеседника. — А что там с записками этого, как его?..

— То же самое, — сказал Юрген, поняв, что вопрос обращен к нему. — Дневник Бюргермайера выглядит подлинным. Я встретил в нем упоминание о том, что ему удалось разгадать код, которым Нострадамус зашифровал свои записи, но самого кода я в дневнике не обнаружил. У меня сложилось впечатление, что дневник разнят на части...

— Разумеется, — перебил его гость. — А вы как хотели? Вы, Эрнст Карлович, человек незаурядный. Даже, я бы сказал, выдающийся. Откуда мне знать, какие у вас возможности? А вдруг вы обладаете фотографической памятью? Прочтете один разочек, и покупать ничего не надо... Разумеется, я изъял из дневника страницы, касающиеся ключа от шифра. И я, разумеется, предоставлю их в ваше полное распоряжение, как только мы с Альбертом Витальевичем заключим сделку. Если заключим, — подумав, добавил он.

— Кстати, — осененный новой мыслью, сказал Юрген, — то обстоятельство, что Бюргермайер открыл ключ, прямо указывает на то, что он действительно имел доступ к считавшимся утраченными главам «Центурий». Ведь, согласно легенде, зашифрованные откровения Нострадамуса находились именно в этой части книги! Значит, эта часть «Центурий» и впрямь не сгорела, как принято считать, а была цела, по крайней мере, до первой четверти восемнадцатого века. И находилась при этом не где-то за семью морями, а тут, в России, при дворе Петра.

— Совершенно верно, — подхватил гость. — И заметьте, — продолжал он, обращаясь к Жуковицкому, — какими великими свершениями было отмечено царствование Петра Алексеевича! Ведь он за считанные десятилетия превратил кучу дерьма в европейскую державу, создал империю, можно сказать, из ничего! Он практически не допускал ошибок, а почему, как вы думаете? То-то. Представьте себе только, как это здорово: заранее, наперед, знать, к чему приведет то или иное действие! Знать завтрашнюю конъюнктуру — и не только рыночную, но и политическую. Знать, какой закон будет принят в будущем году. Знать, куда вкладывать капитал, а куда не стоит. Знать с точностью до метра, где пройдет труба нового газопровода, и заранее приобрести права на эти участки... Э, да что я вам рассказываю! Вы видите перспективу лучше меня, ведь это вы бизнесмен, а я — так, солдат удачи... Ну, по рукам?

— Не так быстро, — осадил его Жуковицкий. — Что значит — по рукам? Мало того, что продаете кота в мешке, так еще и неизвестно, за какую цену...

— Ах, да! — спохватился гость. — Про цену-то я и забыл... Цена, на мой взгляд, приемлемая — пятьдесят миллионов.

— Чего-о?!

— Долларов, разумеется. Американских.

— Ну, знаешь, приятель! — моментально утратив даже то подобие светского лоска, которое с трудом ухитрялся сохранять до сих пор, в сердцах воскликнул Альберт Витальевич. — Ты берега-то не теряй! О такой сумме я с тобой даже говорить не стану!

— Это почему же? — светским тоном осведомился гость.

— Да хотя бы потому, что у меня таких денег нет и сроду не водилось!

— Ну, это поправимо. Продайте бизнес, займите — вам любой даст. Возьмите ссуду, в конце концов! Да одна только недвижимость, которой вы владеете, потянет миллионов на пять! А самолет? Ну, на кой ляд вам собственный реактивный самолет? Ведь только на его реставрацию и отделку пошло, наверное, миллиона полтора! Впарьте его какому-нибудь таджику, вот вам и еще три-четыре миллиона. Как говорится, курочка по зернышку...

— Отлично, — внезапно остыв и снова напустив на себя холодноватый светский вид, сказал Жуковицкий. — Значит, вы предлагаете обратить все, что у меня есть, в деньги и отдать эти деньги вам в обмен на горсть бумажек сомнительного происхождения. Получив пятьдесят миллионов, вы исчезнете с горизонта, а я останусь с голым гузном на морозе. Так?

— Не совсем, — тем же светским тоном возразил гость. — Кое-что у вас все-таки останется, не прибедняйтесь. Это во-первых. А во-вторых, через месяц после получения этих, как вы выразились, бумажек с помощью Эрнста Карловича вы пойдете в гору так резко, что у меня даже голова кружится, когда я об этом думаю. Через полгода Газпром будет ваш, а еще через год... Нет, это даже представить себе невозможно, кем вы станете! Императором, елки-палки! Живым богом на земле!

— Или нищим покойником.

— Покойником, как и нищим, вы можете стать когда угодно, и притом независимо от результата нашей сегодняшней встречи. Вы же игрок, Альберт Витальевич! Рискните же, черт подери! Поверьте, эта игра стоит свеч.

— Миллион, — подумав, сказал Жуковицкий. — Ну, пусть даже два.

— Пятьдесят, — жестко отрезал гость. — И ни центом меньше.

— Это несерьезно.

Гость встал и с огорченным вздохом расправил широкие плечи.

— Очень жаль. Впрочем, я понимаю, вам надо подумать. Расставаться с деньгами всегда непросто, особенно с такими большими. Подумайте, Альберт Витальевич. Я позвоню вам через три дня, в это же время. Договорились?

— Можете не затрудняться, — даже не подумав встать, проворчал Жуковицкий. — Пятьдесят миллионов... Вы попробуйте эти деньги заработать!

— Так я же как раз и пробую, — с улыбкой парировал гость. — А вы попробуйте достать то, что я вам предлагаю, где-то в другом месте. Долларов на свете сколько угодно, а мой товар существует в единственном экземпляре. В конце концов, я за него жизнью рисковал, а вы мне суете какой-то жалкий миллион...

— Два, — напомнил Жуковицкий. — Ну, пять.

— Я позвоню через три дня, — повторил гость, забрал у Юргена свои бумаги и вышел.

Как только дверь за ним закрылась, Альберт Витальевич схватил со стола трубку мобильного телефона и раздраженно ткнул пальцем в клавишу быстрого вызова.

— Мазур? — сказал он, дождавшись ответа. — Срочно ко мне!

Услышав это, астролог начал быстро собирать со стола свои справочники, словари и прочее хозяйство. Он в общих чертах представлял, о чем хозяин хочет поговорить с начальником своей личной охраны, и не испытывал ни малейшего желания присутствовать при этом разговоре.

ГЛАВА 7

Ефим Моисеевич щелкнул выключателем, и под потолком, моргая, начали загораться лампы дневного света. Они висели в пять рядов по всей ширине помещения, от стены до стены, и загорались последовательно — пять, за ними еще пять, и еще пять, и еще... Пять световых дорожек, стремительно удлиняясь, убегали в темноту, которая пугливо отпрыгивала всякий раз, когда загоралась очередная пятерка ламп.

Досмотреть это кино до конца Глебу не удалось: размеры скрывавшегося за перегородкой из проволочной сетки помещения были таковы, что его противоположный конец можно было увидеть, наверное, только вскарабкавшись на самый верх одного из металлических стеллажей.

— Ничего себе, — сказал Сиверов.

— Не надо обольщаться, — откликнулся Ефим Моисеевич. — Хранилище заполнено от силы наполовину. Но если захочется почитать, что-нибудь занимательное тут всегда найдется.

Глеб хотел спросить, что старик подразумевает под словом «занимательное», но вспомнил об автоматчиках за дверью и прочих атрибутах повышенной секретности и решил, что этот вопрос не имеет смысла.

Тогда он спросил о другом.

— Могу я все-таки узнать, что это за место, где мне предстоит работать? — спросил он. — Или это военная тайна?

— Это военная тайна, — подтвердил Ефим Моисеевич, который, смешно перекашивая туловище то в одну, то в другую сторону, что-то искал в бездонных карманах своих старомодных брюк, поочередно чуть ли не по локоть засовывая туда руки. — Но вы таки можете это узнать, потому что эта тайна не от вас. Вы сами теперь часть этой тайны, вам теперь все можно, кроме одного — делиться своими знаниями с широкой общественностью.

— А с узкой?

— Смотря что под этим подразумевать. — Старик, наконец, обнаружил искомое и выудил из левого кармана солидную связку ключей. За ней потянулся зацепившийся за что-то носовой платок — большой, мятый, с застиранной, потерявшей цвет широкой синей каймой. Ефим Моисеевич отцепил платок, секунду разглядывал с каким-то сомнением, будто прикидывая, не высморкаться ли ему, раз уж платок все равно в руке, но передумал и спрятал его в карман. — Принимая во внимание характер объекта и некоторые другие обстоятельства, о которых вы вскоре узнаете, даже подушка, с которой вы интимным шепотом поделитесь впечатлениями о своей новой работе, может считаться слишком широким кругом общественности. Хотите добрый совет? Если вам захочется кому-то рассказать об этом месте, лучше откусите себе язык. Этого места нет. Просто нет, понимаете? И меня нет, и вас нет тоже. Иначе вы бы просто здесь не оказались. А если вздумаете болтать, вас не станет по-настоящему. Вы меня поняли?

— Понять-то я вас понял, — сказал Глеб. Прочитанная Ефимом Моисеевичем довольно откровенная лекция не вызвала у него раздражения, поскольку старик ухитрился произнести свою многословную отповедь как-то так, что она прозвучала действительно как дружеский совет. Да и выглядел он удивительно по-домашнему, несмотря на хранившийся в верхнем ящике его рабочего стола чудовищный шпалер сорок пятого калибра. — Только никаких подписок я никому не давал.

— А где вы видели покойника, который дает подписки? — изумился Ефим Моисеевич. — Нет, серьезно, вы что же, считаете, что какая-то бумажка с каракулями действительно может заставить взрослого, самостоятельного человека молчать, когда его тянет поговорить? Человек молчит, потому что предупрежден, что за разговоры его по головке не погладят. А в какой форме он получил это предупреждение, не так уж важно. Кого волнует форма? Я таки скажу вам, кого. Бюрократов, вот кого! Тех, кто видит смысл своей жизни в составлении бумажек с печатями. О, эти бумажки! Уверяю вас, скоро вы поймете, почему я их так не люблю. Да и вы, судя по вашему виду, не относитесь к числу больших приверженцев правильного делопроизводства. Бумаги... Тьфу на них! Кроме того, подписка, данная вами, имела бы обратный эффект. Вы же покойник, верно? Вот и представьте себе эту картину: кто-то, кому это совсем не нужно, случайно натыкается в архиве на подписанную покойником бумагу, в которой тот обязуется не разглашать служебную информацию! Ведь человеку со слабыми нервами после этого такое начнет мерещиться!.. Вампиры, ожившие мертвецы — короче, Голливуд на дому. Подписка... Считайте, что вы ее только. что дали. Разве не так? Я вас устно предупредил, что лучше засунуть себе в зад осколочную гранату и выдернуть чеку, чем хоть словом обмолвиться о существовании этого места. Вы меня внимательно выслушали и, надеюсь, правильно поняли. Поняли ведь? Конечно, поняли, потому что все это элементарно, а вы, как я вижу, таки не дебил.

— Смею надеяться, — сдерживая смех, со всей серьезностью, на которую только был способен, сказал Глеб.

— Вы еще и скромник, — заметил Ефим Моисеевич. — Но вы, кажется, о чем-то спрашивали?

— Правда? — изумился Слепой.

Старик сокрушенно покивал головой, тяжело вздохнул, вынул из кармана платок и все-таки высморкался, издав протяжный трубный звук, эхо которого, прокатившись по обширному подземному залу, затерялось где-то среди стеллажей.

— Простите, — сказал он, — я вас совсем заболтал. Месяцами приходится молчать, не слыша человеческого голоса, не видя нормального, интеллигентного лица... Эти, — он ткнул скрюченным пальцем в сторону стальной двери, за которой торчали парни с каменными подбородками, — не в счет. Кроме того, нам запрещено с ними разговаривать. Как, подозреваю, и им с нами... Так вы спрашивали, что это за место. Пойдемте, я вам покажу.

Шаркая по цементному полу и на ходу выбирая из бренчащей связки нужный ключ, старик обогнул свой стол, подошел к двери в проволочной перегородке и отпер обыкновенный висячий замок.

— Проходите, — пригласил он Глеба, делая гостеприимный жест в сторону заставленного прочными металлическими стеллажами помещения. — Познакомьтесь со своим хозяйством.

— Что это? — спросил Сиверов, озирая уходившие, казалось, в бесконечность ряды полок, битком набитых тысячами картонных папок казенного вида, каких-то гроссбухов и пухлых, потрепанных книг, среди которых попадались, судя по покоробившимся кожаным переплетам, настоящие раритеты. Кое-где на стеллажах виднелись цилиндрические жестяные коробки с киноленотой и картонные ящики, из которых буквально выпирали сваленные беспорядочными грудами архаичные катушки с магнитофонными записями.

— Это — придаток, — не совсем понятно ответил Ефим Моисеевич и бодренько засеменил по узкому проходу в дальний конец помещения. — Образно говоря, аппендикс, отросток слепой кишки, в котором скапливается то, что организм не смог переварить и естественным путем вывести наружу. Знаете, мой знакомый хирург как-то нашел в только что удаленном аппендиксе древнюю золотую монету — кажется, согдийскую. Что характерно, пациент, из которого эту монету извлекли, не мог даже предположить, каким путем она туда попала. Жизнь полна загадок! Так вот, все, что вы здесь видите, — продолжал он на ходу, — считается уничтоженным согласно составленным в свое время актам о списании. Каковые акты по прошествии положенного срока также были уничтожены. Акты, как вы понимаете, были уничтожены в действительности, — добавил он, обернувшись к Глебу через плечо, — поскольку ни исторической, ни литературно-художественной ценности данный вид макулатуры не представляет.

— А это, — Сиверов провел кончиками пальцев по пыльным корешкам, — представляет?

— Можете мне поверить, — сказал старик, — представляет, да еще какую! Вы даже вообразить себе не можете, что здесь есть. Это, молодой человек, списанные материалы из архива Комитета государственной безопасности СССР. Не все, конечно, а только самые интересные, способные пролить свет на многие тайны, над разгадкой которых человечество давно бросило ломать голову ввиду очевидной бесполезности этого занятия.

— Ага, — сказал Глеб, начиная кое-что понимать.

— Вы хотя бы представляете себе, что это такое — архив КГБ?! — с горячностью воскликнул Ефим Моисеевич, явно задетый показным равнодушием своего новоиспеченного коллеги. — Это занесенный на бумагу и дошедший до наших дней опыт спецслужб, копившийся с самого первого дня их существования! Ну, и плюс к тому — все, что спецслужбы так или иначе приобрели по ходу своей деятельности. Вам интересно, что на самом деле случилось с Ульяновым-Лениным? Когда он в действительности умер, как провел остаток своих дней... Ведь интересно, правда?

— Нет, — сказал Сиверов, — неправда. Это мне не интересно. Я это и без вашего архива знаю.

Старик остановился так резко, что Глеб едва не сбил его с ног.

— Так-так, — сказал Ефим Моисеевич, поворачиваясь к вновь прибывшему лицом и пытливо заглядывая снизу вверх ему в глаза. — Вот, значит, кто к нам пожаловал! Что ж, милости прошу. Вы с самого начала показались мне неординарной личностью. А за старого подонка Сиверса вам мое персональное спасибо. Мне приходилось с ним сталкиваться. Прегадостный был человечишка!

— Гм, — сказал Глеб.

Более развернутого ответа он дать не мог — у него просто не было слов. Информированность этого престарелого архивного гнома была, на его взгляд, чересчур велика, и Сиверову оставалось только проклинать свой язык, который не к месту и не ко времени вдруг стал слишком длинным.

— Не беспокойтесь, — правильно расценив эту, с позволения сказать, реплику, утешил его Ефим Моисеевич. — Мы ведь оба покойники, правда? А кому, как не вам, знать, что основное и, пожалуй, единственное преимущество мертвого человека перед живым заключается в том, что мертвые не болтают. А о Сиверсе я упомянул просто потому, что его незавидная судьба служит наилучшим подтверждением вашей профессиональной пригодности. Вы — прирожденный Библиотекарь!

— Вот никогда бы не подумал, — искренне сказал Глеб.

— Ну, это ведь не совсем обычная библиотека, — заметил старик. — Значит, и библиотекарь ей нужен не вполне обычный. Вообще, Библиотекарь — это не должность, а, скорее, почетное звание. На самом деле вы — хранитель фондов.

— А вы?

— Я — специалист по процеживанию дерьма и вылавливанию из него жемчужин.

За разговором они незаметно дошли до конца прохода и очутились в той части подземелья, где стеллажей не было. Здесь Глебу первым делом бросилась в глаза огромная груда картонных папок и каких-то разрозненных, исписанных где от руки, где на машинке листов, громоздившаяся прямо на бетонном полу у стены. Примерно в метре от пола в стене виднелось широкое квадратное отверстие, служившее устьем наклонной металлической трубы, что под довольно острым углом уходила куда-то вверх. Было нетрудно догадаться, что лежавшие на полу бумаги попали сюда именно по этой трубе. Глебу немедленно вспомнился грузовик, выезжавший из ворот в кирпичном заборе, когда они с Иваном Яковлевичем подходили к библиотеке. Вспомнился ему и дым, валивший из кирпичной трубы котельной несмотря на летнюю жару. Вмурованные в бетонный пол узкие рельсы, уходившие под массивную двустворчатую дверь в стене, а также стоявшая на этих рельсах небольшая вагонетка, приблизительно до половины заполненная все теми же картонными папками, довершали картину немудреного производственного цикла.

Справа от отверстия, через которое в подвал сваливали списанные архивные материалы, стоял еще один письменный стол — массивный, широкий, по старинке обтянутый зеленым сукном. На столе высилась мощная лампа на длинной суставчатой ноге, позади виднелось удобное кресло с высокой спинкой. Стол стоял между бумажной грудой и вагонеткой; под настольной лампой лежала тощая стопочка из трех или четырех папок, поверх которой поблескивали мощными линзами старомодные очки в широкой роговой оправе, а рядом со столом Глеб заметил прислоненный к стене странный инструмент — что-то вроде легких веерных граблей на раздвижном пластмассовом черенке. Глядя на все это, было очень легко представить, как Ефим Моисеевич сидит за столом, подтягивает к себе вот этими граблями все новые и новые папки из беспорядочной груды на полу, бегло пролистывает одну за другой и небрежно препровождает в вагонетку. И лишь одна из сотен, а может быть, и тысяч этих одинаковых белых папок с надписью «Дело» удостаивается чести быть отложенной в сторонку, чтобы после более внимательного ознакомления либо отправиться вслед за остальной макулатурой в вагонетку, либо найти свое место на длинных, свинченных из прочных стальных уголков стеллажах...

— Впечатляет, — сказал Глеб. — Похоже, у вас тут действительно полным-полно занимательного чтива. И вашу неприязнь к бюрократии понять нетрудно...

— Еще бы, — с кривой усмешечкой подтвердил Ефим Моисеевич. — Поначалу трогательный стиль этих писак с Лубянки и, в особенности, их орфография меня даже забавляли, несмотря на те ужасы, которые содержатся в их писанине. Но с тех пор прошло уже очень много лет. За такой срок любое развлечение может приесться. Тем более что людям свойственно с маниакальным упорством снова и снова повторять одни и те же ошибки, в том числе и орфографические.

— Но вы продолжаете читать, — с утвердительной интонацией произнес Глеб. — А вам никогда не хотелось плюнуть на все это и начать подставлять вагонетку прямо под это окно?

Ефим Моисеевич снова усмехнулся.

— Там, — корявый, скрюченный застарелым артритом стариковский палец указал куда-то вверх, в потолок, — официально считается, что так все и происходит. То есть, что списанные архивные материалы безо всяких там вагонеток попадают прямиком в котельную и оказываются в непосредственной близости от топки, куда их швыряют чумазые кочегары, которые не читают ничего, кроме раздела спортивных новостей в газетах. С их точки зрения, все очень просто: если положенный по инструкции срок хранения того или иного документа истек, а обнародовать данный документ им почему-либо не хочется, документ подлежит списанию и немедленному уничтожению. Если бы кто-то когда-то не сообразил построить вот этот уютный подвальчик, множество самых захватывающих тайн второй половины прошлого тысячелетия навсегда остались бы неразгаданными. Представьте себе, сидя вот за этим столом, я обнаружил в куче бумажного хлама подробнейший, хотя и совершенно безграмотно написанный, отчет о том, как на самом деле погиб Сергей Есенин. А вон там, — старик снова вытянул указательный палец, на этот раз в направлении стеллажей, — хранятся дневники Берии, тоже найденные мной. Прелюбопытнейший, скажу я вам, документ! Кстати, где-то на этих полках хранится и папка с рапортами вашего знакомого Сиверса. Хотите почитать? О, это был деятельный подонок! За свою жизнь он многое успел... Да что Сиверс! В конце концов, в наших органах испокон веков служили тысячи таких сиверсов. Но, если бы не ваш покорный слуга, такой ценный документ, как полный текст «Центурий» Нострадамуса, тоже сгорел бы в топке. Такова ирония судьбы! То, что считалось сгоревшим без малого пятьсот лет назад, могло сгореть в действительности, и что тогда было бы?

Глеб не мог ответить, что тогда было бы, поскольку очень смутно представлял себе, что такое «Центурии». Единственное, что он мог с уверенностью утверждать по этому поводу, это что его лично окончательное исчезновение рукописи, которая и без того полтысячи лет считалась несуществующей, огорчило бы не очень. Тем более что об этом исчезновении он, как и все остальное человечество, никогда бы не узнал.

Чтобы не уронить себя в глазах Ефима Моисеевича, Слепой не стал упоминать о своем полном равнодушии к судьбе драгоценного манускрипта. С той же целью Глеб попросил напомнить ему, что такое «Центурии».

— Присаживайтесь, — пригласил его Ефим Моисеевич и сам уселся в кресло.

Поскольку ни второго кресла, ни какой бы то ни было иной мебели, предназначенной для сидения, в пределах досягаемости не наблюдалось, Глеб уселся прямо на груду папок, растолкав их задом и спиной так, что получилось довольно удобное углубление. Пахло картоном и старой бумагой; это был запах суконной канцелярщины, нудного, неторопливого делопроизводства, способного довести какого-нибудь слабонервного подследственного до полного умопомешательства. Лиловые штампы, выцветшие чернила, которыми на крышках папок были выведены имена подследственных и номера статей обвинения, — все это нагоняло жуткую тоску.

Старик снова извлек из кармана носовой платок, вытер его уголком очки, опять трубно высморкался, после чего убрал платок в карман, а очки водрузил на переносицу.

— Кстати, два слова о технике безопасности, — сказал он без видимой связи с предыдущим разговором. — Чуть не забыл. Во-первых, здесь полно крысоловок, а во-вторых, крысиного яда. Так что нигде не шарьте на ощупь, а перед тем, как что-нибудь съесть, обязательно вымойте руки. Желательно с мылом. Это, пожалуй, все правила техники безопасности, которые вам следует соблюдать. Пользоваться электрическим выключателем вы, как всякий взрослый человек, наверняка умеете, а никаких сложных механизмов здесь, как видите, нет.

— Это довольно странно, — заметил Глеб, еще раз оглядев голые оштукатуренные стены, квадратный, обрамленный железом, проем в стене, тронутые по бокам ржавчиной тонкие рельсы и стоящую на них старую, с помятыми бортами вагонетку. Помимо рамы, четырех колес и этих мятых бортов, у вагонетки не было никаких деталей, из чего следовало, что катают ее вручную и делает это сам Ефим Моисеевич, лично. По крайней мере, за эту двустворчатую дверь вагонетку выталкивает он. — Странно, — повторил Сиверов. — Если тут хранятся такие важные документы, почему нет никакой механизации? Что стоило поставить тут простейший конвейер? Да и компьютер вам наверняка не помешал бы.

— А зачем? — язвительно удивился Ефим Моисеевич. — Зачем тратиться, когда дело движется и так? Спешить им некуда, сами понимаете. С того момента, как бумаги сваливают в люк, там, наверху, они считаются несуществующими. Так куда торопиться? Старый Фима Фишман никуда не денется, и бумаги никуда не денутся... Крохоборы! Итак, «Центурии», — продолжал он уже совсем другим тоном, и Глеб про себя отметил, что у старика довольно странная манера отвечать на вопросы. — Это название переводится как «Столетия». Ну, об авторе, Мишеле Нострадамусе, я распространяться не стану, вы наверняка и так представляете себе, кто это такой. Первая часть его книги, которая тогда называлась «Предсказания», вышла в свет в 1558 году и была посвящена королю Генриху II, что обеспечивало поддержку светской власти. Написана она была в стихах, на среднефранцузском языке со вставками на средневековой латыни. По тем временам это было, помимо всего прочего, выдающееся литературное произведение. Я уж не говорю о содержащихся в нем предсказаниях, охватывающих фантастический период времени — почти до конца четвертого тысячелетия...

Через три года была опубликована вторая часть книги, а через десять лет после смерти Нострадамуса его сыновья опубликовали «Оракулы» — написанные шестистишиями дополнения к «Центуриям».

В той части, что дошла до нас, — продолжал Ефим Моисеевич, — «Центурии» состоят из двух посланий в прозе, обращенных к сыну Цезарю и королю Генриху, а также почти тысячи четверостиший. Считается, что значительная часть четверостиший была сожжена и безвозвратно утрачена. Считается также, что в ней описывались события, которые должны произойти после 2300 года...

— Знаете, чего я не понимаю? — сказал Глеб. — Я не понимаю, чего все так носятся с этим Нострадамусом.

— Да как же не носиться с человеком, который умел предсказывать будущее! — воскликнул старик чуть ли не с возмущением.

— А он умел?

— Еще как! Я не стану перечислять вам уже сбывшиеся предсказания этого гения эпохи Возрождения. Захотите — сами почитаете «Центурии». Здесь имеется недурной перевод с грамотными комментариями, без которых неподготовленному человеку эти стихи покажутся полнейшей белибердой.

Глеб Сиверов подавил вздох. У него было сложное отношение к гениям эпохи Возрождения и, в особенности, к дошедшим до наших дней творениям упомянутых гениев.

— А это не белиберда? — спросил он, чтобы немного подразнить собеседника.

Старик строго посмотрел на Глеба поверх очков.

— Какой-нибудь лектор общества «Знание» уверил бы вас, что так оно и есть, — сказал он. — Я же, хоть и не претендую на столь высокое звание, склонен придерживаться иного мнения. Хотя, повторяю, человеку неподготовленному и незнакомому хотя бы с основами нумерологии, понять Нострадамуса нелегко. «Центурии» изобилуют иносказаниями, намеками и местами, которые на первый взгляд кажутся лишенными какого бы то ни было смысла. При этом совершенно ясно, что смысл там должен быть, причем глубокий. Так вот, возвращаясь к своему повествованию, скажу вам, не хвастаясь: вот тут, сидя за этим самым столом, я выудил из этой самой кучи и, что самое главное, сумел опознать тетрадь, содержащую в себе ту часть «Центурий», которая считалась утраченной. Это, скажу я вам, очень любопытный документ! Из которого, если это вас интересует, грамотный человек может извлечь большую практическую пользу.

— Практическую? — лениво изумился Глеб, уже немного утомленный этой лекцией на тему, которая его никогда особенно не занимала. — Быть этого не может!

— Еще как может, — многозначительно заявил старик. — Кроме того, Библиотекарь, должен вам заметить, что судьба данного документа имеет прямое отношение к вашим непосредственным служебным обязанностям.

* * *

Олег Федотович Мазур был крупным мужчиной с покатыми плечами настоящего силача, бычьим загривком старого спецназовца, способного в один присест умять ящик мясных консервов и с завязанными глазами раскидать, как щенков, десяток противников, и с уже наметившимся брюшком, беззастенчиво выпиравшим из расстегнутого цивильного пиджака.

Светлые волосы коротким ежиком торчали на его большом круглом черепе, контрастируя с красной, малоподвижной, широкой физиономией. На правой щеке у Олега Федотовича имелся длинный вертикальный шрам; раздавленная переносица и смятые, расплющенные, затейливым и непонятным образом перекрученные уши служили напоминанием о юношеском увлечении боксом. На левой руке у него не хватало двух пальцев, из-за чего та немного смахивала на крабью клешню или, скорее, на алюминиевую вилку из столовой пионерского лагеря, у которой юные вандалы от нечего делать выломали половину зубьев. Это мелкое увечье, на которое Олег Федотович не обращал никакого внимания, позволило ему в свое время полюбовно расстаться со службой и не погибнуть в Чечне, как это, несомненно, случилось бы, останься он в строю.

Родное государство исправно начисляло ему пенсию, которую Олег Федотович не менее исправно забывал получать, а когда все-таки получал, то либо сразу же раздавал нищим, либо тратил на дорогую выпивку — тоже целиком, до последней копейки. Это стяжало ему громкую славу среди обитавших близ его дома алкашей и нищебродов. Правда, никто не таскался за ним по пятам и, тем более, не звонил в дверь, вымогая подачку; упомянутые граждане даже в день выплаты пенсии предпочитали держаться на почтительном расстоянии, зорко наблюдая за своим кумиром в ожидании небрежного взмаха искалеченной руки, означавшего разрешение приблизиться и, как говорится, вкусить от щедрот отставного полковника. В противном случае Олег Федотович мог рассердиться, а когда он сердился, вовремя убежать или хотя бы пригнуться, сведя до минимума неизбежные телесные повреждения, удавалось далеко не всем и не всегда. Говоря по правде, это никому и никогда не удавалось; были известны случаи, когда неосторожный попрошайка падал замертво, получив удар пудовым кулачищем в лицо или в грудную клетку, но никто не мог похвастаться тем, что, разозлив Мазура, сумел избежать немедленной жестокой расправы. У него была репутация человека щедрого, истинно русского, но — что делать! — слегка отмороженного, слишком скорого на руку, что часто встречается среди ветеранов локальных вооруженных конфликтов. За щедрость его любили, а эту самую контуженную отмороженность охотно прощали, поскольку знали, чем она вызвана, и не без оснований винили в недостатках Мазура не его, а родное государство, которому испокон веков было наплевать на своих подданных, и которое пачками посылало этих подданных на смерть во имя всякого дерьма.

Но таким — пьяным, щедрым, крикливо-разговорчивым и опасно скорым на руку — Олег Федотович Мазур бывал только в те редкие дни, когда вспоминал о необходимости получить свою военно-инвалидную пенсию, и исключительно по вечерам, в неслужебное время. На работе же он был сух, подтянут, прозорлив, умен, всегда трезв, как стеклышко, и безупречно выбрит. Правда, опасным он оставался и там, хотя руки распускал только в исключительных случаях, когда не видел иных методов воздействия на реальность, которая его почему-либо не устраивала.

Сейчас выдался один из тех моментов, когда Олег Федотович Мазур представлял собой наибольшую, прямо-таки смертельную опасность — правда, не для всех окружающих без разбора, а лишь для одного конкретного человека — того, на кого указал хозяин. Альберт Витальевич Жуковицкий платил начальнику своей службы безопасности очень приличные деньги, позволявшие тому относиться к своей пенсии именно так, как она того заслуживала, и Мазур отрабатывал эти деньги сполна. По одному слову босса Мазур мог убить, и не раз действительно убивал, но сегодня был немного другой случай.

Убивать или хотя бы калечить клиента Олегу Федотовичу строго-настрого запретили — этот фраер зачем-то нужен был хозяину живым и дееспособным. Поэтому, зная свою горячую, увлекающуюся натуру, Мазур решил сам об клиента рук не марать, а поручить это своим ребятам. Он отобрал лучших из лучших — таких, которые в драке могли противостоять даже ему самому, но при этом умели держать себя в руках. Это были профессионалы, способные, несмотря на препятствия и помехи, в любой обстановке безошибочно сломать клиенту именно то ребро или, к примеру, палец, которое назвал заказчик, и не набить ему ни одного лишнего, не предусмотренного заданием синяка. Мазур знал: если заранее оговорить с этими парнями, в какой именно тональности клиент должен орать во время экзекуции, они обязательно добьются нужного звучания, запишут его на пленку и в указанный срок предоставят запись для оценки конечного результата. И можно не сомневаться, что даже чуткое ухо музыкального критика не уловит в воплях клиента ни малейшего намека на фальшь.

Олег Федотович Мазур горбясь сидел за рулем серебристой пятидверной «Нивы», положив правую, здоровую ладонь на обод рулевого колеса. В левой, изуродованной руке он держал дымящуюся сигарету, которой время от времени глубоко и жадно, словно просидел без курева добрую неделю, затягивался.

— Вот интересно, — таким тоном, словно это его и впрямь интересовало, протянул на заднем сиденье Карпухин, — зачем это ему понадобилось, идя в кабак, оставлять машину на соседней улице? Для клиентов ресторана стоянка бесплатная, мест свободных — завались…

— Конспияция, батенька, — голосом главного героя фильма «Ленин в октябре» откликнулся сидевший рядом с Карпухиным Мамалыга.

— Социалистическая революция свершилась. А теперь дискотека! — оживившись, подхватил Баранов, сидевший справа от водителя.

— Погоди, — отозвался Мазур, — дискотека будет, когда он выйдет из этого шалмана.

— Танцы-обниманцы, — сказал Мамалыга.

— Повторяю: аккуратно, — без особой нужды повторил Олег Федотович. — Просто объясните ему так, чтобы он все понял без слов. Мертвый он никому не нужен. Если вы, уроды, его зажмурите, я сам сделаю так, чтоб вы, все четверо, задницы прищурили.

— Обижаешь, начальник, — весело сказал Баранов и увял под тяжелым, многообещающим взглядом Олега Федотовича. — Да ясно же все, Федотыч, — осторожно промямлил он после долгой, нехорошей паузы. — Сто раз уже все переговорено, сколько можно повторять?

— Сколько нужно, столько и можно, — медленно остывая, сообщил ему Мазур. — Повторение — мать учения.

Баранов промолчал, с каменным выражением лица глядя прямо перед собой. Мазур выбросил окурок в форточку и сейчас же закурил снова. Снаружи сквозь чуть приоткрытое окно доносился несмолкающий шум вечерней Москвы, улица была залита цветными электрическими огнями; на капотах и крышах припаркованных автомобилей вспыхивали и переливались отблески световых реклам, похожие на сполохи северного сияния. Со стороны ресторана слышались отголоски какой-то ритмичной музыки; мимо медленно прокатился милицейский «уазик».

— А где-то бабы живут на свете, друзья сидят за водкою, — пробормотал с заднего сиденья Мамалыга.

— Владеют камни, владеет ветер моей дырявой лодкою, — поддержал его Карпухин.

Олег Федотович шевельнулся, скрипнув сиденьем, но воздержался от комментариев. Это была очень старая песня — он и не подозревал, что находящиеся в его подчинении сопляки могут ее знать. Эту песню, помнится, любили хором петь за столом его родители, когда в доме собирались гости. А еще раньше, когда во главе стола, бывало, восседал дед Олега Федотовича, Герой Советского Союза, отставной полковник КГБ, все застолье с таким же, а может, и большим энтузиазмом, с блестящими от навернувшейся слезы глазами, с раскрасневшимися от водки лицами растроганно ревело: «Выпьем за Родину, выпьем за Сталина, выпьем и снова нальем!», и отголоски этого хорового рева далеко разносились по тихой, отходящей ко сну улочке провинциального городка...

Родители Олега Федотовича были люди образованные, неглупые и, хоть не причисляли себя к диссидентам, втихаря почитывали самиздат, шушукались на кухне о судьбе академика Сахарова, с удовольствием пересказывали анекдоты о генсеках — сперва о Хрущеве, а потом и о дорогом Лелике, — и глухо, сквозь зубы, поругивали власть. Песню про Родину и Сталина они, тем не менее, исполняли с большим подъемом, даже с надрывом; это было довольно странно, но странность эту Мазур осознал лишь много лет спустя, а тогда воспринимал все, и эту верноподданническую песню в том числе, как должное. Да и застольные песни — это одно, разговоры на кухне — другое, а повседневная жизнь — третье... Разве могло быть как-то иначе в этой чокнутой, вывихнутой стране?

Поток этих ненужных, посторонних размышлений был прерван появлением на крылечке ресторана еще одного члена их группы. Лопатин вышел из зеркальных дверей и остановился — потный, распаренный, красный, в распахнутом пиджаке, с криво висящим, ослабленным галстуком и расстегнутым воротом рубашки. Выглядел он очень натурально — ни дать, ни взять, крепко подвыпивший командировочный, вынырнувший из кабацкой духоты на улицу глотнуть свежего воздуха, выкурить сигаретку, освежиться и немного очухаться, чтобы, вернувшись в зал, с новыми силами окунуться в омут ночной жизни столицы.

Перебросившись парой коротких фраз со скучавшим тут же, на крылечке, охранником, Лопатин выудил из кармана пиджака пачку сигарет, вытряхнул одну и закурил. Это был условный сигнал, означавший, что клиент готовится покинуть заведение и уже потребовал счет. После этого «командировочный» повернулся к двери спиной и, глубоко засунув одну руку в карман брюк, задрав голову к ночному небу, густо задымил сигаретой с таким праздным, никчемным видом, что Олег Федотович даже засомневался: а в самом ли деле он притворяется, играя роль, или все-таки воспользовался удобным случаем и набрался по самые брови?

— За работу, — не поворачивая головы, приказал он. — Да смотрите там, поаккуратнее. А то что-то вы сегодня шибко веселые. Глядите, как бы потом плакать не пришлось.

— Все перекаты да перекаты, — открывая дверь, пробормотал Мамалыга строчку все из той же песенки.

— Послать бы их по адресу! — поддакнул Карпухин, тоже открывая дверь.

Баранов, в памяти которого еще свежо было воспоминание о только что полученном фитиле, вылез из машины молча. Делая вид, что не знакомы друг с другом, все трое неторопливо, по одному, перешли улицу и скрылись в подворотне. Именно через эту низкую, плохо освещенную арку клиент должен был пройти, чтобы попасть на соседнюю улицу, где припарковал свою машину, — если, конечно, ему не взбредет в голову потратить полчаса на пешую прогулку вокруг всего квартала.

Проводив своих подчиненных долгим взглядом, Мазур закурил очередную сигарету и откинулся на спинку сиденья. В общем-то, поводов для беспокойства у него не было. Дело предстояло пустяковое, ребята были проверенные, а клиент не производил впечатления такого крутого профессионала, каким попытался представиться боссу. Он, конечно, принимал кое-какие меры предосторожности, но что это были за меры!.. Машину он, видите ли, на соседней улице оставил! Чтобы, значит, никто не догадался, в каком именно кабаке он водку жрет и баб щупает... Валенок сибирский, пень развесистый! Хвоста за собой не заметил, а туда же — шифроваться...

Дверь ресторана распахнулась, и на пороге появился клиент. Тут произошла заминка, вызванная тем, что в это самое мгновение прохлаждавшемуся на крылечке Лопатину вздумалось вернуться в помещение. Клиент слегка посторонился, но Лопатин с пьяной готовностью услужить шагнул в ту же сторону. Пару секунд они топтались на месте, не в силах разойтись, а потом Лопатин, наконец, отступил на шаг и, отвесив пьяный полупоклон, обеими руками сделал широкий приглашающий жест: дескать, милости прошу!

— Подонок, — сквозь зубы процедил Олег Федотович, по достоинству оценивший этот дурацкий спектакль.

Клиент, впрочем, обратил на Лопатина внимания не больше, чем на какую-нибудь урну для мусора, ненароком очутившуюся у него на пути. Обогнув замершего в шутовском полупоклоне, со свесившимся чуть ли не до земли галстуком, «подонка», он скользнул равнодушным, невидящим взглядом по охраннику, легко сбежал по ступеням крыльца и, закуривая на ходу, целеустремленно зашагал к той самой подворотне, где его поджидал сюрприз. Наблюдавший за этим инцидентом из машины Мазур удовлетворенно кивнул: валенок — он и есть валенок, даже если он высок, красив, мускулист, хорошо и дорого одет и ведет себя, как принц крови. Даже непонятно, как этот дурень ухитрился заработать на дорогой костюм, престижную иномарку и обед в ресторане. Ведь видно же, что ни черта не понимает ни в людях, ни в жизни! Задеть такого человека, как Алик Жуковицкий, за самое больное место — за кошелек, и после этого, как ни в чем не бывало, с умным, независимым, хозяйским видом разгуливать по темным подворотням в самом центре Москвы! Будто нарочно неприятностей ищет, честное слово...

Все так же неторопливо, размеренно шагая, клиент свернул в подворотню и скрылся из глаз. На фоне темного прямоугольного проема еще секунду висел, медленно рассеиваясь в неподвижном воздухе, освещенный яркими неоновыми лампами дымок его сигареты, а потом тоже исчез, растаял. Дверь ресторана снова распахнулась, и оттуда вышел Лопатин — застегнутый на все пуговицы, с подтянутым галстуком, аккуратно причесанный и без малейших признаков алкогольного опьянения, будто это не он минуту назад разыгрывал пьяную клоунаду. Особенно впечатляли очки в тонкой металлической оправе. Данная метаморфоза совершилась минимальными средствами, но была зато такой полной, что даже Мазур, не говоря уже об охраннике ресторана, не сразу узнал собственного подчиненного. Все-таки в Лопатине была артистическая, актерская жилка; понять его порой было сложно, иногда его выходки просто раздражали, но зато потом, как правило, оказывались вполне оправданными — вот, например, как сейчас. Он привлек массу внимания к своему возвращению в ресторан, зато никто в упор не заметил, что он вышел оттуда всего лишь через минуту. То есть видеть-то его охранник, конечно, видел, а вот узнал вряд ли...

Лопатин не стал задерживаться на крыльце и, тем более, вступать с охранником в разговоры — это был бы уже перебор. Он спокойно спустился на тротуар и небрежно направился все к той же подворотне. Когда он там скрылся, Олег Федотович Мазур посмотрел на часы и расслабился. Теперь нужно было подождать — совсем немного, от двух до пяти минут, в зависимости от уровня физической подготовки клиента, — после чего можно будет с чистой совестью поехать домой и, наконец-то, плотно, с аппетитом поужинать.

ГЛАВА 8

— Это чай, — сообщил Ефим Моисеевич, как будто напиток, разливаемый им по стаканам, можно было принять за что-то другое. — Или вы предпочитаете кофе?

— Вообще-то, да, — сказал Глеб, разглядывая подстаканник.

Подстаканник был массивный, литой, с рельефным изображением Красной площади и Кремля на фоне расходящихся веером солнечных лучей. Последний раз Сиверов видел такой лет тридцать назад, и он уже тогда был довольно старым — раритетом безвозвратно канувшей в прошлое эпохи великих строек, выраставших на костях политзаключенных.

— Значит, в следующий раз будем пить кофе, — пообещал Ефим Моисеевич. — Хотя по части его приготовления я, прямо скажем, дилетант. Да и пью его редко. Сами понимаете — возраст, сердечко пошаливает... А вы пейте, сколько хотите. Здесь есть все необходимое, я вам потом покажу. Чего тут нет, так это водки и вообще крепких напитков. Они у нас под запретом — думаю, вы сами понимаете, почему.

— В общих чертах, — сказал Глеб. — Курить здесь у вас, конечно, тоже нельзя?

— Во-первых, не «у вас», а у нас, — поправил старик. — У нас с вами. А во-вторых, курите себе на здоровье.

— Как же так? — изумился Сиверов. — А если пожар?

Некоторое время Ефим Моисеевич молчал, задумчиво помешивая чай. В наступившей тишине слышалось только позвякивание ложечки о стекло да его хрипловатое стариковское дыхание. Глеб тоже молчал, слегка удивленный такой необычной реакцией на свой вполне невинный вопрос. Уж не заподозрил ли его старик в нехороших намерениях? Учитывая специфику данного заведения, такое подозрение могло возыметь далеко идущие последствия. Если этот дряхлый гном шепнет словечко своему веселому боссу, Ивану Яковлевичу, тот вряд ли станет затруднять себя проведением служебного расследования...

— Я старый человек, — продолжая смотреть в стакан, где все еще помешивал ложечкой, медленно, словно сомневаясь в каждом слове, произнес, наконец, Ефим Моисеевич. — Бояться мне уже нечего.

Он снова замолчал, и было непонятно, чем вызвана очередная пауза: то ли старик уже сказал все, что хотел, то ли просто подбирал слова.

— Вы имеете в виду пожар? — спросил Глеб, не особенно рассчитывая на ответ.

Но старик ответил.

— И пожар тоже, — сказал он. — Хотя я имел в виду не только его. Я имел в виду, что в моем возрасте уже можно высказывать свои мнения, не слишком опасаясь последствий.

«Ах, вот в чем дело, — подумал Глеб, осторожно пробуя горячий чай. Напиток был отменный — душистый, ароматный, крепкий и бодрящий. — Все ясно. Это же азбука работы в органах! Я опасаюсь, что он побежит стучать на меня, а он предполагает, что я могу сделать то же самое... Неприятно, конечно, но с этим ничего не поделаешь. Чтобы не считаться с такой возможностью, надо работать смотрителем маяка, а еще лучше — жить на необитаемом острове, питаясь козявками, и даже рыбу в море не ловить, чтоб не заметили с проходящего судна и не донесли, куда следует».

— Так вот, — после очередной паузы продолжал Ефим Моисеевич, — вы таки мне чем-то симпатичны, и насчет пожара я вам скажу, как родному: я его не боюсь. Как всякий нормальный человек, я боюсь боли и вовсе не мечтаю погибнуть в огне. Но как один из создателей и единственный постоянный обитатель этого места, могу честно вам сказать: было бы, наверное, неплохо, если бы в один прекрасный день все это добро сгорело к чертовой матери.

— Как это? — искренне удивился Сиверов.

Меньше всего он ожидал услышать что-то подобное от этого престарелого книжного червя, весь смысл жизни которого, казалось, состоял в чтении и сортировке архивных материалов с целью извлечения из них информационных жемчужин. И вот он сидит посреди отобранных и сбереженных своими собственными руками воистину бесценных сокровищ и, не скрываясь, говорит о том, что было бы неплохо пустить все это по ветру дымом. Точно так же, наверное, из уст потомственного искусствоведа прозвучало бы признание в том, что она мечтает поджечь запасники Эрмитажа, Третьяковки, Лувра или Дрезденской галереи. И, пожалуй, услышав такое от Ирины Андроновой, Глеб удивился бы меньше: в конце концов, она была молода и могла сказать что-то подобное просто в сердцах, под влиянием момента. Но сейчас перед Сиверовым сидел пожилой, даже старый человек, и говорил он явно не сгоряча и не ради пустой бравады.

— Как? — переспросил Ефим Моисеевич и, подняв голову,

уставился на собеседника поверх очков с таким выражением, словно он был учителем, а Глеб — его любимым учеником, только что сморозившим у доски какую-то несусветную глупость, вроде того, что Земля плоская или что солнце встает на северо-западе. — Как... — повторил он, укоризненно покачивая головой. — Да очень просто! И меня удивляет, что вы сами этого не понимаете. Это, — он ткнул чайной ложечкой в сторону набитых бумагой стеллажей, — это, по-вашему, что? Это, юноша, хранилище сверхмощных информационных бомб!

— А вы говорили, аппендикс, — невинно тараща глаза, напомнил Сиверов.

— А вы таки язва, — сказал Ефим Моисеевич. — Похвально, похвально. Но дело ведь не в терминологии, а в сути. Пускай аппендикс! Это, по-вашему, лучше? Вам известно, что такое гнойный перитонит? Это когда аппендикс лопается, и его гниющее, зловонное содержимое выливается в брюшную полость. Люди от этого умирают до сих пор, несмотря на достижения современной медицины.

Ефим Моисеевич со скорбным выражением лица отхлебнул из стакана, с треском разломил ванильную сушку, бросил один кусочек в рот и стал его посасывать, причмокивая губами.

— Помните информационный бум времен горбачевской перестройки? — немного невнятно спросил он и опять с шумом отхлебнул из стакана.

— Как не помнить, — сказал Глеб и, воспользовавшись полученным разрешением, зажег сигарету, которую уже давно вертел в пальцах. — Демократизация, гласность и прочие страшные вещи...

— Совершенно верно. — Наклонившись, Ефим Моисеевич извлек из ящика стола и поставил перед Сиверовым массивную пепельницу из серого, с черными и белыми прожилками, полированного мрамора. В округлое углубление пепельницы была по старинке впрессована алюминиевая чашечка — чисто вымытая, но тусклая и вся исцарапанная от долгого употребления. — Тогда все буквально помешались на сенсационных разоблачениях коммунистического режима. Врали тогда во всех средствах массовой информации тоже безбожно — повышали рейтинг, увеличивали тиражи, зарабатывали на хлеб с маслом и черной икрой, — но, скажу вам по секрету, даже самое наглое, смелое и талантливое тогдашнее вранье — детский лепет по сравнению с некоторыми материалами, хранящимися на этих вот полках.

— Охотно верю, — сказал Глеб и тоже разломил сушку.

— Так вот, — продолжая посасывать и причмокивать, повествовательным тоном неспешно продолжал Ефим Моисеевич, — куратором нашего заведения в ту веселую пору был генерал-майор Викулов. Вполне приличный, самостоятельный человек, но, как позднее выяснилось, небольшого ума и… как бы это поточнее выразиться?.. слишком восторженный. После того, как демократы сняли с постамента памятник Дзержинскому, и им за это ничего не было, наш шеф решил, что все пропало, и что теперь все можно — хватай, что под руку подвернулось, и неси на рынок…

— Ну, он был не так уж далек от истины, — заметил Сиверов.

— Я не хуже вас знаю, откуда в нашей стране взялись олигархи, — сказал старик. — Пожалуй, даже лучше, поскольку, как очень точно выразился наш нынешний шеф, глубокоуважаемый Иван Яковлевич, контора пишет, и нет этому процессу ни конца, ни края. Однако должен вам заметить, дорогой Библиотекарь, что в олигархи выбились только те, кто брал то, что плохо лежало. Да и то не все, а лишь самые хитрые и удачливые из них. А генерал-майор Викулов не отличался ни одним из названных качеств, поскольку задумал приватизировать то, что лежало хорошо — то есть вот это самое хозяйство. Уж не знаю, с кем и на какие суммы он договорился, но думаю, что речь шла о деньгах немалых. В ту пору живой интерес к содержимому нашей корзины с грязным бельем испытывал весь мир, так что… Впрочем, не знаю. В те времена и тысяча долларов считалась приличной суммой. Как бы то ни было, наш генерал явился прямо сюда и приказал мне выдать ему на руки ряд документов, список которых он не поленился заранее подготовить, отпечатать на машинке и даже, знаете ли, скрепить гербовой печатью.

— Так-так, — с интересом произнес Глеб. — Значит, говорите, приказал?

— Представьте себе! — воскликнул Ефим Моисеевич и кинул в рот еще одну четвертушку ванильной сушки. — Именно приказал. Он был человек военный, строевой и, по-моему, очень жалел, что специфика службы в органах редко дает ему возможность надевать парадный мундир со всеми регалиями — звездами, юбилейными медалями и прочими побрякушками. Я потом часто думал, как такому человеку могли доверить руководство нашим объектом, и нашел только одно объяснение: время было смутное, вот и сунули на освободившуюся должность первого попавшегося долдона, который, наверное, слишком активно путался под ногами, мешая делить разваливающуюся на куски страну. Это, конечно, была ошибка, которая могла бы стать роковой, если бы на моем месте сидел такой же ярый поборник воинской дисциплины.

— Но тут сидели вы, — подсказал Глеб.

— Совершенно верно, тут сидел-таки я, и, когда товарищ генерал предъявил мне свой список, я вежливо послал его подальше, сославшись на инструкцию, которую не он составлял, и которую никто не отменял — ни тогда, ни, между прочим, сейчас. Честно говоря, у меня сложилось впечатление, что он эту инструкцию видел впервые. Во всяком случае, она ему очень не понравилась. Он-то, сами понимаете, уже давно решил, на что и как потратит вырученные от продажи архивных материалов деньги, и препятствие в лице пожилого еврея, размахивающего какой-то там заплесневелой от старости инструкцией, вызвало у него вполне понятное раздражение. Он решил через это препятствие перешагнуть, тем более что знал: я — все равно покойник, искать меня никто не станет, и списать такую старую рухлядь можно даже без акта. Он вынул пистолет, выстрелил...

— И?..

— И попал немножечко в себя... Шучу, конечно. Он просто чуточку не успел. Генерал, знаете ли, вовсе не обязан стрелять, как герой вестерна, его дело — руководить, командовать... думать, одним словом. Так вот, если бы он немножечко подумал, прежде чем хвататься за пистолет, он бы сообразил, что дуэли на стрелковом оружии — не его стихия. А так получилось немножко грязно, немножко неудобно перед его семьей... Кроме того, в отличие от меня, его таки пришлось списывать по акту, а списание генерала контрразведки — довольно хлопотное дело, если вы понимаете, о чем я говорю...

Глеб кивнул, мимоходом отметив про себя только что промелькнувшее в рассказе старика слово «контрразведка». Теперь, по крайней мере, было ясно, к какому ведомству относится это славное местечко. Это заведение было из тех, что редко меняют хозяев, а значит, веселый и разговорчивый Иван Яковлевич не зря показался Глебу чем-то похожим на армейского особиста капитана Петрова: в конце концов, особые отделы войсковых частей являются низовым структурным подразделением именно контрразведки...

Но это было второстепенное открытие, не имевшее в данный момент никакого практического применения. Куда более важным показалось признание этого скрюченного еврейского гнома в том, что он лично, своей рукой, пристрелил генерала КГБ и, как он выразился, списал его по акту. И, судя по тому, что старик по-прежнему сидит тут и, моргая слезящимися стариковскими глазенками, потягивает чаек с ванильными сушками, ему ничего за это не было...

Несомненно, Ефим Моисеевич рассказывал все это неспроста. Это было грозное и недвусмысленное предупреждение Глебу на случай, если он вздумает играть в этом уютном подвальчике в какие-то свои игры — выносить за пазухой драгоценные папки, фотографировать документы или еще какими-то способами обижать пожилого человека, который посвятил свою жизнь накоплению всех этих богатств. Вот только неясно было, сколько во всей этой истории правды, а сколько — откровенного вымысла. Что-то этот старикан не слишком похож на быстрого стрелка, хоть и хранит в ящике письменного стола большой черный пистолет...

Глеб поднял глаза и встретился с устремленным на него поверх очков взглядом Ефима Моисеевича. Странно, но мутные, слезящиеся стариковские глазки в данный момент не были ни мутными, ни слезящимися, и даже манера Ефима Моисеевича часто-часто моргать, глядя на собеседника, куда-то подевалась. Старик смотрел на Глеба в упор, и глаза его были твердыми, ясными и зоркими, как парочка оптических прицелов. Сиверову был знаком этот взгляд: он частенько замечал его в зеркале во время бритья.

Гном или не гном, а старик был очень непрост.

— Честно говоря, — как ни в чем не бывало, сказал Глеб, — я не вполне себе представляю, как вы ухитрились списать генерала. Замочить — пустяк, сложность заключается в том, чтобы тебе потом за это не отвинтили голову. Куда вы его дели?

Парочка немигающих оптических прицелов опять многозначительно уставилась на Сиверова поверх очков. Мгновение они смотрели друг на друга; затем Глеб, сообразив, вопросительно кивнул в сторону наполовину загруженной картонными папками вагонетки, и Ефим Моисеевич, едва заметно усмехнувшись, с шумом отхлебнул из стакана.

— Вы, случайно, не еврей? — спросил он. — Нет? Странно. Для русского вы удивительно быстро соображаете.

— А эти мордовороты за дверью? — сказал Глеб. — Они же видели, как он входил. Или их тогда не было?

— Были, были, — заверил его старик. — Они всегда тут были, с первого дня. И вы совершенно правы, избавиться от тела — еще не значит списать. Понимаете, в чем фокус: тут полным-полно записывающей аппаратуры. Не пугайтесь, в данный момент она не задействована. Дело в том, что управляю этой аппаратурой я. Вернее, мы с вами. Потом я покажу, как это делается. Согласитесь, контроль где-то должен кончаться...

— Необязательно, — возразил Глеб. — Мне, например, всегда казалось, что контроль осуществляется по кругу. По крайней мере, в нашей системе.

— Резонно, — разламывая новую сушку, согласился старик. — Но за много лет мне не удалось обнаружить здесь никаких средств слежения, помимо тех, что находятся под моим контролем. И потом, нам с вами скрывать нечего, не так ли? То же самое получилось и в случае с генералом Викуловым: я действовал по инструкции, а он просто пытался ограбить вверенный его же попечению объект. Поэтому никто даже не спрашивал, что с ним сталось, не говоря уже о каких-то обвинениях в мой адрес.

Некоторое время они молчали.

— Мне кажется, я вас понял, — сказал, наконец, Глеб.

— А мне кажется, что не до конца, — возразил старик, наливая себе и ему по второму стакану чая. — Кажется, вы решили, что я вас, так сказать, запугиваю. Дескать, знай наших, а заодно и свое место...

— А разве не так?

— Так. Но лишь отчасти. Вообще-то, мы с вами говорили о курении и связанной с этой вредной привычкой опасности пожара. Я привел пример с генералом Викуловым просто для того, чтоб вы поняли: по мне лучше пожар, чем утечка информации. Согласитесь, что одной из основных задач органов было и остается сохранение стабильности общества, системы, государства. А обнародование большинства хранящихся здесь материалов может привести к нарушению этой стабильности. Помните, как у Сэлинджера: над пропастью во ржи? Вот мы с вами находимся как раз в таком положении, только наша пропасть — информационная.

— Очень мило, — сказал Глеб. — Тогда на кой дьявол все это понадобилось? Я понимаю, что мой вопрос выглядит бессмысленным. С таким же успехом можно спрашивать, зачем хранить ядерное оружие, с помощью которого можно уничтожить все живое на Земле двадцать раз подряд. Оружие — это оружие, тут все ясно. Мне непонятна ваша позиция. Вы говорите: вот бы все это сгорело к чертовой матери! А сами продолжаете бдительно все это охранять и даже приумножать. Зачем? А?

Старик с легкой укоризной покачал головой.

— Вы таки не еврейский мальчик, нет. Еврейский мальчик никогда не задал бы такого вопроса. Можно подумать, вы — полный хозяин собственной судьбы. Можно подумать, что вы занимались тем, чем занимались до прихода сюда — неважно, чем именно, я в ваши дела не лезу, — по призванию, по зову души. Так сказать, по большой и чистой любви...

— М-да, — только и мог сказать Глеб.

— То-то, юноша. А вы говорите — зачем, почему... Во-первых, эта работа мне действительно нравится, я для нее создан, я ничего другого не умею и не хочу уметь. Во-вторых, все это — не моя затея. Вы правы, оружие — это оружие. И во все времена хватало идиотов в погонах с большими звездами, которые втайне лелеют мечту рано или поздно этим оружием воспользоваться — ну, просто чтобы посмотреть, как оно бабахнет. Так вот, я на это смотреть не хочу. Пока я тут, я могу хоть как-то все это контролировать. Но все мы смертны, а я — человек старый, больной. С молодым и здоровым тоже может приключиться всякое, а старику и вовсе немного надо. Вот поэтому я и говорю разные глупости, сам себе противоречу... Честно говоря, за любой из хранящихся здесь документов я кому угодно глотку перегрызу. Но это не мешает мне четко осознавать, что было бы лучше, если бы всего этого просто не существовало. Никогда. Так, наверное, наркоман проклинает наркотики, а алкоголик — водку.

— М-да, — повторил Сиверов.

— К тому же, — продолжал Ефим Моисеевич, — далеко не все здесь относится, так сказать, к мрачным тайнам минувшего двадцатого века. Тут полным-полно материалов, касающихся теорий и открытий, которые могли бы, наверное, осчастливить человечество. Но что с того? Коль скоро эти материалы очутились здесь, человечество о них все равно никогда не узнает. А мое любопытство уже удовлетворено. Меня теперь ничем не удивишь. Вот вы, к примеру, интересуетесь НЛО? Как-нибудь на досуге я покажу вам фотографии инопланетных кораблей и их пилотов — хорошие, четкие фотографии, подлинность которых заверена авторитетнейшими правительственными комиссиями. Или взять того же Нострадамуса...

— А что Нострадамус? — спросил Глеб. — Что он еще натворил?

— О, — сказал Ефим Моисеевич, — насчет Нострадамуса — это отдельный разговор. Хотите еще чаю?

— Хочу, — подумав секунду, солгал Сиверов.

* * *

— Там были лучшие из моих людей, — угрюмо повторил Мазур.

На левой скуле у Олега Федотовича красовалась толстая нашлепка из марли и тонированного под цвет кожи пластыря, которая, увы, не могла скрыть того печального обстоятельства, что скула сильно распухла и имела угрожающий фиолетово-багровый оттенок.

— Лучшие! — с огромным сарказмом передразнил его Альберт Витальевич Жуковицкий. — Если это лучшие, то каковы же тогда остальные? За что, черт тебя побери, я плачу вам такие бабки?!

Мазур промолчал, скроив кислую мину.

— Подонки, — с горечью проговорил Альберт Витальевич. — Кретины. Головоногие, мать вашу так! Ты хотя бы представляешь себе, что вы, скоты безмозглые, натворили?!

— А что мы такого натворили? — набычившись, встал на защиту своей профессиональной чести охранник. — Ну, недооценили этого гада. Бывает! При нашей работе, Альберт Витальевич, и не такое бывает.

— Это при какой же такой работе? — с опасной вкрадчивостью поинтересовался Жуковицкий. — А?! Работа... Я тебе скажу, в чем состоит твоя работа! Твоя работа — блюсти мои интересы и выполнять мои распоряжения. Разве нет?

— А кто спорит? — буркнул Мазур.

— Ах, ты не споришь! Выходит, ты со мной согласен? Странно. Если бы спорил, я бы решил, что эта лажа возле ресторана — просто плод недопонимания. Так сказать, расхождения во взглядах на твои должностные обязанности. Ну, вдруг я их тебе плохо разъяснил, или ты не до конца меня понял, мало ли... А ты, оказывается, все отлично понимаешь и со всем согласен! Тогда, извини, я сам ни черта не пойму. Тогда, брат, остается одно из двух: либо ты сознательно действуешь мне во вред, либо попросту неспособен справляться с порученной тебе работой. В обоих случаях ты мне на хрен не нужен. Хорошенький выбор: держать в начальниках охраны засланного казачка или бездарь! Ну, что прикажешь с тобой теперь делать?

Эрнст Юрген съежился в своем углу и почти перестал дышать, поскольку понял, что последний вопрос Альберта Витальевича вовсе не был риторическим. Больше всего на свете он теперь жалел, что находится здесь, а не где-то в другом месте — например, в Тимбукту или хотя бы у себя дома. Впрочем, дома было немногим лучше: всякий раз, отпирая дверь своей квартиры, Юрген теперь ждал неприятных сюрпризов. Его дом перестал быть крепостью; незнакомец, утверждавший, что располагает ключом к шифру Нострадамуса, взял эту крепость штурмом, бесцеремонно в нее вторгся, и, как показали события, даже Жуковицкий с его мощной службой безопасности был бессилен защитить своего личного астролога от дальнейших посягательств. Да что говорить, он и себя-то не сумел защитить, оттого и бесится теперь...

Мазур тоже понял, что дело пахнет керосином, а точнее — пулей в затылок и безымянной могилой в пригородном лесочке, если вообще не городской свалкой, где бомжи, если повезет, отыщут разрозненные фрагменты его тела, которое никогда и никем не будет опознано. Его широкое красное лицо, всегда чем-то неуловимо напоминавшее Юргену кабанье рыло, покраснело еще больше, приобретя оттенок пережженного кирпича, пальцы искалеченной руки скрючились, глубоко впившись в кожаную обивку кресла. Мазур очень хорошо представлял, что его ждет; ему были отлично известны методы, которыми Алик Жуковицкий решал подобные проблемы, потому что это были его собственные методы.

— Я не понимаю, в чем проблема, — сказал он упрямо, но вместе с тем осторожно. Это осторожное упрямство напоминало поведение человека, неожиданно для себя проснувшегося на минном поле: двигаться ему страшно, потому что в каждую секунду может прогреметь взрыв, а оставаться на месте нельзя, потому что с первыми лучами рассвета по нему откроют прицельный огонь. — Согласен, мы допустили прокол. Но, повторяю, без проколов в нашем деле не обходится. К чему эти наезды? Да мы его из-под земли достанем и обратно в землю вобьем! По самые, блин, ноздри... Не ошибается тот, кто ничего не делает. Даже в космических программах случаются ошибки...

— Какие космические программы, кретин?! — не своим голосом завопил Жуковицкий. — Да я тебя самого в космос запущу! Без скафандра, с голой задницей!

Юрген даже прикрыл глаза, жалея, что нельзя заодно заткнуть пальцами уши. Он не понимал, зачем его заставили присутствовать при этом скандале. Насколько ему было известно, обсуждаемое происшествие лежало за пределами его компетенции. Альберт Витальевич науськал Мазура на обладателя бесценных бумаг — недостающей части «Центурий» и записок придворного астролога Бюргермайера, якобы содержавших в себе ключ к личному шифру Нострадамуса. Предполагалось надавить на этого типа, чтобы тот понял, с кем имеет дело, кто здесь диктует условия, и снизил назначенную цену — фактически, отдал их даром, в обмен на жалкую подачку, которая могла послужить лишь частичной компенсацией морального ущерба. Зная Мазура и Жуковицкого, можно было предположить, какого рода давление будет оказано на несговорчивого владельца бумаг; можно было также предположить, что этот метод сработает, как срабатывал уже неоднократно.

Но вышла осечка. Похоже, охранник и сам не до конца понимал, как это произошло. Он со своими людьми выследил клиента до ресторана, где тот собрался поужинать, подстерег его в подворотне и натравил своих прекрасно обученных костоломов. Сам остался ждать в машине, справедливо полагая, что четверо его людей прекрасно справятся с этой простенькой задачкой — пересчитать ребра глупцу, который был настолько неосторожен, что дал им себя выследить. Он сидел за рулем, курил и ждал, глядя из окна на черный провал подворотни. Подворотня находилась справа от него, и он, естественно, не спускал с нее глаз, каждую секунду ожидая появления своих людей.

Их не было. Мазур начал волноваться, и тут кто-то постучал в окошко слева от него. Охранник повернул голову, увидел за стеклом склоненное к нему улыбающееся лицо клиента, а в следующую секунду тот, не переставая улыбаться, нанес ему страшный удар кулаком в лицо прямо сквозь закрытое окно. От этого удара несокрушимый Мазур потерял сознание, а его бойцов потом нашли в подворотне. Все были живы, но досталось им крепко, и двое до сих пор лежали в больнице.

Это и впрямь был прокол, не только досадный, но и позорный. Однако Юрген все равно не понимал, отчего так бесится обычно хладнокровный и невозмутимый Альберт Витальевич. Ведь Мазур прав, проколы действительно случаются. Его костоломы, да и он сам, сильно недооценили противника, но теперь они просто внесут поправку, и в следующий раз этого красавца с античным профилем будут поджидать уже не четыре человека, а восемь или даже двадцать...

— ...полетаешь с голым задом вокруг Луны! — продолжал бушевать Жуковицкий. — Космические программы... Это ты очень к месту про них вспомнил! Слыхал про такую программу — космический туризм? Знаешь, сколько это стоит — слетать туристом на орбиту? Я тебя спрашиваю — знаешь?

— Это все знают, — неохотно буркнул охранник, в отличие от Юргена, даже не подозревавший, какие дела связывают Жуковицкого с клиентом, который так славно его отделал, и о какой сумме идет речь. — Все уши прожужжали...

— Ну, так назови — сколько?

— Ну, двадцать лимонов... Ну и что?

— А то, — снова переходя на вкрадчивый, почти ласковый тон, который был страшнее любого крика, сказал Альберт Витальевич, — что по твоей милости я теперь должен выложить сумму, за которую мог бы прогуляться на орбиту трижды. Каково?

— А чего вы там не видели, на орбите? — ляпнул Мазур.

Жуковицкий посмотрел на Юргена, словно призывая его в свидетели. Астролог в ответ лишь бледно, растерянно улыбнулся и едва заметно пожал плечами. Он и сам не понимал, издевается Мазур или просто обалдел от неожиданности.

— Все-таки я тебя грохну, — сказал Жуковицкий охраннику.

Произнесено это было самым обыденным, усталым и скучающим тоном, и оттого слова Альберта Витальевича прозвучали не как угроза, а как простая констатация факта. Таким тоном сообщают о своем намерении выйти из дома, чтобы купить в киоске на углу пачку сигарет.

— За что? — спросил Мазур тем же обыденным тоном.

Похоже, он уже понял, что терять ему нечего, и попер напролом.

— Сейчас объясню, — пообещал Альберт Витальевич. Он резким рывком выдвинул ящик стола, вынул оттуда криво надорванный почтовый конверт без надписей и печатей и бросил его на колени охраннику. — Читать умеешь? Читай. Вслух читай. С выражением, блин...

Мазур недоверчиво, будто подозревая розыгрыш, посмотрел на него, покопался пальцами здоровой руки в конверте, разодрав его при этом еще больше, извлек оттуда сложенный вдвое лист обыкновенной бумаги для принтера и, развернув, стал бегать глазами по строчкам.

— Вслух! — резко напомнил Жуковицкий.

Мазур дернул изуродованной щекой, поморщился от боли и стал читать.

— Уважаемый... так, ага, это ясно... Что тут... Ага! В связи с известными вам событиями... вот подонок... как пострадавшая сторона... Это кто пострадавший — он, что ли?

— Читай! — рявкнул Жуковицкий.

— Считаю себя вправе, — прочел Мазур, — в одностороннем порядке пересмотреть условия сделки, сумма которой отныне составляет шестьдесят миллионов долларов США... Сколько?! Действительно, три раза в космос можно смотаться... Что он вам толкает, шеф? Новенький авианосец с полным вооружением?

— Ты читай, — ласково посоветовал Жуковицкий. — Про тебя там тоже есть.

— М-да? Ну-ка... Так, ага. В случае повторения инцидентов с участием ваших... гм...

— Тупых скотов, — подсказал Жуковицкий.

— Тупых скотов, — покорно прочел Мазур. — Вот же урод... Значит, в случае... ну, и так далее... сумма будет увеличиваться после каждого подобного инцидента. Шаг увеличения вам известен... Это какой же шаг?

— Десять миллионов, — с любезной улыбкой подсказал Жуковицкий.

Судя по выражению его лица, это было еще не все, и Юрген от души посочувствовал Мазуру, которого, в общем-то, недолюбливал.

— Ничего себе, — пробормотал ошарашенный начальник охраны. — Да это псих какой-то. Слушайте, шеф, а как оно к вам попало? Ведь на конверте даже адреса нет, да по почте так скоро и не дошло бы...

— Вот он, главный вопрос! — чуть ли не радостно воскликнул Жуковицкий. — Как? Это я тебя спрашиваю: как?! Как бы ты сам на его месте доставил мне это письмецо? Ну, пошевели мозгами!

Мазур задумался, неосознанно водя кончиками пальцев по пластырю на разбитой скуле.

— Ну, с учетом сроков... Отправил бы по электронной почте, например.

— Вот тебе — по электронной почте! — торжествующе воскликнул Альберт Витальевич, сопроводив этот возглас неприличным жестом. — Это лежало на столе у меня в кабинете! Прямо с утра!

— Где?!

— На столе! В моем рабочем кабинете! В моем, будь он неладен, офисе!!! Как тебе это нравится, ты, трахнутый начальник моей трахнутой охраны?!

— Это невозможно, — пролепетал Мазур.

Юрген отвернулся и стал смотреть в окно, потому что на Олега Федотовича смотреть было жалко. Начальник охраны выглядел так, будто его действительно только что отымели, причем грубо, в извращенной форме. Мазур был унижен, раздавлен, он не знал, что сказать.

Тут до Юргена вдруг дошло, что поимели не только Мазура, но и Альберта Витальевича, и, в некотором роде, его самого. А раз так, то позвали его сюда не только для того, чтобы насладиться зрелищем выпавшего на долю начальника охраны унижения. Эрнст начал понимать, что очередь вот-вот дойдет до него самого, и он не ошибся.

Оставив последнюю реплику Мазура без внимания, которого та, по большому счету, и не заслуживала, Альберт Витальевич повернулся к Юргену.

— Ну, — сказал он не предвещающим ничего хорошего тоном, — а ты куда смотрел?

ГЛАВА 9

— Нострадамус, конечно, тоже частенько ошибался, — заявил Ефим Моисеевич, неспешными стариковскими движениями разбирая свой огромный пистолет, определить марку которого на глаз затруднялся даже Глеб. — Чего, например, стоит эта его вера в незыблемость предначертаний! Он был фаталист, воспитанный в мрачных, косных традициях средневековья, и не сомневался: чему быть, того не миновать. Это была, пожалуй, его главная ошибка, и не только его. В средние века и даже в эпоху Возрождения ключи к духовному самосовершенствованию, к сознательной работе над собой на Западе были утрачены. На Востоке, например, гороскоп всегда воспринимался просто как система дорожных указателей. Ну, как в сказке: направо пойдешь — коня потеряешь, налево пойдешь — ничего не найдешь... И так далее.

Он закончил разборку и начал все теми же медленными,

словно бы неуверенными движениями перетирать детали промасленной ветошью. Толстые стекла его очков холодно поблескивали в мертвенном свете люминесцентных ламп, вороненый металл жирно лоснился. Глебу давно уже не терпелось спросить, почему Ефим Моисеевич сводит каждый разговор к Нострадамусу, но он молчал, понимая, что, если это не просто старческая причуда, причину такого повышенного интереса к астрологии ему непременно объяснят — разумеется, когда и если сочтут это нужным.

— Даже гениям свойственно ошибаться, — продолжал старик, проталкивая в ствол стальной шомпол и принимаясь с натугой двигать его туда и обратно. — Но они от этого не перестают быть гениями. По-моему, я вам уже говорил, что никто из современных астрологов не может ничего добавить к наследию Нострадамуса. Да что говорить о наших современниках! Прошли века, но поставить в один ряд с Нострадамусом некого. Некого! И это притом, что методы астрологии досконально изучены и широко применялись все это время. К услугам астрологов прибегали и до сих пор прибегают множество сильных мира сего. Поверьте, вы будете шокированы, если я сейчас начну называть имена... Но суть не в этом. Никто из живших после Нострадамуса адептов этого древнего искусства не сумел ни опровергнуть, ни доказать его правоту. Ее постепенно, шаг за шагом, доказывает время. За четыре с половиной века таких доказательств накопилось уже столько, что говорить о простом совпадении, поверьте, просто смешно и несерьезно. Нострадамус действительно умел провидеть будущее, причем с точностью, которая до сих пор приводит в изумление всех, кто знаком с его предсказаниями. Так кто он в таком случае — библейский пророк? Или изобретатель уникального метода исследований, позволяющего с большой точностью вычислить наиболее вероятный вариант развития событий? Есть множество оснований предполагать, что верно именно второе утверждение.

Детали разобранного пистолета были разложены на пожелтевших протоколах допросов некоего Файбисовича — насколько понял Глеб, фарцовщика из Одессы. Файбисовичу шили вульгарный шпионаж, а он утверждал, что общался с иностранными моряками исключительно под влиянием лозунга «Пролетарии всех стран, соединяйтесь!», вычитанного им из газеты «Правда» и принятого близко к сердцу. Глебу вдруг стало интересно, удалось ли Файбисовичу выкрутиться; по меньшей мере две из пяти статей УК, номера которых были указаны на обложке картонной папки, содержавшей в себе дело, предусматривали высшую меру наказания. Судьба одесского фарцовщика, которому не посчастливилось угодить в лапы слишком рьяному следователю, интересовала его в данный момент куда больше, чем туманные разглагольствования Ефима Моисеевича о Нострадамусе и значении его богатого наследия для всего человечества.

— Нострадамус посвятил астрологии всего двадцать лет, — продолжал старик. — Отбросьте от этого срока неизбежно длительный период ученичества, и что останется? Пшик, воробьиная погадка! За такой срок приличной диссертации не напишешь, а какой титанический труд проделал этот человек! Одни «Центурии» чего стоят, а он ведь был еще и отличным врачом, и изобретателем, и поэтом... Поневоле приходишь к выводу, что у него был какой-то секрет, позволявший заглядывать в будущее почти так же легко, как мы с вами заглядываем в соседнюю комнату, просто приоткрыв дверь. Нет, в самом деле! Посмотрите, как работают нынешние астрологи — составляют космограммы, что-то вычерчивают, высчитывают... и при этом в половине случаев попадают пальцем в небо! Даже когда пытаются дать прогноз на ближайшую неделю... А Нострадамус смотрел сквозь тысячелетия, и при этом еще успевал записывать свои пророчества в стихотворной форме. И ведь это же не просто стихи! Притом, что он был грамотнейшим, прекрасно образованным человеком и даже защитил магистерскую диссертацию на тему о трудностях, встречающихся в латинском языке, «Центурии» изобилуют орфографическими ошибками, неоправданными переносами, а многие слова просто разбиты на части без видимой причины. Так вот, это неспроста. Это, уважаемый Библиотекарь, нумерологический код, которым в каждом четверостишии зашифрована дата предсказываемого события. Каждая строка дает нумерологическую сумму, равную той или иной цифре, причем для первой строки эта сумма всегда равняется единице, двойке или тройке...

— Тысячелетие, — сообразил Глеб. — Тогда сумма второй строки обозначает век, третьей — десятилетие, а четвертой — год... Надо же! Ему действительно пришлось попотеть.

— Иван Яковлевич в вас не ошибся, — одобрительно произнес Ефим Моисеевич. — Вы буквально схватываете на лету.

— Даром что гой, — подсказал Глеб.

— Да, — с комической серьезностью подтвердил старик. — Так о чем это я? Ах, да! Как видите, уже одно только написание такого произведения, как «Центурии», с шифровкой и всем прочим было делом весьма трудоемким и отнимающим массу времени. Следовательно, сам по себе метод, изобретенный Нострадамусом и позволявший ему прогнозировать как ближайшие события, так и весьма отдаленное будущее, был довольно прост и эффективен в применении.

— Пожалуй, — согласился Сиверов. — Если он вообще существовал, этот метод.

— Он существовал. — Старик отложил шомпол и заглянул одним глазом в ствол, как в подзорную трубу. — В рукописи, которая хранится здесь, у нас, Нострадамус говорит об этом прямо, открытым, так сказать, текстом. И так же прямо заявляет, что зашифрованное описание данного метода содержится здесь же, в рукописи. Он предупреждает, что разгадать шифр дано не каждому, и знаете что? Он таки был прав! Эта задачка оказалась не по зубам даже шифровальщикам с Лубянки. Они бились над ней полгода и в конце концов капитулировали.

При этих его словах Глеб испытал странное ощущение: на секунду мир как бы поплыл в его сознании, сделавшись зыбким и неустойчивым. Нечто подобное он испытал, когда впервые узнал, что КГБ СССР, а вслед за ним и ФСБ Российской Федерации, серьезно, вплотную занимались проблемами НЛО и паранормальных явлений. А теперь, значит, еще и астрология... Что ж, это, наверное, неудивительно: знать, «что день грядущий нам готовит», — штука небесполезная.

Подняв глаза, он заметил, что старик внимательно наблюдает за его реакцией. Встретившись с ним взглядом, Ефим Моисеевич понимающе усмехнулся и сосредоточил свое внимание на сборке пистолета.

— Вы молодец, — сказал он. — Не утратили способности удивляться, а это в наше время редкий дар даже у молодежи. Все наелись информацией до тошноты, никого ничем не удивишь, и при этом никто ничего толком не знает.

— Выходит, где-то здесь, на этих полках, у вас хранится ключ к предсказанию будущего? — спросил Глеб, оставив без внимания очередной сомнительный комплимент ядовитого старца.

— Не совсем так, — возразил Ефим Моисеевич. — То есть ключ — не совсем то слово. Это дверца, через которую можно туда заглянуть. Но она заперта, и как раз ключа-то у нас и нет.

— А откуда она вообще взялась, эта рукопись? — поинтересовался Сиверов.

Ефим Моисеевич молча ткнул испачканным оружейным маслом узловатым пальцем в сторону квадратного проема, под которым громоздилась груда картонных папок.

— Хороший ответ, — сказал Глеб. — Есть такой, извините, еврейский анекдот. У еврея спрашивают: «Откуда ты берешь столько денег?» — «Из тумбочки». — «А в тумбочку кто кладет?» — «Я». — «Так откуда ты их берешь?» — «Так из тумбочки же!»

— У этого анекдота борода длиннее, чем у библейского пророка, — сообщил зловредный старикан. — Так вам интересно, откуда рукопись? Из тумбочки. В смысле, из архива КГБ. Понятия не имею, как она туда попала. Знаю только, что какое-то время она хранилась у придворного астролога Петра Первого. Вряд ли Конрад Бюргермайер получил ее по наследству. Скорее уж, он о ней как-то прослышал и убедил государя императора в том, что она ему жизненно необходима. Ну, а тот ее купил или, что представляется куда более вероятным, просто выкрал... Не сам, конечно, специалистов в этой области всегда хватало. И знаете, что интересно? Похоже, у этого немца была очень неплохая голова. По дошедшим до нас смутным слухам, ему таки удалось найти ключ к шифру Нострадамуса и овладеть его методом...

Глеб присвистнул.

— Вы хотите сказать, что Петр стал Великим благодаря своему придворному астрологу?

— По крайней мере, отчасти, — заявил старик. — Так, во всяком случае, утверждали некоторые современники. Это были очень компетентные люди, и именно стараниями кое-кого из них Бюргермайер в конце концов был пожизненно сослан в Сибирь.

Ефим Моисеевич ударом ладони загнал в рукоять пистолета обойму, передернул затвор, осторожно спустил курок и щелкнул предохранителем. Его ловкость в обращении с этим громоздким шпалером свидетельствовала о большом опыте, а тщательность, с которой он прочищал ствол, наводила на мысль, что пистолетом недавно пользовались, и притом весьма активно. Оставалось только надеяться, что происходило это где-нибудь в тире или на стрельбище, и что старик палил там по фанерным мишеням, а не по живым людям.

— С тех самых пор, — продолжал старик, неторопливо убирая свою карманную гаубицу в ящик стола, — в определенных кругах поговаривают еще об одном легендарном документе — дневниковых записках Бюргермайера, в которых тот якобы подробно описал свой способ расшифровки кода Нострадамуса. Видимо, дыма без огня все-таки не бывает, потому что каждая вспышка интереса к астрологии в нашей стране с того самого времени сопровождалась новыми попытками отыскать этот мифический дневник.

Сиверов вытряхнул из пачки новую сигарету и прикурил.

— А смысл? — спросил он. — Зачем искать ключ, когда нет замка?

— Надежда! — важно изрек старик, вытирая замасленные пальцы сначала протоколом допроса несчастного Файбисовича, а затем своим огромным носовым платком. — Это, дорогой мой, самый опасный из известных науке наркотиков. Да, надежда... Надежда на то, что недостающая часть «Центурий» хранится вместе с дневником Бюргермайера. Или на то хотя бы, что, описав свой способ расшифровки, немец не поленился заодно перенести на бумагу и то, что он расшифровал... И вообще, согласитесь, надо же людям чем-то себя занять! А подобные изыскания ничуть не менее увлекательны, чем коллекционирование марок или даже живописных произведений. Пожалуй, даже более, но это уже дело вкуса.

— Судя по вашему тону, дневник этого Бюргермайера так никто и не нашел, — сказал Глеб, выпустив в потолок длинную струю дыма.

Ефим Моисеевич задумчиво посмотрел, как дым клубится вокруг лампы дневного света, и принялся прибирать со стола. Он убрал в тумбу масленку и шомпол, кое-как затолкал в папку запятнанные маслом протоколы допросов, а папку небрежно швырнул в вагонетку, отправив следом грязную ветошь.

— Представьте себе, нет, — ответил он на вопрос Сиверова. — И это говорит о том, что поисками занимались дилетанты.

— Ну, если это так важно, можно было подключить профессионалов, — заметил Глеб. — Да, история занятная. Главное, познавательная.

— Я рад, что вам понравилось, — с подозрительной кротостью произнес старик. — Очень надеюсь, что полученные сведения вам пригодятся.

— Сомневаюсь, — сказал Сиверов.

— А вы не сомневайтесь. Сейчас я вам кое-что объясню. Вот вы, молодой, здоровый... Кстати, как ваше драгоценное здоровье?

— Грех жаловаться, — сдержанно сказал Глеб.

— Превосходно! Так вот, вы, молодой, здоровый, прекрасно подготовленный профессионал, уже который день сидите здесь, в этом подвале, и ровным счетом ничего не делаете — только курите, пьете, едите, спите без задних ног и слушаете байки, которыми вас потчует один старый еврей. А между тем кто-то где-то начисляет вам зарплату — смею вас уверить, немаленькую, — и в штатном расписании, которое хранится в сейфе у Ивана Яковлевича, в графе «Библиотекарь» поставлена галочка, обозначающая, что данная вакансия уже занята... Вам не приходило в голову, что ваша нынешняя должность — не синекура?

— Как раз наоборот, — сказал Глеб. — Мне как раз таки приходило в голову, что это именно синекура.

— Вы ошиблись, — сообщил Ефим Моисеевич. — У Библиотекаря полным-полно обязанностей. Это хлопотное и небезопасное дело — служить Библиотекарем. Вот вы, к примеру, не спрашиваете, что стало с вашим предшественником. Ценю вашу выдержку, но вам необходимо знать, что он погиб на боевом посту. Как и его предшественник, и предшественник предшественника...

— Ого, — сказал Глеб. — Да мне, оказывается, перепала та еще работенка! Неужто на этот подвал так часто совершаются налеты?

— Боже сохрани! — замахал руками Ефим Моисеевич. — Что за странная идея? Какие могут быть налеты, если о существовании этого хранилища не знает даже президент Российской Федерации? Он ведь пришел в Кремль из разведки, а мы относимся к контрразведке, и ключевое слово тут — «контр», что означает — против... Впрочем, это не так интересно, как может показаться на первый взгляд, да и нынешний президент — далеко не первый руководитель страны, который не знает о существовании данного учреждения.

— А кто-нибудь из них знал? Ну, хоть один?

— Некоторые догадывались. И потому правили не так долго и успешно, как им того хотелось бы. Возьмите, к примеру, Хрущева. Или самый свежий пример — отец перестройки, Михаил Сергеевич... Но я отклоняюсь. Хотя и не очень сильно. Это тоже входит в круг ваших обязанностей, между прочим. Вы — хранитель фондов, вы должны оберегать их от любой угрозы, даже потенциальной, независимо от того, откуда эта угроза исходит.

— Ого, — повторил Глеб. — Ну, знаете ли... Надеюсь, ваша регистрирующая аппаратура выключена?

— Это праздный вопрос, — ответил Ефим Моисеевич. — Если я скажу «да», вы мне не до конца поверите, если скажу «нет» — почти наверняка захотите свернуть мне шею... Утешьтесь тем, что я себе не враг. Вы ведь молчите, а крамольные речи произношу я, не так ли? Или вы заботитесь именно обо мне?

— Да будет вам, — сказал Сиверов. — Это я так, от неожиданности сболтнул. Давайте лучше вернемся к моим обязанностям.

— Как угодно. Так вот, помимо сохранности фондов, Библиотекарь отвечает еще и за их пополнение — ну, в тех случаях, разумеется, когда это представляется необходимым. Вот вам простенький пример. Допустим, вот из этого отверстия, — старик кивнул на квадратное окно, через которое в подвал сваливалась списанная документация, — выпадает любопытная информация, касающаяся какого-нибудь строго засекреченного проекта. И, о ужас, она оказывается неполной. Часть ее где-то затерялась, а может быть, кем-то присвоена. В том случае, если руководство нашего учреждения считает необходимым иметь эту информацию в полном объеме, именно Библиотекарь должен разыскать, добыть и доставить недостающее сюда, в этот подвал. Ваш предшественник, чтоб вы знали, погиб не во время налета. Наше руководство в лице Ивана Яковлевича сочло небесполезным иметь в своем распоряжении ключ к шифру Нострадамуса. Прежний Библиотекарь отправился на поиски записок Бюргермайера, и постигшая его неудача явилась причиной вашего появления здесь.

— Так-так, — сказал Глеб после длинной паузы, во время которой успел докурить сигарету до самого фильтра. — А я-то думал, что вы меня просто развлекаете!

— Но вам же не было скучно, правда?

— Не было. А теперь и вовсе стало весело. Когда я должен выехать?

— Как только Иван Яковлевич все подготовит. Думаю, часа через два. Может быть, через три. Вы действительно хорошо себя чувствуете?

— Превосходно, — слегка покривив душой, сказал Сиверов и закурил еще одну сигарету.

* * *

Ночью, перед рассветом, прошел обильный дождь. Утро выдалось теплое, сырое и пасмурное. В колеях и рытвинах грунтовой дороги блестели лужи, трава была мокрая, а кусты и деревья отвечали на каждое прикосновение целым ливнем крупных прохладных брызг. Птицы в жидком пригородном лесу щебетали неуверенно и сонно, как будто им было лень просыпаться в такую погоду, зато комарам явно не спалось: переждав дождь в бесчисленных укромных местечках среди травы и листьев, они вышли на охоту и теперь с противным писком кружили над головой, забираясь в каждую щель, в каждую складку одежды. Мамалыга прихлопнул кровососа, который ухитрился запустить хоботок ему в бедро прямо сквозь брюки. Это было сделано с большим опозданием: ладонь пришлось срочно вытирать, а на брюках осталось пятнышко крови размером с мелкую монету.

— До чего же я ненавижу этих тварей, — сквозь зубы процедил Баранов, с отвращением размазывая по шее новую порцию репеллента.

— Закурить бы сейчас, — сказал Мамалыга. — Они, падлы, дыма боятся.

— Терпи, казак, — снисходительно, как будто не он первый начал жаловаться на комаров, произнес Баранов. — Скоро дыма тут будет столько, что не только комары разбегутся.

— Кто отсюда первый разбежится, так это я, — доверительно сообщил ему Мамалыга. — И притом с огромным удовольствием.

— Это мы еще посмотрим, кто быстрее побежит, — сказал Баранов. — Москва — Воронеж, хрен догонишь! У меня, между прочим, по легкой атлетике первый юношеский разряд был.

— Юноша хренов, — проворчал Мамалыга. — Сильно тебе твой разряд там, в подворотне, помог?

Баранов молча прихлопнул на щеке комара. Он не обиделся. Обижаться было не на что, и спорить было не о чем. Бывают на свете люди, драться с которыми бесполезно. Таких надо мочить с безопасного расстояния, лучше всего — из снайперской винтовки. Потому что в ближнем бою им нет равных, а если и есть, так их еще поискать надо. И кто мог знать, что фраер из ресторана с его интеллигентной бородкой окажется одним из этих людей? Что поделаешь, такая работа, что никогда наперед не угадаешь, кто, когда и где пересчитает тебе ребра... В таких случаях главное что? Главное, пацаны, это вовремя отдавать долги. И не надо сомневаться, за нами не заржавеет! Федотыч ясно сказал: у этого хрена бородатого с хозяином какие-то крупные дела, надо его пока поберечь. А потом, когда они там, наверху, свои вопросы порешают, этого умника можно будет с чистой совестью пустить в расход, хозяин возражать не станет, и даже наоборот — возможно, премиальных подкинет. Это вот и называется: совмещать приятное с полезным...

Мамалыга со скрипом потер заросший недельной щетиной подбородок. Баранов посмотрел на напарника и едва удержался от шутки по поводу его внешности. На голове у Мамалыги криво сидела фетровая шляпа — древняя, вылинявшая почти добела, с обвисшими полями, без ленты и вся в каких-то пятнах, как будто на нее год за годом капали то машинным маслом, то соляркой, то еще какой-нибудь дрянью. Этот низко надвинутый головной убор почти полностью скрывал лицо, оставляя снаружи только кончик носа да щетинистый подбородок Мамалыги. Ниже виднелся заношенный, ветхий, латаный-перелатаный камуфляжный костюм; на поясе висели солдатская фляжка в брезентовом чехле и рыбацкий нож с узким кривым лезвием в пластиковых ножнах, а на ногах были болотные сапоги — тоже старые, выгоревшие, с заплатой на левом голенище. В мокрой траве лежал видавший виды рюкзак, из которого торчал спиннинг в чехле. Рюкзак Баранова лежал рядом, и к нему для пущей достоверности был приторочен бледно-зеленый резиновый плащ от общевойскового комплекта химической защиты — вещь, горячо ненавидимая личным составом вооруженных сил, но зато очень популярная у рыбаков. Да оно и понятно: рыбаков-то никто не заставляет напяливать на себя это дерьмо, а потом бегать в нем кругами, пока семь потов не сойдет...

— Рыбаки ловили рыбу, а поймали рака, — негромко пробормотал Баранов, одетый не лучше напарника. — Не нравится мне этот маскарад. Я себя в таком прикиде полным лохом чувствую. Лопатина бы сюда! Он эти спектакли, в натуре, обожает.

— Следующий спектакль у него нескоро будет, — проворчал Мамалыга. — Тройной перелом челюсти — это, брат, не шутка. Пока срастется...

— Да, — вздохнул Баранов, — не повезло пацанам... Я у них позавчера в больнице был, — сообщил он, немного оживившись.

— Ну? — заинтересовался Мамалыга и одним ударом прикончил сразу трех кровососов.

— Ну, чего — «ну»... Один в гипсовом ошейнике — в натуре, как пес-рыцарь, — а другой вообще с койки не встает — нога у него на растяжке, как у волка из «Ну, погоди!». Круглые сутки в нарды режутся да байки травят. Курорт, блин!

— Да уж, курорт, — явно думая о чем-то другом, рассеянно произнес Мамалыга. — Слушай, Вовчик, что-то мне наша затея не шибко нравится. Может, стоит что-то другое попробовать?

— А время? — резонно возразил Баранов. — Хозяин рвет и мечет, Федотыч лютует, а мы, типа, сядем и думать будем? Мол, погодите, не клюйте мозги, у нас творческий процесс... Да и что ты еще придумаешь? Сказано: пугнуть. А как ты его, суку, пугнешь? Он сам, блин, кого хочешь напугает. Ну, чем ты его возьмешь? Айда, постучим в калитку. Он откроет, а мы ему: «Бу!» И еще козу из пальцев покажем... Так он же, гнида, нам эти пальцы отломает и в ноздри засунет.

— Да, — нехотя согласился Мамалыга, — «бу» мы ему уже говорили. Только все равно... как-то... А вдруг дом не его? Я бы на его месте свою хату десятой дорогой обходил. Съемный, наверное, дом-то.

— Ну и что? Живет он тут, так? Так. А раз так, все срастается, как надо. Вернется это он вечерком, усталый, а тут — оба-на, привет в шляпу! А если потом — ну, скажем, назавтра, — заняться его тачкой, так тут даже дурак сообразит, что к чему. Сначала хата, потом машина, а потом, глядишь, и до самого доберутся... Самое время подумать о своем поведении.

— Н-да, — с сомнением промямлил Мамалыга. — Жалко, блин, что у него бабы нету! Вот если б была... А еще лучше семья — жена, там, дочка-восьмиклассница...

— Да какая, на хрен, дочка! — отмахнулся Баранов. — Ты же видишь — профессионал. Семейные лохи в такие игры не играют. Да с кем — с нашим дядей Аликом...

— Да, — согласился Мамалыга, — с нашим шутки плохи. Интересно все-таки, чем этот фраер его так уел?

— Ни капельки не интересно, — возразил Баранов. — У них своя свадьба, а у нас своя. Сделал дело — гуляй смело, пропивай премиальные. Я так понимаю, что нам в их разборки лучше не вникать. Гляди, вон он!

Они сидели в кустах на опушке леса. Прямо перед ними была неширокая луговина, которую, петляя, пересекала ухабистая грунтовая дорога. По противоположной стороне дороги, лицом к лесу, протянулась крайняя линия дачного поселка — разнокалиберные, сколоченные из чего попало заборы, разномастные дома, купы плодовых деревьев — где аккуратно подстриженных, ухоженных, с любовно побеленными стволами, где уже начавших дичать, разросшихся, наполовину утонувших в высокой траве. Кое-где заборы были густо заплетены виноградными лозами, а где-то сквозь щели в гнилых досках буйно выпирала, норовя заполонить улицу, матерая, самого свирепого вида, темно-зеленая крапива.

Нужный им дом представлял собой крепкий, обшитый уже начавшей темнеть от непогоды сосновой вагонкой деревянный сруб на высоком кирпичном фундаменте. Для дачи дом был недурен, но даже издали было видно, что хозяева махнули на него рукой и появляются здесь не чаще раза в месяц, а может быть, и вовсе не появляются. Сквозь пыльные оконные стекла виднелись выгоревшие занавески, участок заполонила сорная трава, а укрепленный на приколоченном к фронтону длинном шесте скворечник давно почернел, завалился набок и теперь висел на одном гвозде, явно дожидаясь удобного случая, чтобы свалиться на голову какому-нибудь разаве. Сквозь ржавую металлическую решетку ворот виднелся припаркованный на дорожке перед гаражом автомобиль — скромная, изрядно подержанная «восьмерка» того неприятного желтоватого оттенка, который почему-то принято называть цветом слоновой кости.

Человек, к которому у Баранова с Мамалыгой имелся неоплаченный счет, запер дверь веранды, спустился по крутым ступенькам крыльца, распахнул скрипучие ворота и сел в машину. Двигатель «восьмерки» завелся с пол-оборота; машина осторожно выкатилась на дорогу и остановилась. Водитель сдал немного назад, чтобы не шлепать по грязи, вышел и аккуратно прикрыл ворота, после чего вернулся за руль и укатил.

Когда неровный шум мотора стих где-то за поворотом, напарники первым делом, не сговариваясь, полезли за сигаретами. Едкий табачный дым спугнул комаров; после долгого сидения на корточках было неизъяснимо приятно выпрямиться во весь рост и, ни от кого больше не прячась, спокойно выйти на дорогу.

По случаю рабочего дня в поселке было пустовато. Здесь, как и повсюду, конечно же, водились беспокойные пенсионеры — те, что круглый год живут за городом и даже зимой, когда делать на участке нечего, просыпаются ни свет ни заря. Однако проведенная заранее разведка показала, что ближайший абориген преклонного возраста обитает на соседней линии, откуда дом клиента не виден, и к тому же не имеет телефона — ни мобильного, ни обычного, городского. Посему напарники могли чувствовать себя вполне свободно; клиент, выбирая укрытие подальше от людских глаз, сам выкопал себе яму, и теперь его оставалось только в эту яму столкнуть.

Парочка фальшивых рыбаков, выглядевших, впрочем, вполне натурально, по колено в мокрой траве пересекла луговину. На дороге они остановились и, дружно дымя сигаретами, с праздным видом огляделись по сторонам. Вокруг было тихо, только звенели над ухом комары, да неутомимые скворцы, черными молниями рассекая воздух в поисках пропитания, издавали крыльями характерный свистящий шелест.

— Хорошо-то как! — дыша полной грудью, сказал Мамалыга, в котором некстати проснулась доставшаяся по наследству от далеких деревенских предков любовь к родной природе.

— Хорошо в деревне летом, пристает говно к штиблетам, — немедленно изрек Баранов, который, в отличие от напарника, был горожанином всего лишь в первом поколении и потому никогда не упускал возможности продемонстрировать свое глубокое презрение к сельскому хозяйству и всему, что с ним связано. — Пошли, братан. Дело надо делать, а то стоим тут, как два столба. Еще немного, и местные кобели возле нас лапу задирать начнут.

Оставляя на мокром песке глубокие отпечатки резиновых сапог, они перешли дорогу. В рюкзаках, которые они несли за плечами, негромко позвякивало и булькало. Если бы эти звуки услышал кто-то посторонний, он бы наверняка подумал, что перед ним еще те рыболовы: придут сейчас на речку, забросят удочки и сразу же про них забудут, потому что в рюкзаках у них звякает и булькает кое-что, что будет поинтереснее рыбалки. Но посторонних поблизости не было, и парни беспрепятственно проникли во двор, толкнув незапертые ворота.

Мамалыга отдал Баранову свой рюкзак, шагнул под куст сирени, росший у самых ворот, и стал из этого укрытия наблюдать за улицей. В руке у него как-то незаметно появился пистолет с глушителем; проверив обойму, Мамалыга спрятал руку с пистолетом за пазуху и затоптал окурок, чтобы случайный прохожий не обнаружил его по хорошо заметному на фоне темной листвы дыму.

Баранов, держа на каждом плече по рюкзаку, решительно поднялся на крыльцо, бегло осмотрел замок, презрительно хмыкнул, отступил на шаг и резко ударил по нему ногой. Одного удара оказалось достаточно: от косяка с треском отлетела длинная щепка, и дверь распахнулась настежь.

— Ну, ты отморозок, — негромко сказал из-под куста осторожный Мамалыга.

— Вошкаться тут, — буркнул в ответ Баранов. — Время — деньги, понял, салага?

Не дожидаясь ответа, он беззвучно растворился в темном дверном проеме. Обитавшие в сирени комары, еще не успевшие позавтракать и потому очень обрадованные появлением в поле их зрения такого лакомого кусочка с энтузиазмом приступили к трапезе, так что скучать Мамалыге не пришлось, и за те две или три минуты, что Баранов находился в доме, он успел надавать себе пощечин. Потом Баранов снова появился на крыльце, бодро сбежал по ступенькам, сунул Мамалыге тощий, изрядно полегчавший рюкзак и коротко бросил:

— Валим.

От него отчетливо разило керосином, и, оглянувшись на дом, Мамалыга увидел трепещущие за пыльными окнами дымно-оранжевые блики. Потом прямо у него на глазах выгоревшая на солнце занавеска вдруг разом вспыхнула снизу доверху и осыпалась дождем пылающих, распадающихся на лету клочьев. Баранов дернул его за рукав, и Мамалыга, повернувшись спиной к обреченному дому, вслед за ним побежал через сырую луговину к лесу.

ГЛАВА 10

Миновав дорожный знак с перечеркнутым косой красной линией названием подмосковного поселка, Глеб прибавил газу. Машина бежала легко, ровно и почти беззвучно. Тонированные стекла и литые титановые диски действительно придавали «уазику» Ивана Яковлевича потешный вид этакого деревенского щеголя, пытающегося сойти за своего на светской столичной тусовке, но под кургузым, защитного цвета капотом уверенно и мощно гудел двухлитровый бензиновый движок от «мерседеса», а судя по тому, как мягко шла машина и как легко слушалась руля, ее подвеска также была значительно улучшена. Бак был полон дорогого бензина; на заднем сиденье лежало свернутое одеяло на случай, если в дороге Глебу захочется вздремнуть, а рядом, под рукой, стояла сумка с провизией, откуда выглядывало горлышко трехлитрового термоса, наполненного крепчайшим, собственноручно приготовленным черным кофе. Под обивкой сиденья, которая, к слову, только на вид казалась дерматиновой, был спрятан запасной комплект номерных знаков, согласно которым «уазик» был зарегистрирован в Свердловской области, а лежавший в сумке вместе с продуктами пухлый, зачитанный детектив братьев Вайнеров хранил не предусмотренное авторами, но тоже вполне детективное содержимое: «Стечкин» с запасной обоймой и глушитель заводского производства.

Сиверов гнал машину строго на восток, испытывая от процесса езды ни с чем не сравнимое удовольствие. Он снова двигался, был в дороге, один на один с серой асфальтовой лентой и припекающим сквозь ветровое стекло солнцем. Тугой теплый ветер врывался в открытую форточку, ероша волосы на голове и приятно щекоча кожу голых по локоть рук, играл с расстегнутым воротом рубашки и забирался за пазуху. Не слишком красиво, но надежно прикрепленная каким-то умельцем под приборной панелью цифровая магнитола наполняла салон полузабытыми звуками симфонического оркестра. Глеб курил, щуря глаза за темными стеклами солнцезащитных очков, и наслаждался жизнью. После ведомственного госпиталя, похожего на фешенебельную пятизвездочную тюрьму, после пропахшего старой бумагой подвала, тоже похожего на тюрьму, но уже без звезд, это действительно было здорово. Сиверов наслаждался, хотя и понимал, что это не свобода и даже не иллюзия свободы, а всего лишь очередная форма нахождения под стражей. Сначала была маленькая больничная палата, которую он не мог покинуть без сопровождения, потом — довольно большой подвал, который ему вообще было запрещено покидать, а теперь тюрьмой для него стала огромная Россия. Да что там — весь мир, потому что рука обаятельного и веселого Ивана Яковлевича наверняка могла дотянуться до Глеба в любой точке планеты...

Без усилий выжимая сто десять километров в час и не давая воли мощному немецкому движку лишь из опасения перевернуть не приспособленную для высоких скоростей машину, Сиверов рассеянно, как о чем-то постороннем, думал о том, что Библиотекарь, судя по всему, является штатной единицей одноразового использования. Библиотекарь с большой буквы — звучит, без сомнения, гордо, особенно когда знаешь, какой смысл вложен в это простое слово. Но на деле оказывается, что это очень вредная работа. Любопытно, скольких Библиотекарей пережил душка Ефим Моисеевич? Ох, многих, наверное… Это же настоящий конвейер: встретил, обласкал, ввел в курс дела и отправил выполнять заведомо невыполнимое задание…

Стоп, сказал себе Глеб. А что, собственно, такого невыполнимого мне поручили? Смотаться за Урал, найти на бескрайних сибирских просторах заштатный краеведческий музей, открыть ногтем древний, простой, как стрелецкая пищаль, замок и забрать из витрины некую тетрадь, которая свободно поместится в карман куртки. Казалось бы, чего легче? Но прежний Библиотекарь отправился в Сибирь с этим же заданием и не вернулся.

Иван Яковлевич не скрывал, что задание кажется простым только на первый взгляд. Он по собственной инициативе посвятил Глеба во все известные подробности предыдущей попытки добыть дневник Бюргермайера, но известно ему было, увы, немногое.

В самом начале предшественнику Глеба чертовски крупно повезло. Получив задание отыскать записки придворного астролога, он решил, что называется, плясать от печки и выехал в поселок Шарово, где, как было доподлинно известно, отбывал бессрочную ссылку впавший в немилость Конрад Бюргермайер. То обстоятельство, что до него Шарово в разное время посетило не менее десятка желающих завладеть легендарным документом, Библиотекаря не смутило: все эти люди были восторженными дилетантами и, следовательно, даже представления не имели о том, что это значит — искать что-нибудь по-настоящему.

Явившись в поселок, Библиотекарь не без удивления обнаружил в этом нищем захолустье действующий краеведческий музей. Библиотекарь резонно рассудил, что ссыльный придворный астролог Петра Великого — достаточно крупная фигура для такого населенного пункта, как Шарово, чтобы его имя было увековечено в анналах местной истории. К тому же, так или иначе нужно было с чего-то начинать, и Библиотекарь решил начать именно с музея.

Он вскользь, мимоходом представился директору и, кажется, единственному сотруднику музея членом Всероссийской ассоциации авестийской астрологии, и вот тут-то и случилось настоящее чудо. Едва услышав слово «астрология», очкастый энтузиаст истории родного края принялся взахлеб рассказывать ему о Бюргермайере. Не переставая говорить, он увлек Библиотекаря в один из трех залов музея и гордо указал на застекленную витрину, в которой преспокойно лежал открытый на первой странице дневник Конрада Францевича Бюргермайера, придворного астролога императора Петра. Бумага пожелтела и обтрепалась, особенно по краям, чернила выцвели, но в остальном исторический документ пребывал в идеальном состоянии.

Без каких бы то ни было понуканий со стороны пребывающего в состоянии вполне объяснимого остолбенения посетителя директор музея рассказал, что дневник был передан музею наследниками одного из старейших обитателей здешних мест. Наследники все, как один, проживали вдали от Шарово и явились сюда только после смерти родственника, дабы поделить его имущество. Все, что никому из них не приглянулось, передали в дар краеведческому музею. Львиная доля этого щедрого дара так и просилась на помойку, куда и была незамедлительно отправлена, как только великодушные дарители отбыли из поселка к местам постоянной прописки. Остальное, как-то: костяная ручка-вставочка, приблизительно датированная концом девятнадцатого века, позеленевший бронзовый подсвечник, старинная керосиновая лампа, сломанная деревянная прялка, побитые ржавчиной ножницы известной фирмы «Зингер», засаленная «История ВКП(б)» под редакцией И. В. Сталина, винтовочный обрез без затвора и медный солдатский котелок времен Первой мировой — осело в небогатой экспозиции музея.

И среди всего этого хлама звездой первой величины сверкал личный дневник герра Бюргермайера, неизвестно какими судьбами тут оказавшийся, но оттого не утративший своей несомненной историко-краеведческой ценности.

Разумеется, столичный гость пришел в неописуемый восторг. Правда, ему пришлось несколько охладить пыл гостеприимного хозяина, скучным голосом сообщив, что современная астрологическая наука критически относится к наследию Нострадамуса и считает доказанным отсутствие якобы изобретенного им таинственного метода астрологических вычислений. Посему, продолжал он, ключ к шифру, упоминаемый Бюргермайером в его записках, является, скорее всего, плодом фантазии глубоко огорченного внезапной царской немилостью и оттого впавшего в легкое умственное расстройство старика. Сами посудите, каково было привычному к блеску северной столицы европейцу на старости лет вдруг очутиться в сибирской глуши без надежды на возвращение!

Тем не менее, продолжал Библиотекарь с воодушевлением, как исторический документ дневник, несомненно, представляет огромную ценность. Всероссийская ассоциация авестийской астрологии была бы счастлива иметь данный раритет в своем распоряжении. Разумеется, это требует соответствующего согласования, но он, Библиотекарь, является в ассоциации далеко не последним человеком и от своего лица, на свой, сами понимаете, страх и риск, готов предложить за дневник Бюргермайера скромное вознаграждение.

Названной им суммы «скромного вознаграждения» с избытком хватило бы на покупку всего музея и половины поселка в придачу. Однако, называя сумму, Библиотекарь действовал чисто механически, из чувства долга, ни на что не рассчитывая, — просто, чтобы использовать все возможности и ничего не упустить. Естественно, он имел большие финансовые полномочия и, не дрогнув, заплатил бы вдвое больше, но он видел, кто перед ним, и понимал, что с помощью денег ему эту проблему не решить.

Он не ошибся. Едва разговор зашел о деньгах, директор музея надулся, как футбольный мяч, и с огромным апломбом сообщил, что торговать историей родного края не намерен. Он был интеллигент с принципами — то есть, попросту говоря, истеричный болван. Убедившись в этом, Библиотекарь рассыпался в извинениях, был прощен и в качестве компенсации за излишне резкий отказ получил милостивое разрешение сфотографировать драгоценный раритет. Чтобы обеспечить приемлемое качество фотографии, пришлось поднять стеклянную крышку витрины; в ходе этой процедуры Библиотекарь убедился в отсутствии сигнализации. Сфотографировав титульный лист дневника — то есть все, что ему было разрешено сфотографировать, — он сердечно распрощался с неподкупным хранителем местной старины и вернулся в подвальное гнездышко милейшего Ефима Моисеевича.

Здесь Библиотекарь доложил о результатах поездки Корневу. Операция по изъятию дневника готовилась основательно, с размахом: в помощь Библиотекарю были даны два сотрудника местного управления ФСБ (естественно, не посвященные как, впрочем, и их начальство), а для его эвакуации на ближайший к Шарово военный аэродром выслали транспортный самолет.

Он вернулся в Москву порожняком, но о том, что операция провалена, стало известно задолго до его возвращения. Один из прикомандированных к Библиотекарю оперативных сотрудников ФСБ, капитан Воропаев, сумел воспользоваться контактным телефоном, который на случай непредвиденных обстоятельств сообщил своим помощникам Библиотекарь. Это был номер мобильного телефона Ивана Яковлевича, и Воропаев позвонил по нему из почтового отделения поселка Шарово, куда вломился посреди ночи, без затей высадив плечом хлипкую дверь.

Разговаривая по телефону, Воропаев задыхался, как будто только что пробежал десятикилометровый кросс по пересеченной местности. Связь была отвратительная, и Иван Яковлевич с трудом разобрал только, что группа подверглась вооруженному нападению, и что Библиотекарь, а вместе с ним и напарник Воропаева, капитан Гурин, убиты наповал неизвестными лицами в милицейской форме. Воропаев так и сказал: «наповал», а потом в трубке раздались звуки, подозрительно похожие на автоматную очередь, и связь оборвалась.

Расследованием этого происшествия занималось местное управление ФСБ. Изрешеченный автоматными пулями труп капитана Воропаева был обнаружен в помещении почты подъехавшим на звуки пальбы нарядом милиции. Мертвая рука сжимала трубку телефона, на который, к слову, тоже кто-то не пожалел пули.

На рассвете того же дня на обочине шоссе на некотором удалении от поселка обнаружили остов сгоревшего дотла автомобиля «УАЗ» с двумя обуглившимися до полной неузнаваемости трупами внутри. Даже невооруженным глазом, без экспертизы, было видно, что эти люди сгорели уже мертвыми — того, что сидел за рулем, убили из пистолета, а пассажир получил автоматную очередь в затылок. За рулем сидел капитан Гурин — его удалось опознать по найденному на трупе табельному пистолету Макарова. Машина тоже была та самая, на которой Гурин и Воропаев отправились выполнять последнее в своей жизни задание, так что насчет личности неопознанного пассажира можно было не сомневаться: это был Библиотекарь.

По сути, подробный протокол осмотра места происшествия был и остался единственным документом в материалах дела, который хоть чего-то стоил. Все остальное представляло собой многословный мусор, из которого явствовало только, что участники расследования тыкались из угла в угол, как слепые котята, попадая из одного тупика в другой и с трудом, задним ходом, выбираясь из него только для того, чтобы немедленно угодить в третий.

А примерно через полтора месяца после этого нашумевшего тройного убийства в лесу, в яме под сосновым выворотнем, под кучей сухого валежника обнаружились еще два трупа. На обоих была милицейская форма; при этом, как удалось установить, никто из личного состава правоохранительных органов в радиусе трехсот километров от Шарово в указанный период времени без вести не пропадал. При проведении судебно-медицинской экспертизы обнаружилось, что тело одного из убитых густо покрыто татуировками однозначно тюремного происхождения. По этим татуировкам его удалось опознать. Убитый оказался рецидивистом по кличке Карп, неоднократно судимым за грабежи и разбойные нападения. Эта богатая трудовая биография полностью исключала версию о принадлежности убитых к правоохранительным органам, и местных ментов наконец-то оставили в покое.

А дневник Бюргермайера, из-за которого заварилась вся эта каша, между тем преспокойно лежал на своем месте, в стеклянной витрине краеведческого музея поселка Шарово...

Ведя машину на восток, прочь от Москвы, Глеб Сиверов еще раз суммировал все имеющиеся данные и опять пришел к выводу, что Иван Яковлевич прав: это мог сделать кто угодно. Если бы тела фальшивых милиционеров не нашли по чистой случайности, можно было бы говорить даже об обыкновенном разбойном нападении. Но смерть исполнителей прямо указывала на то, что убийство Библиотекаря и его помощников было заказным. А раз так, годилась любая версия: личная вражда, внутриведомственные разногласия и даже вмешательство какого-нибудь загадочного, глубоко законспирированного тайного общества астрологов и черных магов, находящегося в состоянии войны с официально признанной ассоциацией авестийской астрологии.

Вообще, вся эта история выглядела довольно странной с самого начала, прямо со стадии подготовки операции. Какого черта Библиотекарю понадобилось такое основательное и даже громоздкое обеспечение? Можно подумать, он собирался обокрасть не захолустный краеведческий музей, а замок латиноамериканского наркобарона. Двое оперативников на подхвате, персональный военно-транспортный самолет... Елки-палки! Ведь достаточно было прямо во время первой встречи с директором музея аккуратно дать ему в лоб, забрать дневник и тихо рвануть когти! Сделать это и потеряться на бескрайних российских просторах профессионалу было раз плюнуть. И пускай бы местные менты потом попытались выяснить, кто из членов Всероссийской ассоциации авестийской астрологии виновен в этом безобразии...

Это было бы просто, экономично, абсолютно безопасно, а главное, полностью исключило бы участие в операции свидетелей в лице прикомандированных оперативников местного управления. Или вся эта отдающая Голливудом белиберда с тяжелыми транспортными самолетами, секретными аэродромами и вооруженными до зубов опергруппами является стандартной процедурой? Может, так положено по инструкции? Но почему в таком случае новый Библиотекарь в одиночку едет туда, откуда не вернулась уже упомянутая опергруппа? Что это — попытка от него избавиться? Да нет, это чересчур сложно. Да и не такая большая птица Глеб Сиверов, чтобы для его устранения понадобилось разрабатывать такую запутанную многоходовую комбинацию...

Но что-то тут явно было нечисто. Похоже, Библиотекарь, отправляясь за дневником Бюргермайера, ждал неприятностей. И Иван Яковлевич наверняка был в курсе дела, коль скоро пошел на такие расходы и хлопоты. Знал, но с Глебом своими знаниями почему-то не поделился...

Тут его осенило. «Ба! — подумал он. — Да все тривиально, как блин! Просто целью операции была не кража дневника, а устранение моего предшественника! Дневник он нашел, сфотографировал, доложил о находке начальству. А начальство, исходя из каких-то своих совершенно секретных соображений, решило, что от этого Библиотекаря пора избавляться. А дневник прекрасно полежит в музее до тех пор, пока на эту должность не отыщется новый претендент — коль скоро его обнаружили, он уже никуда не денется. Только все равно это слишком сложно. Пристрелили бы его прямо в подвале, свалили труп в вагонетку и обычным путем переправили в печь... Тут может быть только одно объяснение: начальство почему-то очень не хотело, чтобы Ефим Моисеевич знал, кто на самом деле грохнул его коллегу. Следовательно, старику тоже доверяют не до конца... Ха! Тоже мне, новость... А кто кому доверяет в нашей конторе? Это же контрразведка, а не общество анонимных алкоголиков! Ах, Иван Яковлевич! За что же это вы так невзлюбили своего подчиненного?»

В перспективе все это сулило самому Глебу немалые проблемы, но он привычно отодвинул неприятные волнения на задний план. С проблемами надо разбираться по мере их возникновения. В данный момент Сиверов не видел непосредственной угрозы для своего драгоценного здоровья, а дальше… Дальше видно будет. Сначала надо добыть этот чертов дневник.

Ему подумалось, что дневник может стать в его руках мощным оружием. К черту предсказания будущего! Имея эту вещицу при себе, можно будет поторговаться с Иваном Яковлевичем. Может быть, удастся выторговать себе свободу или хотя бы разобраться в причинах, по которым агент по кличке Слепой был грубо выдернут из привычного течения жизни и бесцеремонно брошен в набитый секретной документацией подвал, в гостеприимные объятия приветливого, разговорчивого и, чего греха таить, страшненького Ефима Моисеевича.

* * *

Кабинет Альберта Витальевича Жуковицкого представлял собой обширное, обставленное с варварской роскошью помещение, ослеплявшее вошедшего белизной стен, позолотой лепных завитушек и яростным сверканием надраенной до зеркального блеска бронзы многочисленных подсвечников и канделябров. С высокого потолка свисала громадная, невообразимой тяжести хрустальная люстра, окна были наглухо занавешены белоснежными шелковыми маркизами, дополнением к которым служили тяжелые, глубокого золотистого оттенка портьеры. Вычурная мебель — не то старинная, не то мастерски сработанная под старину, — тоже была белая с золотом, с сиденьями и спинками, обтянутыми той же золотистой тканью, из которой были сшиты портьеры. Узорчатый паркет из ценных пород дерева был натерт до блеска; при желании в него можно было смотреться, как в зеркало, но такая мысль здесь просто не приходила в голову, поскольку зеркал в кабинете и без того хватало с избытком.

Письменный стол был под стать кабинету — огромный, роскошный, вычурный, бело-золотой. Установленный на приставном столике сбоку современный компьютер выглядел анахронизмом, а сидевший в похожем на трон кресле за столом хозяин кабинета и вовсе как-то терялся на фоне всего этого блистающего великолепия.

Альберт Витальевич сидел за компьютером и, коротая время, пытался разложить пасьянс. Периодически он прикладывался к низкому широкому стакану с шотландским виски, после чего всякий раз затягивался сигаретой, которая тлела у него под рукой, в надраенной, как судовой колокол, бронзовой пепельнице. Протянув руку, он подливал виски в стакан из стоявшей тут же, на столе, квадратной бутылки с черно-золотой этикеткой. Костюм господина Жуковицкого тоже был незапятнанно-белым, в тон обстановке; можно было подумать, что Альберт Витальевич нацепил его вместо маскхалата, чтобы превратиться в человека-невидимку, окончательно растворившись в бело-золотом сверкании своих рабочих апартаментов.

Этот безупречный наряд в сочетании со стаканом виски, сигаретой и разложенным на экране компьютера примитивным пасьянсом наводил на мысль, что Альберт Витальевич пришел в свой кабинет не заниматься делами (ибо он ими не занимался) и не повалять дурака (ибо никто, собираясь валять дурака у себя дома, не одевается, как на официальный прием у королевы Великобритании). Похоже было на то, что господин депутат назначил кому-то встречу и что он придает этой встрече очень большое значение.

Так оно и было. Альберт Витальевич тщательно подготовился к назначенной встрече, постаравшись ничего не упустить. Варварская, бьющая в глаза роскошь огромного кабинета, безупречно сидящий белоснежный костюм стоимостью в несколько тысяч долларов, украшенная крупным бриллиантом золотая заколка для галстука и даже дурацкий электронный пасьянс, с момента своего изобретения служащий излюбленной забавой для бездельников, впустую убивающих рабочее время, — все было продумано до мелочей. Все было направлено на то, чтобы прямо с порога указать посетителю его место, провести между ним и хозяином кабинета непреодолимую черту, раз и навсегда расставить все точки над «i» — словом, на то, чтобы окончательно унизить, деморализовать того, кто, судя по всему, и без того уже был в достаточной степени унижен и деморализован.

Альберт Витальевич Жуковицкий поджидал человека, который предлагал приобрести недостающую часть «Центурий» Нострадамуса и дневник придворного астролога Петра I Конрада Бюргермайера — того самого типа со шкиперской бородкой и профилем античного полубога, что по глупой своей самонадеянности заломил за товар несусветную цену и даже имел наглость демонстрировать Альберту Витальевичу свое мнимое над ним превосходство. Жуковицкий считал, что подобные выходки не должны оставаться безнаказанными; частично наглец уже понес наказание, но то было только начало. По завершении сделки Альберт Витальевич твердо намеревался произвести с хамом окончательный расчет, а пока что настало самое время поторговаться — уже на иной, более реальной основе.

Накануне бородач позвонил Альберту Витальевичу и попросил о встрече. Голос у него был усталый, чуть ли не больной, и этим шелестящим, утомленным голосом обладатель бесценных документов сообщил, что в интересующем Альберта Витальевича деле появились новые обстоятельства, которые необходимо обсудить с глазу на глаз.

Жуковицкий догадывался, о каких обстоятельствах идет речь, и, разумеется, сразу же заподозрил подвох. Человеческая психика — штука тонкая, изучена она из рук вон плохо, так что никогда нельзя знать наперед, как тот или иной индивидуум поведет себя в стрессовой ситуации. Бородач производил впечатление человека, вырубленного из цельного куска гранита, но внешность бывает обманчива. Порой даже такой пустяк, как сгоревшая дача, может послужить причиной убийства — яростного, бессмысленного, безрассудного, совершенного сгоряча, без подготовки, без оглядки на обстоятельства и даже ценой собственной жизни. Поэтому можно было допустить, что подвергшийся давлению со стороны Мазура и его мордоворотов бородач звонит с единственной целью: заманить Альберта Витальевича в укромный уголок и разрядить ему в голову обойму пистолета.

Но, как оказалось, обладатель бесценных бумаг догадывался о сомнениях Жуковицкого и даже не дал ему возможности высказать эти сомнения вслух. «Если вы чего-то опасаетесь, — устало проговорил он в трубку, — я готов встретиться на вашей территории. Я приду один и, разумеется, без оружия, а вы действуйте по своему усмотрению. Можете запереться в танке и разговаривать через смотровую щель, мне это безразлично. Просто надо поговорить».

Поговорить Альберт Витальевич был не прочь, тем более что догадывался: разговор обещает быть для него приятным. Так называемый деловой партнер понял, наконец, что синица в руках лучше, чем журавль в небе, и решил брать, что дают, пока ребята Мазура совсем его не запрессовали. Такие мысли поднимали настроение, и сейчас, водя компьютерной мышью по коврику с изображением тропического атолла в синем океане, Жуковицкий даже подумал, не отпустить ли бородатого подонка с миром. Сунуть ему в зубы этот несчастный миллион, и пусть отправляется в свою нору зализывать раны...

Но нет, решил он, так нельзя. Нельзя расслабляться, нельзя размякать. Спустишь одному — другие враз смекнут: все, спекся Алик Жуковицкий. Значит, братва, можно! Оглянуться не успеешь, как порвут в клочья и обрывки по всему свету разбросают — так, что после не соберешь. Нет, врете, суки, не дождетесь!

Высокая, белая, вся в резных золоченых завитушках, двустворчатая дверь открылась без стука, и появившийся на пороге начальник охраны, набычившись, неприязненно сообщил:

— Он здесь.

Неприязнь его относилась, разумеется, вовсе не к Альберту Витальевичу, а к посетителю, но Жуковицкий, из принципа не спускавший ничего и никому, не преминул пренебрежительно произнести:

— Жало попроще сделай. И веди его сюда.

Посетитель вошел — Альберт Витальевич заметил это краем глаза, продолжая делать вид, что полностью поглощен раскладыванием пасьянса, — и первым делом приветливо осведомился у Мазура о его здоровье. Охранник, на скуле которого все еще красовался пластырь, сделал вид, что не расслышал вопроса. Посетитель снисходительно улыбнулся и легкой, пружинистой походкой зашагал по сверкающему паркету прямо к письменному столу.

Вслед за ним в кабинет вошли двое охранников и остановились у дверей, демонстративно держа на виду оружие — не пистолеты, от которых, учитывая неординарную личность посетителя, не предвиделось никакого проку, а тупорылые уродливые «ингрэмы», способные в считанные мгновения густо заплевать свинцом все помещение.

Приблизившись к столу, посетитель, не медля, без приглашения уселся напротив Жуковицкого и сказал:

— Здравствуйте, Альберт Витальевич.

Будто не замечая его, депутат еще с полминуты щелкал кнопкой мыши, перекладывая карты на экране монитора. За это время Мазур тоже пересек кабинет и, сложив руки поверх причинного места, как это делает подавляющее большинство профессиональных охранников, остановился за спиной у посетителя, примерно в метре от него. Гость, надо отдать ему должное, даже бровью не повел.

Наконец, Альберт Витальевич снизошел до того, чтобы заметить посетителя.

— А это вы, — холодным, скучающим тоном сказал он, поворачиваясь к нему лицом. — Ну, здравствуйте.

Посетитель, в противоположность хозяину, был одет во все черное — видимо, это был его любимый цвет. На его дорогом, прекрасно сшитом костюме не было ни одной лишней морщинки, а вот лицо выглядело бледным и осунувшимся, глаза покраснели и запали, как будто он провел ночь без сна, — словом, вид у него был как раз такой, какой и должен быть у человека, уже начавшего осознавать, что шутить с господином Жуковицким — крайне нездоровое занятие.

— Итак, — взял быка за рога Альберт Витальевич, — что скажете, милейший?

— Надо кое-что обсудить, — заявил посетитель все тем же усталым, надтреснутым голосом.

Честно говоря, Альберт Витальевич не ожидал, что этот крепыш, этот античный полубог, этот супермен, в одиночку разделавшийся с Мазуром и его профессиональными драчунами, сломается так быстро. Ведь, в сущности, что такого особенного с ним произошло? Ну, сгорела дача — плохонькая, плебейская, дешевая и, скорее всего, чужая, снятая на неделю-другую, а то и вовсе занятая самовольно. Ну, вслед за дачей сгорела машина — отечественная, дерьмовая, далеко не первой молодости «восьмерка». Ну и что, собственно? Неужели этот копеечный хлам имел для него такое большое значение?

Это в корне меняло дело. К нищим Альберт Витальевич относился без тени сочувствия — он их глубоко и искренне презирал. В мире существует громадная масса денег. Их напечатано столько, что, имея в голове хоть какие-то мозги и обладая минимальной предприимчивостью, человеку ничего не стоит обеспечить себе приличный уровень жизни — такой, при котором потеря дрянного российского автомобильчика воспринимается примерно так же, как утрата оторвавшейся от манжеты пуговки. А если мужчина в расцвете сил, тренированный, хорошо обученный, способный голыми руками уложить четверых профессионалов, при всех своих превосходных качествах оказывается нищим — значит, он ни черта не стоит, и умение хорошо драться — единственное умение, которым он обладает. Грош ему цена, такому супермену, и нечего ему замахиваться на суммы со многими нулями — как говорится, не по Сеньке шапка...

Немного подняв глаза, он посмотрел поверх головы посетителя на Мазура. Широкая физиономия начальника охраны сохраняла профессиональное бесстрастное выражение, однако уголки губ были едва заметно, но явно пренебрежительно опущены — похоже, Олег Федотович полностью разделял мнение своего босса о посетителе. Научить драться можно кого угодно; при удачном стечении обстоятельств пешка может снести с доски любую фигуру, вплоть до ферзя, но от этого она не перестанет быть пешкой — мелкой второстепенной фигуркой с круглой деревянной головой.

— Не знаю, стоит ли мне тратить на вас свое время, — с оскорбительной вежливостью сообщил посетителю Альберт Витальевич. — Что нам обсуждать? После вашей выходки с письмом, после этой нелепой попытки поднять и без того несуразную цену... Не понимаю, как у вас вообще хватило наглости явиться ко мне домой!

— Тем не менее я здесь, — ничуть не смутившись, спокойно произнес посетитель. — И это прямо указывает на вашу заинтересованность в моем предложении.

— Миллион, — небрежно обронил Жуковицкий. — Это мое последнее слово, и скажите спасибо, что я вообще согласился с вами разговаривать.

По осунувшемуся лицу посетителя скользнула кривая, болезненная улыбка.

— Вы меня не поняли, — сказал он. — Я пришел говорить вовсе не о деньгах. В данный момент этот разговор представляется, мягко говоря, преждевременным.

— Вот как? — подчеркнуто изумился Альберт Витальевич. — Не о деньгах? А разве у нас с вами есть еще какие-то общие темы для разговора?

— С недавнего времени. И не надо так удивляться. Эти, как вы выразились, общие темы возникли благодаря вашим усилиям.

— О чем это вы, милейший? — холодно осведомился Альберт Витальевич.

— О парочке неприятных инцидентов, которые имели место на протяжении последних полутора суток.

— Вот как? У вас неприятности?

— Неприятности у нас, — поправил посетитель.

— У нас? — На этот раз удивление Альберта Витальевича было почти непритворным. — Но позвольте, чтобы иметь общие неприятности, для начала надо, как минимум, обзавестись общими интересами!

— Вот именно, — сказал посетитель и многозначительно умолк.

Жуковицкий подождал продолжения, но так ничего и не дождался.

— Что значит — «вот именно»? — спросил он, потеряв терпение.

— А вы подумайте, — предложил посетитель. — Какие у нас с вами могут быть общие интересы? Пошевелите мозгами! Вы же очень умный человек, хотя и окружили себя кретинами...

Мазур еще более неприязненно взглянул на посетителя, видно было, что ему до смерти хочется съездить гостю по шее и что только присутствие хозяина помогает ему сдержать этот естественный порыв.

Посетитель между тем спокойно извлек из кармана и разложил на краю стола курительные принадлежности: полированную стальную табакерку, пачку папиросной бумаги и машинку для скручивания сигарет. Действуя с неторопливой, хозяйской непринужденностью, он свернул сигаретку, заклеил ее кончиком языка, закурил и, окутавшись облачком ароматного, пахнущего вишневым деревом дыма, принялся так же спокойно и неторопливо рассовывать свои причиндалы по карманам пиджака.

— Я не понимаю ваших намеков, — надменно объявил Жуковицкий. Сказано это было не вполне искренне; правильнее было бы сказать, что понимать намеки посетителя ему не хочется. Что-то явно пошло наперекосяк; посетитель выглядел усталым и, без сомнения, огорченным, но никак не сломленным. — Кроме того, — подумав, добавил Альберт Витальевич, — эти ваши намеки мне не нравятся.

— Мне они тоже не нравятся, — сочувственным тоном признался посетитель, — а что поделаешь? Когда неприятности случаются, они случаются, и назад уже ничего не вернешь. Как говорится, пришла беда — открывай ворота.

На его самокрутке нарос кривой столбик пепла. Он согнул указательный палец с явным намерением сбить пепел прямо на пол, и Альберт Витальевич был вынужден спуститься с высот своего общественного положения и торопливо пододвинуть ему свою сияющую бронзовую пепельницу, украшенную миниатюрной копией одной из скульптур Аничкова моста в Петербурге — какой-то голый античный тип, пытающийся укротить встающего на дыбы коня.

Посетитель благодарно и немного снисходительно кивнул, внимательно осмотрел пепельницу и небрежным щелчком сбил пепел со своей сигареты — сбил не в пепельницу, а все-таки на пол, вызвав, тем самым, у Альберта Витальевича острое, почти непреодолимое желание хватить его этой самой пепельницей прямо по физиономии.

— Послушайте, — с трудом подавив вспышку отрицательных эмоций, сквозь зубы процедил Жуковицкий, — у меня мало времени. Нельзя ли все-таки перейти к делу?

— К делу так к делу, — легко согласился посетитель и, откинувшись в кресле, изящным, непринужденным движением положил ногу на ногу. Локоть руки, в пальцах которой дымилась пахнущая вишней самокрутка, удобно покоился на подлокотнике; пепельница, таким образом, оказалась от него на расстоянии в добрый метр, и можно было не сомневаться, что пользоваться ею посетитель не намерен — в качестве пепельницы его вполне устраивал драгоценный паркет. — Видите ли, Альберт Витальевич, — продолжал он, окутавшись новым облачком душистого дыма, — говоря о неприятностях, я имел в виду, в первую очередь, действия ваших... э... людей, которые, не придумав лучшего способа оказать на меня давление, спалили сначала мое временное обиталище, а затем и машину.

— Чушь, — отрезал Жуковицкий.

— Так уж и чушь, — насмешливо возразил посетитель.

— У вас что, имеются доказательства? — агрессивно осведомился Альберт Витальевич. — Вы можете назвать имена?

— Какие там доказательства, — лениво отмахнулся посетитель и снова стряхнул пепел на паркет, как будто вознамерился в отместку поджечь дом своего обидчика. — Я ничего и никому не собираюсь доказывать. Быть может, вы вообразили, что я пришел сюда жаловаться и требовать возмещения ущерба?

— А разве нет? — удивился Жуковицкий, у которого только что родилась именно такая мысль. — Зачем же, в таком случае, вы пришли? Торговаться?

Посетитель докурил свою самокрутку и, слава богу, дал себе труд дотянуться до пепельницы, чтобы ее погасить.

— Я пришел сказать, что сделка не состоится.

— Что такое? — слегка опешил Альберт Витальевич. — Вы нашли другого покупателя? Может быть, вам кажется, что я позволю вот так, запросто, себя обойти?

— Вы не поняли, — лениво произнес посетитель, вновь откидываясь на спинку кресла. — Сделка не состоится совсем по другой причине. Она не может состояться, потому что предмет сделки более не существует.

— Как это — не существует?

— Очень просто. Или вы верите, что рукописи не горят?

— Слушайте, что вы такое несете? — раздраженно начал Альберт Витальевич, и тут до него вдруг дошел смысл только что прозвучавшей фразы. — Что-о?! — не своим голосом воскликнул он, приподнимаясь из-за стола.

— Что слышали, — хладнокровно ответил посетитель. — Фотокопия рукописи Нострадамуса сгорела вместе с дачей. Потратив часок, ваши болваны могли бы ее найти и выкрасть. Правда, это ничего бы вам не дало, поскольку без дневника Бюргермайера расшифровать эту белиберду невозможно, а дневник хранится в надежном месте. Но так, по крайней мере, копия уцелела бы, и мы с вами могли бы продолжить переговоры. А теперь этой копии нет, и ее электронной версии нет, и ноутбука, на жестком диске которого хранилась еще одна копия, нет тоже. Все это лежало в тайнике на чердаке той самой дачи, которую ваши бараны спалили дотла, до самого фундамента. Так-то, приятель, — добавил он, развернувшись в кресле и обращаясь непосредственно к Мазуру. — Оказывать давление тоже нужно с умом. Если полагаться только на грубую силу, есть риск что-нибудь сломать. И ломается, дружок, зачастую совсем не то, на что ты давишь.

Альберт Витальевич увидел, как разом побледнел охранник, но ему сейчас было не до того. Он был ошеломлен — не столько самой утратой, масштабов которой еще не успел осознать, сколько идиотской ситуацией, в которую попал стараниями собственных телохранителей, действовавших, вдобавок ко всему, по его прямому приказу и с его же полного одобрения. Вот уж, действительно, надавили... Правильно говорят: сдуру можно и член сломать...

— Но дневник-то цел? — немного собравшись с мыслями, спросил он первое, что пришло в голову.

— Цел, — кивнул посетитель. — Ну и что с того? Без второй части «Центурий» смысла в нем не больше, чем в ключе от давно отправленного под пресс автомобиля.

— Черт, — пробормотал Альберт Витальевич, поняв, что собеседник прав. Ему снова захотелось схватить пепельницу и вмазать по паскудной роже — только уже не посетителю, а Мазуру. Хорош помощничек, нечего сказать! С такими друзьями никаких врагов не надо... — Погодите! — воскликнул он, нащупав, как ему показалось, твердую почву под ногами. — Вы же сами все время повторяете: копия, копия...

— Повторяю, — не стал возражать посетитель.

— Значит, существует и оригинал!

— Существует, — все с той же подозрительной покладистостью подтвердил бородач.

— Ну, так скажите, где он, и получите свой миллион!

— Черта с два, — непринужденно прозвучало в ответ.

Альберт Витальевич ухмыльнулся холодной и красноречивой ухмылкой аллигатора, увидевшего пришедшую на водопой антилопу. Он снова начал ощущать себя хозяином положения.

— На вашем месте я бы так не гоношился, — заявил он. — Помните сказочку про смерть Кощееву? Игла в яйце, яйцо в утке, утка в сундуке… Помните? Так вот, игла — это оригинал рукописи, яйцо — это место, где он хранится, утка — это вы, а сундук — это мой дом, откуда вы не выйдете, пока не отдадите заветное яичко. А не захотите отдать — я вас выпотрошу, да так, что никакой утке даже и не снилось. Мазур!

Начальник охраны, к которому вместе с самообладанием мало-помалу вернулся нормальный цвет лица, шагнул вперед и, положив на плечо посетителю изуродованную трехпалую ладонь, другой рукой приставил к его виску большой автоматический пистолет.

— Не дергайся, — сказал он.

Посетитель, впрочем, и не думал дергаться. Не думал он также бледнеть, вздрагивать и какими-либо иными способами проявлять испуг. Похоже было на то, что никакого испуга он не ощутил, и это очень не понравилось Альберту Витальевичу: судя по всему, в запасе у этого подонка имелся еще какой-то сюрприз.

Так оно и оказалось.

Не шелохнувшись и даже не взглянув на Мазура, посетитель сделал волнообразное движение нижней челюстью и вдруг оскалил зубы. Зубы у него были крупные, очень здоровые, чуть желтоватые от табака, а между передними резцами что-то поблескивало. Приглядевшись, Альберт Витальевич увидел, что это ампула — маленькая, формой и размером напоминающая предохранитель от древнего лампового телевизора, стеклянная ампула с какой-то прозрачной жидкостью внутри. В следующее мгновение посетитель закрыл рот и, судя по тому, как шевельнулась его челюсть, языком задвинул ампулу обратно за щеку.

— Я не знаю ни одной утки, которая осталась бы в живых после того, как ее выпотрошили, — сообщил он таким тоном, словно даже не подозревал о приставленном к своему виску пистолете. — Поэтому я и решил: если уж все равно придется умирать, зачем мучиться? Давить зубами стекло неприятно, зато это будет самая последняя неприятность в моей жизни. Смерть наступит мгновенно и безболезненно, и что вы тогда станете делать?

— Спляшу на вашей могиле, — мрачно пообещал Жуковицкий, понимая, что его опять переиграли.

— Боюсь, вам будет не до плясок, — любезно сообщил посетитель, небрежным движением руки отводя от своего виска пистолет. Совершенно растерявшийся Мазур даже не сопротивлялся. — Дело в том, — продолжал бородач, — что я заготовил одно письмецо, которое будет автоматически отправлено по известному мне электронному адресу, если я не вернусь через два часа и не остановлю программу. Если вам интересно, могу сказать, что в письме. Там написано, что фотокопия рукописи Нострадамуса и дневник Конрада Бюргермайера находятся у вас.

Жуковицкий насмешливо фыркнул.

— Мало того, что это вранье, — сказал он, — так еще и недоказуемое!

— Господи, — всплеснул руками посетитель, — да что же вы, ей-богу, как профессиональный сутяга, все время талдычите о каких-то доказательствах! Кому они нужны? Уверяю вас, те, кто получит мое письмо, не станут затруднять себя сбором улик. Им будет достаточно подозрения, а уж я постарался составить письмо таким образом, чтобы подозрения у них зародились, и притом самые мрачные! Они не станут задавать вопросов; они станут вас прессовать, и по сравнению с этим то давление, которое вы пытались оказать на меня, покажется нежным дуновением утреннего ветерка! Они будут давить вас и бить со всех сторон, они пустят вас по миру, заставят бежать из страны, но и там, за бугром, не оставят в покое, а будут нажимать снова и снова, пока вы не отдадите им бумаги. А поскольку бумаг у вас нет, они просто на всякий случай, во избежание утечки информации, уничтожат вас, а заодно и всех, кто имел несчастье быть с вами на короткой ноге. И, умоляю, не думайте, что я шучу или пытаюсь вас запугать. Не верите — проверьте. Только я вам этого не советую. Вы просто не представляете себе, с кем вам придется иметь дело. Нет, вы что, в самом деле думаете, что я мог явиться прямо сюда, к вам домой, в самое логово, не имя железных гарантий безопасности? Вам придется смириться с тем, что условия тут диктуете не вы, и перестать делать глупые телодвижения, иначе вы себя просто погубите. Механизм запущен, выбора у вас нет. Вы можете либо расплатиться со мной звонкой монетой и взлететь к вершинам власти и богатства, либо, извините, сдохнуть, как собака.

Он замолчал и стал сворачивать очередную сигарету, давая Альберту Витальевичу время поразмыслить и переварить эту пламенную речь.

— Ну, хорошо, — сказал после паузы Жуковицкий. — Допустим, я вам поверил. Что вы, собственно, предлагаете?

— Временный военный союз, — сказал посетитель. Он заклеил самокрутку и чиркнул колесиком зажигалки. — Взаимовыгодное сотрудничество. Я действительно знаю, где хранится полная версия «Центурий», но чтобы ее достать, придется потрудиться.

— Союзничек, — проворчал Жуковицкий. — Чтоб вам пусто было вместе с вашим Нострадамусом... Я ведь даже имени вашего не знаю, а вы мне тут толкуете о каких-то союзах!

— Можете называть меня Библиотекарем, — разрешил бородач.

ГЛАВА 11

Музей удалось отыскать без труда. Он полностью соответствовал подробному и где-то даже художественному описанию, данному прежним Библиотекарем в его письменном отчете о первом посещении этих мест. Это было широкое, приземистое кирпичное строение с деревянной мансардой, островерхой крышей и широким, обветшалым балконом, выдававшимся из мансарды и, судя по виду, готовым в любой момент обрушиться в заросший буйной, одичавшей сиренью палисадник. Кирпичные стены еще хранили на себе следы смытой дождями побелки, а вот деревянный верх не красили уже лет сто — дощатая обшивка почернела, деревянное кружево затейливой резьбы обветшало и кое-где успело обвалиться. Воронки ржавых водосточных труб тоже были украшены кружевным узором — не деревянным, естественно, а металлическим, вырезанным из жести в те незапамятные времена, когда люди не жалели времени и сил на украшение своих жилищ. Очевидно, устойчивое выражение «все в ажуре» в первоначальном своем значении относилось именно к таким вот домам, действительно сверху донизу украшенным ажурной резьбой.

Сделав это лингвистическое открытие, Глеб Сиверов потушил в пепельнице сигарету и заглушил двигатель. Надо было приступать к работе.

Еще в подвале у Ефима Моисеевича он разработал два варианта действий. Вариант «А» отличался грубой простотой: войти в музей, открыть витрину, забрать дневник и уйти. А если кто-то попробует этому помешать, устранить препятствие с помощью грубой физической силы, но, по возможности, без применения оружия.

Вариант «Б» был немного сложнее, но зато в случае успеха позволял спокойно, без суеты и спешки, удалиться на безопасное расстояние раньше, чем персонал музея хватится дневника Бюргермайера. Прорабатывая этот вариант, Глеб, не прибегая к помощи своих новоявленных коллег и даже не ставя их об этом в известность, собственными руками изготовил муляж дневника, взяв за основу действительно неплохой снимок титульного листа, сделанный его предшественником. Воспользовавшись тем, что Библиотекарь, человек, по всему видно, дотошный и даже педантичный, не поленился указать в своем отчете точные размеры дневника, включая даже толщину тетради, Сиверов распечатал титульный лист в натуральную величину на цветном принтере и поместил его поверх купленного в ближайшем киоске ежедневника. Свежий обрез страниц он состарил простейшим способом, просто пройдясь по нему жидкой желтовато-коричневой акварелью. О степени сходства этой куклы с оригиналом оставалось только гадать, но, судя по фотографии, получилось довольно похоже. По крайней мере, с первого взгляда никто ни о чем не догадается. Ну, а если догадается, то вариант «А», слава богу, никуда не денется: не удастся отступить спокойно и с достоинством — будем драпать со всех ног...

Слепой расстегнул стоящую на соседнем сиденье сумку и извлек оттуда детектив братьев Вайнеров. Пухлый, изданный в середине семидесятых годов прошлого века, том в дешевой картонной обложке был гораздо тяжелее обычной книги. Глеб открыл его на середине и вынул из вырезанного в страницах углубления пистолет. Надев на ствол глушитель, сунул в карман запасную обойму и убрал оружие в наплечную кобуру. Вряд ли оно пригодится в музее, но береженого бог бережет...

Разобравшись с пистолетом, достал со дна сумки муляж дневника и еще раз придирчиво его осмотрел. Подделка была грубой, но, не имея перед глазами оригинала, ничего лучшего он состряпать просто не мог. Ничего, авось, сойдет... В конце концов, Глеб знавал человека, который ухитрился подменить одну из выставленных в Эрмитаже работ да Винчи бумажной репродукцией, и ему это почти сошло с рук — подмену совершенно случайно заметил посетитель, разбиравшийся в живописи, как свинья в апельсинах...

Сиверов сунул свое рукоделие в глубокий карман куртки и вышел из машины. Над поселком Шарово ярко сияло полуденное солнце, беспощадно высвечивая окружавшее Глеба со всех сторон убожество: покосившиеся черные заборы, растрескавшуюся штукатурку, пыльные окна в гнилых рамах, грязь и мусор под ногами. Составляя свой отчет, прежний Библиотекарь не лгал и не преувеличивал: поселок действительно выглядел так, словно в нем долго велись активные партизанские действия. Ну, или так, примерно, как должно выглядеть поселение, оставленное людьми лет двадцать назад. Тем не менее здесь жили: над облупленным зданием администрации лениво шевелился под легким ветерком выгоревший государственный флаг, около магазина, как водится, отирались вялые, как прихваченные заморозком мухи, потрепанные личности мужского пола, а по ухабистой немощеной улице мимо Глеба проехала, с натугой вращая педали скрипучего велосипеда, тощая, жилистая баба неопределенного возраста в рваных кедах и засаленном мужском пиджаке, надетом поверх ситцевого платья. На голове у бабы было захватанное грязными пальцами кепи с огромным квадратным козырьком и вышитой на лбу надписью «US Navy». Франтоватый «уазик» с тонированными стеклами, а заодно и его явно нездешний водитель заинтересовали эту представительницу местного населения — проезжая, она поворачивала голову, как солдат на параде во время прохождения мимо трибуны с высоким начальством, стараясь удержать незнакомого мужчину в поле зрения. Глеб подумал, что это может скверно кончиться, и точно: как раз в тот момент, когда расшитый некогда золотыми дубовыми листьями козырек «военно-морской» кепки оказался развернутым почти на сто восемьдесят градусов против направления движения велосипеда, переднее колесо угодило в рытвину, пьяно завиляло из стороны в сторону, и тетке лишь с огромным трудом удалось удержать равновесие и не рухнуть в пыль. После этого казуса она больше не оглядывалась, целиком сосредоточив внимание на управлении своим транспортным средством, но Сиверов все равно с огорчением констатировал, что его образ наверняка остался в памяти у случайной свидетельницы.

В куртке было чертовски жарко, но снять ее Глеб не мог — под ней висел пистолет, а в кармане лежал поддельный дневник Бюргермайера. Солнце припекало так, что в голове сами собой всплывали полузабытые сведения из школьного курса географии, согласно которым Сибирь отличается резко континентальным климатом — то есть зимой здесь по-настоящему холодно, а летом, пусть и коротким, — действительно жарко. Это объясняется отдаленностью моря, которое служит чем-то вроде огромного радиатора — летом остужает, зимой греет и постоянно увлажняет воздух. Наверное, выросшему в Европе и всю сознательную жизнь прожившему на берегах Балтики Конраду Бюргермайеру и впрямь было очень трудно привыкнуть и к здешнему климату, и к отсутствию элементарных удобств, и к местным нравам...

Так, размышляя о чепухе, Слепой пересек ухабистую улицу, толкнул деревянную калитку и по вымощенной крошащимся от старости кирпичом узкой дорожке меж кустов сирени подошел к крылечку под украшенным богатой резьбой навесом, возле которого к беленой кирпичной стене была привинчена стеклянная табличка с надписью «Краеведческий музей». На крыльце, свернувшись калачиком, спала пятнистая чернобелая дворняга, мастью, экстерьером и, в особенности, загнутым в колечко хвостом напоминавшая лайку, но ростом от силы с таксу. Услышав скрип ступенек, она открыла один глаз, посмотрела на посетителя и, убедившись, по всей видимости, что человек твердо намерен потревожить ее покой, встала и лениво спрыгнула с крыльца в высокую траву, на прощанье неуверенно вильнув хвостом.

Никакого расписания работы музея в пределах видимости не усматривалось, но день был будний, время рабочее, и Глеб наудачу потянул на себя дверь, которая, как оказалось, была оснащена довольно тугой пружиной. Преодолев сопротивление этого ржавого, трескучего и уже полузабытого архаичного приспособления, Сиверов перешагнул высокий порог и очутился в полутемных пустых сенях с голыми белеными стенами. Он ожидал увидеть где-нибудь здесь окошечко кассы или хотя бы столик, за которым скучает бабуся с вязанием на коленях, в обязанности коей входит продажа входных билетов и напоминание посетителям о необходимости вытирать ноги и ничего не трогать руками. Ни окошечка, ни столика с бабусей здесь, однако, не оказалось, зато половичок для ног был тут как тут — домотканый, полосатенький, вылинявший и застиранный, но чистый. Он лежал у второй, внутренней двери — высокой, двустворчатой, когда-то очень солидной и красивой, а теперь безнадежно изуродованной многолетними бугристыми напластованиями краски. На этой двери висела табличка с надписью «Вход», а под надписью наконец-то обнаружилось расписание, согласно которому музей в данный момент был открыт для посещения.

Глеб дисциплинированно вытер ноги, открыл дверь и вошел.

В низком квадратном помещении было сумрачно из-за буйствовавшей за окнами сирени, которая разрослась настолько, что почти не пропускала дневной свет. Первым делом здесь бросался в глаза недурно сохранившийся бивень мамонта, который, видимо, являлся главной жемчужиной экспозиции и потому был выставлен прямо напротив входа. В дальнем углу громоздилось, почти упираясь головой в дощатый потолок, траченное молью чучело медведя. Медведь стоял на задних лапах, выставив передние перед собой, и у Глеба сложилось вполне определенное впечатление, что чучело это было не набито специально для музея, а перекочевало сюда из чьего-то особняка, где, наверное, торчало в прихожей, держа на вытянутых лапах серебряное блюдо. С медведем соседствовали облезлая белка, пыльная сова и одноглазый волк, имевший такой вид, словно он не был застрелен охотниками, а подох от чумки и был препарирован недели через две после смерти.

В другом углу на фанерной подставке торчал, грозно и бессмысленно уставив в противоположную стену ствол в толстом алюминиевом кожухе, ручной пулемет Льюиса — с виду исправный, но с отчетливо видным отверстием, просверленным в казеннике. Над пулеметом, на обтянутом красным бархатом стенде, висела казачья шашка с потускневшим, рябым от плохо отчищенной ржавчины лезвием. Над шашкой виднелся солдатский треух времен Первой мировой с пришпиленной наискосок красной ленточкой. Ленточка выглядела заметно новее треуха, а немного ниже красовался винтовочный обрез без затвора. Глеб сразу же вспомнил отчет Библиотекаря и, оглядевшись, увидел в простенке меж двух окон сломанную деревянную прялку. Надо полагать, весь остальной хлам, доставшийся музею вместе с дневником Конрада Бюргермайера, тоже находился где-то тут.

159

На стенах вперемежку с пожелтевшими фотографиями, какими-то документами и ветхими газетными страницами висели картины — надо понимать, произведения местных художников. Точнее, одного художника, поскольку все четыре имевшихся в наличии живописных полотна были выполнены в одинаковой манере, от которой у человека, более чувствительного к изобразительному искусству, чем Глеб Сиверов — у той же Ирины Андроновой, например, — почти наверняка начался бы нервный тик.

Скрипя рассохшимися половицами, Слепой прошел на середину помещения, откуда хорошо просматривались все три комнатушки, служившие экспозиционными залами данного храма истории. В залах, кроме него, не было ни души, если не считать нескольких мух, которые, басовито жужжа, предпринимали отчаянные и безуспешные попытки пролететь сквозь закрытые окна. Украшенная табличкой «Посторонним вход воспрещен» дверь на лестницу тоже была закрыта. Лестница, несомненно, вела в мансарду, где, надо думать, находились служебные помещения. Глеб не знал, заметил ли кто-нибудь его появление, но полагал, что услышит, если по лестнице кто-то станет спускаться.

Он еще раз убедился, что находится в музее один, и прямиком прошагал в правый зал, где, если верить отчету Библиотекаря, хранился искомый дневник. Он старался передвигаться с максимальной осторожностью, но половицы все равно откликались на каждый шаг разноголосым скрипом. Впрочем, все эти звуки никого не потревожили; Глеб без помех прошел в зал и отыскал витрину, где преспокойно лежала потрепанная, открытая на первой странице тетрадь, ради которой он проделал столь длинный путь в кабине тряского «уазика».

Сделанная выцветшими чернилами на пожелтевшей от старости бумаге, старательно выведенная готическими буквами по-немецки надпись гласила, что сия тетрадь содержит записки и философические размышления о превратностях земного бытия, начатые магистром астрологии, выпускником Гейдельбергского университета, и т. д., и т. п., Конрадом Францевичем Бюргермайером августа месяца 8-го числа года 1724 от рождества Христова. Крышка витрины представляла собой лист обычного стекла в покрытой светлым лаком деревянной раме, и была заперта простейшим мебельным замочком. Остановившись перед ней, Сиверов извлек из кармана заранее припасенный проволочный крючок, запустил его в замочную скважину и принялся осторожно им орудовать, делая вид, что внимательно изучает висящий над витриной стенд.

Со стенда прямо в глаза ему смотрела старая фотография какого-то революционного героя здешних мест — гладкое, без единой морщинки, будто надутое изнутри воздухом, не обезображенное печатью интеллекта овальное лицо с маленькими невыразительными глазами под козырьком военной фуражки. Ковыряясь в замке, Глеб подумал, что старые портретные фотографии чертовски смахивают друг на друга и свидетельствуют об одном: все эти рядовые бойцы революции вовсе не похожи на угнетенных, изможденных непосильным трудом и хроническим недоеданием пролетариев в классическом о них представлении. Напротив, все они выглядят одинаково откормленными и тупыми — этакое переходное звено между племенным боровом и гомо сапиенс. Из чего, между прочим, следует, что до революции даже самым нищим и ленивым из них жилось не так уж плохо, потому что хороший хозяин должен заботиться о своей домашней скотине и следить, чтобы она не голодала...

Замок открылся с негромким щелчком. Оглянувшись напоследок, Глеб одним плавным движением поднял крышку витрины, схватил дневник, закрыл его и сунул в карман куртки. Достав из другого кармана самодельную копию, он поместил ее на место выкраденного оригинала, подровнял, а затем закрыл и запер витрину.

Если особенно не приглядываться, изготовленная им кукла могла сойти за настоящий дневник. Закрытая сверху витринным стеклом и снабженная отпечатанной на машинке табличкой, она выглядела вполне солидно. Подняв глаза от витрины, Глеб встретился взглядом с фотографией. Герой глядел на Сиверова безо всякого выражения: похоже, ему было наплевать на судьбу дневника какого-то буржуя, да еще, вдобавок, и немца. Глеб заговорщицки ему подмигнул, подумав между делом, что, попади дневник Конрада Францевича в руки вот такому герою гражданской войны, тот неминуемо пошел бы частично на самокрутки, а частично — на пипифакс, то есть был бы употреблен в качестве туалетной бумаги.

Тут он услышал, как скрипят ступеньки лестницы, ведущей на второй этаж, и спешно покинул зал, напоследок погрозив революционеру пальцем: дескать, не вздумай болтать!

В главном зале он сразу занял заранее выбранную позицию — спиной к двери в служебное помещение, около подставки с мамонтовым клыком — и, наклонившись, принялся старательно ковырять ногтем темно-коричневую, бугристую, изборожденную глубокими продольными морщинами, как выброшенный морем кусок древесины, поверхность.

— Пожалуйста, не надо трогать экспонаты руками! — послышалось сзади.

Глеб демонстративно вздрогнул, как будто его застали врасплох, поспешно выпрямился и обернулся.

Директор, главный хранитель и, если верить отчету Библиотекаря, единственный сотрудник музея оказался сухоньким плешивым стариканом, передвигавшимся при помощи тусклой, исцарапанной алюминиевой трости с резиновым набалдашником и пластмассовой ручкой, на которой отчетливо виднелись следы собачьих зубов. Сиверов вспомнил свой план «А», который предусматривал применение грубой физической силы, и ему стало совестно: старик, пожалуй, не пережил бы даже хорошего щелчка по лбу, не говоря уже о чем-то более основательном.

Из-за этого ему не пришлось слишком сильно напрягаться, имитируя смущение. Так, смущаясь, прижимая к сердцу ладонь и ощущая при этом кончиками пальцев сквозь ткань куртки твердую рукоятку пистолета, Глеб рассыпался в извинениях. Вообще-то, хватать экспонаты руками не в его правилах, объяснил он. Но вот этот бивень, знаете ли, поражает своими размерами и великолепной сохранностью. Встретив такое чудо в небольшом провинциальном музее, поневоле задумаешься… ну, вы понимаете, я никоим образом не хотел бы вас обидеть, и, тем не менее… словом, поневоле задумаешься: а уж не имитация ли это?

Оказалось, это не имитация. Сверкая очками, старик поведал благодарному слушателю, как вот этот самый бивень чуть было не забрали в областной музей, и каких трудов, каких нервов стоило ему отстоять жемчужину своей коллекции от этих беспардонных посягательств.

Еще раз извинившись, Глеб поинтересовался, сколько стоит входной билет, и получил в ответ заверение, что музей открыт для бесплатного посещения, что так было всегда, с момента его основания, и пребудет во веки веков, аминь. Сиверов снова вспомнил отчет Библиотекаря и подумал, что его предшественник был прав: это самое «во веки веков» продлится ровно столько, сколько протянет вот этот божий одуванчик, после чего данное некоммерческое, убыточное культурное учреждение перестанет существовать.

Обрадованный проявленным к его любимому детищу вниманием, старикан затеял провести для Глеба экскурсию. Умнее всего было бы отказаться, но Сиверов почему-то покорно поплёлся вслед за брызжущим энтузиазмом старцем осматривать экспозицию. Ему подумалось, что нет худа без добра: это был уникальный случай проверить муляж дневника на жизнеспособность. «А ты расслабился, приятель, — подумал он, поймав себя на этой мысли. — И что ты станешь делать, если этот дед заметит подмену и подымет шум?»

Но отступать было поздно, и он, проверив, не торчит ли ненароком из кармана краденый раритет, отправился на экскурсию. К счастью, экспозиция здесь была заметно беднее, чем в Эрмитаже, так что данное культурное мероприятие, при всём многословии истосковавшегося по интеллигентному общению старика, заняло чуть больше сорока минут. Десять из них Глеб провёл, стоя над собственноручно ограбленной витриной, выслушивая подробное жизнеописание Конрада Бюргермайера и с понимающим видом, размеренно, как китайский болванчик, кивая головой. Испытываемая им неловкость в это время достигла апогея. При более внимательном рассмотрении подделка не выдерживала никакой критики. Старик этого не заметил, из чего следовало, что и очки он не менял уже, наверное, лет десять.

Наконец, поток сведений, низвергаемых на голову Сиверова говорливым старикашкой, иссяк. Мучимый угрызениями совести Глеб вежливо отказался от предложенной чашки чая, поблагодарил за экскурсию, пожелал гостеприимному хозяину всех благ и с огромным облегчением покинул музей.

Километрах в десяти от посёлка — то есть примерно там, где погиб Библиотекарь, — он остановил машину и осторожно, чтобы не повредить ветхую реликвию, вынул из кармана дневник. Эта штука была слишком ценной, чтобы таскать её в боковом кармане куртки; специально для неё в сумке у Глеба лежал герметичный, несгораемый металлический контейнер. Кроме того, следовало спрятать пистолет, затолкать под сиденье кобуру и, наконец, избавиться от осточертевшей куртки.

Перед тем, как уложить дневник в толстостенный, обитый изнутри асбестом и стекловатой контейнер, Глеб машинально открыл толстенькую тетрадь приблизительно на середине — просто так, из праздного любопытства, ничего особенного не имея в виду.

Несколько секунд он тупо смотрел на то, что лежало у него на коленях, а затем разразился громким хохотом.

Разворот был пуст. Белоснежная, чуть глянцевитая бумага с искусственно состаренным обрезом матово лоснилась; она была аккуратно разлинована типографским способом, и вверху каждой страницы на ней виднелись четко пропечатанные даты — день недели, число и месяц. Сиверов держал в руках самый обыкновенный ежедневник на две тысячи второй год от рождества Христова.

* * *

Сегодня документов было немного, и все они поместились в багажный отсек обычного командирского «уазика». Салон, таким образом, остался свободным, а это автоматически устранило необходимость в машине сопровождения. Собственно, «уазик» и был машиной сопровождения, обязанной, согласно инструкции, двигаться следом за грузовиком с отставанием не более чем на два корпуса. Перевозка списанной документации в нем, а не в грузовике, была, строго говоря, нарушением упомянутой инструкции, но правил без исключений не бывает. А это правило нарушалось столько раз, что его несоблюдение уже вошло в привычку. Инструкция была составлена более полувека назад, в те времена, когда все были буквально помешаны на секретности, а о том, что бензин тоже стоит денег, никто даже не задумывался. Зато теперь все изменилось, и кому, скажите на милость, так уж нужны полцентнера бумажного хлама, чтобы из-за них гонять к черту на рога, за город, целых две машины? Строго говоря, эту макулатуру следовало бы сдавать в пункт заготовки вторсырья, а то и просто вывозить на свалку — ей-богу, интересы Российской Федерации от этого бы ничуть не пострадали. Ну, в самом крайнем случае, почитает какой-нибудь замученный сенсорным голоданием бомж — сидя орлом на мусорной куче, справляя нужду и готовясь, сами понимаете, употребить секретный документ по прямому назначению...

Так рассуждал водитель «уазика» сопровождения, отправляясь тем утром в рейс. Рассуждал он, разумеется, про себя, поскольку в служебной обстановке такие разговоры недопустимы — того и гляди, кто-нибудь капнет начальству, и тогда хлопот не оберешься. Начальство, конечно, и само рассуждает примерно таким же манером, иначе отправляло бы этот хлам на уничтожение под охраной бронетранспортера, но — тоже про себя. Потому что, елки-палки, тут вам не дискуссионный клуб, а — музыка, туш! — контрразведка.

Водитель был пожилой, видавший виды и, как подавляющее большинство опытных водителей, полагал себя носителем истины в последней инстанции. Он служил в контрразведке уже давно, и служба его мало чем отличалась от работы персонального водителя председателя какого-нибудь не шибко зажиточного колхоза. А что? Машина та же, да и обязанности, в общем, те же — заведи, подай к подъезду, отвези, куда сказано, подожди, сколько велено, и вези себе обратно. Да это еще что! Вон, Гришка Комлев, который грузовик водит, — у того вообще работенка, как у водителя мусоровоза. Всю дорогу мотается туда-сюда меж двух ворот, как дерьмо в проруби — туда с грузом макулатуры, оттуда порожняком... Зато, блин, в контрразведке служит... Хорошо, хоть зарплата приличная, однако и геморроя за эти бабки тоже хватает...

«Уазик» бодро катился по разомлевшим от жары московским улицам, выбирая боковые проезды, где было меньше риска застрять в пробке. Охрана, все три человека, густо дымила сигаретами, заставляя водителя недовольно морщиться. Он и сам был человеком курящим, но он-то курил в своей машине, и убирал в ней, между прочим, тоже сам. А эти надымят, нагадят, засыплют все пеплом, заплюют, набросают под ноги бычков, да и пойдут себе, как ни в чем не бывало. Одно слово — офицеры. Как в том анекдоте: пьян до синевы, слегка побрит и с трудом отличает Эдиту Пьеху от «иди ты на...»

Подобные мысли, как обычно, привели водителя в дурное расположение духа. Он давно научился не переносить свое раздражение на управление автомобилем. Дергать руль, бросать педали, закладывать слишком резкие виражи — последнее дело, машина таких фокусов не прощает, а уж дорога и подавно. А главное, нельзя давать этим обормотам в салоне повод для претензий типа: «Не дрова везешь». Словом, неважно, нравятся ли тебе пассажиры, машина в любом случае не виновата.

За городом стало полегче. Водитель увеличил скорость, и тугой поток встречного воздуха, врываясь в открытые форточки, выдул из салона густой табачный дым. Господа офицеры, разомлев от жары, болтали о пустяках — о погоде, о футболе, о том, кто куда поедет этим летом отдыхать. Водитель не принимал участия в разговоре: обсуждение погоды он считал пустой тратой времени, футбола не любил, а отпуск, когда тот выпадал не летние месяцы, проводил на даче, на зависть соседям медленно, но уверенно превращая свои шесть соток в персональный сельскохозяйственный рай. Да и вообще, не было у него сегодня настроения разговаривать с этими уродами. Контрразведчики, чтоб им пусто было...

Раздражение, испытываемое водителем первого класса Коноваловым в отношении своих пассажиров, сегодня имело под собой гораздо больше оснований, чем простая неприязнь нижнего чина к господам офицерам, которые сорят в машине, не ценят его труд и вообще не считают его за человека. По правде говоря, Семен Иванович Коновалов со вчерашнего вечера пребывал в смятении чувств, для него, человека спокойного и уравновешенного, совершенно непривычном и оттого еще более тягостном.

Семен Иванович, как и полагается взрослому, самостоятельному человеку, был женат и имел двоих детей — сына и дочь. Сыну уже перевалило за тридцать, жил он отдельно и, слава богу, твердо стоял на ногах — у отца с матерью денег не просил, а, напротив, сам кое-что им подкидывал в конце каждого месяца. Дочь Семена Ивановича, умница и, разумеется, красавица, училась на четвертом курсе филфака МГУ. Заработков особенных избранная специальность ей не сулила, ну, так для бабы это и не главное — попался бы мужик стоящий, а остальное неважно.

С мужиками ей, правда, пока везло не так, чтобы очень — попадались все какие-то несерьезные, то шибко сопливые, которые без мамы с папой и себя-то прокормить не могут, а не то что жену с ребенком, то, наоборот, солидные и с деньгами, но — женатые. Дочь по этому поводу не очень огорчалась — говорила, что спешить ей некуда, что сперва надо получить образование, и что, в конце концов, лучше быть старой девой, чем выскочить замуж за кого попало. Ну, а поскольку она сама не огорчалась, то и Семен Иванович старался не огорчаться — дочка для него была как свет в окошке, и он, грешным делом, хоть и переживал из-за ее неудач на личном фронте, в глубине души радовался, что она остается при нем.

Вот из-за дочки как раз и вышла неприятность. Накануне вечером, засветло еще, она ушла к подружке, пообещав вернуться никак не позже полуночи. Когда к этому сроку ее дома не оказалось, Семен Иванович слегка осерчал: надо же, черт возьми, иметь хоть какую-то совесть! Отцу на работу ни свет ни заря, а она шляется где-то!

Слава богу, в наше время узнать, где носит нужного тебе человека, не так уж сложно, на то и телефон. Семен Иванович позвонил дочери на мобильный, но тот оказался недоступен.

Потихонечку свирепея, бормоча себе под нос несвязные угрозы, в которых упоминались великовозрастные кобылы, чья-то задница и отцовский ремень, находившийся с этой задницей в прямой логической взаимосвязи, Коновалов отыскал в записной книжке номер домашнего телефона подруги и позвонил туда. Заспанный и слегка удивленный девичий голос сообщил ему, что его дочери тут нет и, главное, не было. Да, они договаривались встретиться, но Маша почему-то не пришла, а мобильный у нее отключен — то ли батарейка села, то ли находится она за пределами зоны покрытия...

Вот тут Семен Иванович рассердился не на шутку. Дочь он искренне любил, но это никогда не мешало ему на нее злиться. Как говорится, кто кого любит, тот того и чубит. А сейчас повод злиться у него был, да еще какой: дочь ему солгала. Конечно, девушка она взрослая, имеет право на личную жизнь... Ну, так бы и сказала: у меня свидание, дома ночевать не буду. Да она раньше так и поступала, и никто ей слова поперек не сказал с тех самых пор, как стала совершеннолетней. А это — ну, что это такое? Раз врет — значит, есть, что скрывать, и какому отцу такое понравится?

Будь дома жена, Семен Иванович высказал бы все это ей, не преминув добавить что-нибудь насчет достойных плодов неправильного, бабского воспитания. Но жена неделю назад укатила в ведомственный санаторий — лечить, понимаете ли, суставы. А чего их лечить? Лечи не лечи, а никакие суставы не выдержат такого веса...

Окончательно расстроившись, Семен Иванович попил чайку и лег в постель — как-никак, а завтра с утра на работу, в ответственный рейс. Поначалу ему не спалось, но усталость и привычка к дисциплине мало-помалу взяли свое. Коновалов начал потихонечку проваливаться в сон, и вот тут-то над его изголовьем грянул телефонный звонок.

Звонил мужчина, который, едва дав Семену Ивановичу проснуться и сообразить, на каком он свете, доходчиво объяснил, что дочь его похищена, что с нею все в порядке и что она будет незамедлительно и в полной сохранности возвращена любящему отцу, как только тот выполнит кое-какие несложные инструкции.

Все было, как в дурном сне или, что то же самое, в детективном фильме. Семену Ивановичу дали послушать голос дочери, чтобы он убедился, что это не глупый розыгрыш, предупредили, чтоб не вздумал впутывать в это дело ментов или, того хуже, своих коллег из контрразведки, и, наконец, объяснили, чего, собственно, от него хотят.

Требовалась от Семена Ивановича, в общем-то, мелочь, но такого сорта, что у Коновалова волосы встали дыбом. За такие мелочи раньше ставили к стенке, а теперь этого не делают только потому, что Россия ввела мораторий на смертную казнь. Но куда денешься? Этот подонок из телефонной трубки был кругом прав: обращаться за помощью в правоохранительные органы не имело смысла. Самое большее, на что они способны в такой дерьмовой ситуации, это разыскать тело дочери после того, как эти бандиты с ней разделаются. Да и не найдут они ни черта, это же ясно! Если бы речь шла о выкупе, если бы предвиделись какие-то переговоры, можно было бы рассчитывать на то, что похитителей удастся вычислить. А тут ничем таким даже и не пахло, и сделать ничего было нельзя: любая попытка Семена Ивановича поступить вопреки полученным инструкциям неминуемо закончилась бы для его дочери смертью.

Спать ему, разумеется, больше не пришлось, и в том, что с утра он пребывал в самом мрачном настроении, не было ничего удивительного. Радовало только то, что дома нет жены: у Коновалова темнело в глазах всякий раз, когда он представлял, как, какими словами перескажет ей эту историю. Поэтому болтовня пассажиров раздражала его безмерно; господ офицеров хотелось выключить, как телевизор, — так, чтобы разом пропали и звук, и изображение...

Съехав с Кольцевой и отмахав километров десять по широкому загородному шоссе, водитель аккуратно притормозил и съехал на открывшуюся справа лесную грунтовую дорогу.

— Ты куда это, Иваныч? — прервав на середине рассказываемый приятелям анекдот, забеспокоился один из господ офицеров.

— Заправиться не успел, — объяснил Коновалов. — Бензина в обрез, а тут короче километров на тридцать.

— Да ты по этим колдобинам вдвое больше его сожжешь, бензина своего! — встрял еще один из этих олухов.

— Отца своего поучи детишек строгать, — посоветовал ему Семен Иванович. — А то давай местами поменяемся. Не хочешь? Ну, так и помалкивай в тряпочку, ваше благородие.

— Что-то Иваныч наш сегодня не в духе, — слегка обескураженно сообщил своим коллегам советчик.

— Не иначе, баба заездила, — предположил другой.

Коновалов промолчал, отметив про себя, что надо быть осторожнее и не давать воли своему раздражению. Все-таки в машине у него сидели не механизаторы или школьные учителя, а офицеры контрразведки, которым по долгу службы положено подозревать каждого встречного во всех смертных грехах. Как говорится, то, что вы до сих пор на свободе — не ваша заслуга, а наша недоработка... Подозрительность давно стала основой их мировоззрения, и, обратив внимание на непривычно плохое настроение водителя, они могут бессознательно, не придавая этой странности значения, насторожиться, навострить уши и, в конечном итоге, испортить все дело. А о том, что тогда случится, лучше было не думать...

Дорога была разбитая, ухабистая, российская, в самый раз для лесовоза, а еще лучше — гусеничного трактора. Дождя не было уже полторы недели, жара стояла несусветная, и лужи в глубоких рытвинах этого танкодрома подсохли, оставив после себя пятна влажной, вязкой грязи. Их приходилось объезжать, забираясь колесами на обочину, и тогда по бортам с противным звуком скребли ветки. Болтать господам офицерам стало затруднительно, поскольку разговоры теперь были сопряжены с более чем реальной опасностью откусить себе язык. Тот, что сидел справа от Коновалова, попытался закурить — со второй попытки попал сигаретой в рот, чиркнул зажигалкой, некоторое время безуспешно ловил кончиком сигареты пляшущий огонек, а потом машину тряхнуло, он ткнулся лицом в сложенные лодочкой ладони, сломал сигарету, выматерился, как сапожник, и выкинул обломки в открытую форточку. Пока он этим занимался, у него упал стоявший торчком между коленями автомат, и ему пришлось, согнувшись пополам, лезть под переднюю панель и выцарапывать его оттуда. При этом он дважды капитально треснулся головой — первый раз, когда машину опять тряхнуло, о привинченную к панели ручку, и второй — об ту же самую ручку, когда, разгибаясь, задел ее затылком. В багажнике глухо ухали, подскакивая и тяжело опускаясь обратно на пол, связанные в тугие пачки папки со списанными делами, перед глазами у Семена Ивановича ошалело мотался из стороны в сторону ненароком залетевший в форточку слепень, а в голове размеренно стучала, попадая в такт частым толчкам пульса, одна и та же бесконечно повторяющаяся мысль: скоро... скоро... уже совсем скоро, вот-вот...

Дорога плавно заворачивалась вправо, огибая поросший сосновым лесом, довольно крутой глинистый бугор. Слева была болотистая низина, заросшая густым, непролазным смешанным лесом. Оттуда доносился птичий гомон, тянуло сыростью и запахом грибной прели. Краем глаза Семен Иванович заметил у самой дороги здоровенный подосиновик, выставивший из травы крепкую ярко-оранжевую шляпку, но не обратил на него никакого внимания, хотя был заядлым грибником и в другое время непременно остановился бы, чтобы срезать гриб и немного пошарить вокруг с ножичком в поисках его приятелей.

Со склона холма сорвалась пестрая лесная птица и низко над дорогой перелетела в густой подлесок слева, мелькнув чуть ли не перед самым ветровым стеклом. Холм справа сделался круче, между старыми соснами поднялась густая, ярко-зеленая молодая поросль — на вид нежная, пушистая, а на поверку колючая и жесткая. Под корнями рос мох, то седой, то изумрудно-зеленый, проплешинами желтел присыпанный прошлогодней хвоей песок, кое-где белели пестрые стволы берез. Из земли под колесами то и дело выпирали мощные, узловатые, перепутанные, как мочало, корневища, туго накачанные шины с хрустом давили старые, сухие сосновые шишки, которыми кое-где были густо засыпаны колеи.

Потом дорога пошла левее и вниз, оставив холм в стороне. Колеи стали сырыми, кое-где в них поблескивала вода, кусты непролазной темно-зеленой стеной подступили с обеих сторон к самой дороге, а кроны деревьев сомкнулись над головой, образовав что-то вроде сумеречного, сырого тоннеля. Тут было полным-полно сыроежек, они росли густыми, хоть косой коси, группами, и Семен Иванович, несмотря на свое состояние, подумал, что на обратном пути, когда все это кончится более или менее благополучно, надо будет все-таки остановиться и нарезать с полведерка. Вечером, он чувствовал, ему без водки не обойтись, а жареные сыроежки под водочку идут так, что аж за ушами пищит — ел бы и ел, и все мало...

Дорога нырнула в сырую ложбину, и Коновалову пришлось нажать на тормоз, когда он увидел упавшую поперек дороги березу. Машина остановилась, и вместе с ее последним толчком сердце водителя провалилось куда-то вниз, а на его месте образовалась зияющая, сосущая пустота. Семен Иванович понял: вот оно, начинается.

— Ну, — недовольно сказал сидевший рядом с ним охранник, — приехал, Иван Сусанин? Срезал угол, знаток коротких дорог? Давай, врубай задний ход, поехали обратно на шоссе.

— Бензина не хватит, — мрачно, как того и требовали обстоятельства, возразил Коновалов и выключил двигатель. — Станем тут, в лесу, кто тогда за буксиром побежит?

— Ты и побежишь, кто ж еще? — сказали сзади. — Ну, что делать-то будем, пилот?

— Что делать... Убирать надо!

— Ни хрена себе — убирать! Как ты ее, такую дуру, уберешь?

— Посмотреть надо, — сказал Семен Иванович решительно и открыл дверцу. — Может, и ничего. Если не с корнем, так, может, и справимся.

— Справимся, справимся... Башку тебе за это оторвать, прапорщик!

— Это вы умеете, — злобно проворчал водитель и вылез из машины.

Он подошел к березе и бесцельно похлопал ладонью по гладкому, шелковистому на ощупь стволу. Комель скрывался в густом подлеске справа от дороги, и было непонятно, есть там, справа, неподъемно тяжелое корневище с вывороченным пластом сырой земли, или ствол просто переломился. Над головой с писком вились комары, и Коновалов поспешно закурил, чтобы отпугнуть кровососов. Господа офицеры тоже вышли из машины и закурили. Краем глаза Семен Иванович отметил, что все они при оружии. Эх, как бы чего худого не вышло...

Поймав себя на этой мысли, он слабо, болезненно усмехнулся. Как бы чего... А что еще тут может выйти? Чего хорошего он может ждать? Выбор-то у него невелик: до конца выполнить служебный долг и, считай, собственными руками лишить жизни родную дочь, либо... А сейчас у него уже и выбора не осталось. Свой выбор он сделал еще вчера, пока слушал в трубке хрипловатый голос того мерзавца, что похитил дочь, а здесь и сейчас выбирать не приходится — осталось только дождаться развязки и посмотреть, чем все это кончится...

Поскольку никто из господ офицеров не изъявил желания отправиться на разведку, Семен Иванович решил сам посмотреть, что к чему. Раздвинув кусты, он сошел с дороги в высокую, сырую траву. Под ногами почти сразу захлюпало и зачавкало, воздух буквально загудел от взметнувшихся в него несметных полчищ голодных, жаждущих крови комаров. К счастью, далеко идти не пришлось: березовый ствол тянулся всего метра на три от дороги, и был он не выворочен и даже не сломан, а аккуратно спилен.

Чего и следовало ожидать.

— Ерунда, — сказал он, возвращаясь на дорогу. — Корня нет, так что уберем эту деревяшку в два счета. Вчетвером навалимся, и дело с концом.

— Спасибо тебе, Иваныч, — сказал один из господ офицеров, снимая и аккуратно складывая на сиденье машины пиджак, под которым обнаружилась наплечная кобура с торчащей из нее рукояткой пистолета. Куцый милицейский автомат он прислонил стволом к переднему бамперу. — А то я, понимаешь, с утра думаю и все никак придумать не могу: на что бы это мне такое навалиться? Что бы это мне такое, понимаешь ли, поворочать?

— Хватит языками молоть, — сказал другой, яростным шлепком припечатывая к шее целую горсть комаров. — Давайте двигаться, а то до костей обгрызут, сволочи.

Они встали в ряд, примеряясь к непривычной работе. Пока ничего не происходило, Семен Иванович решил действовать заодно со всеми — так, словно ничего не знает об истинной подоплеке событий. Ничего иного ему и не оставалось: не мог же он, в самом деле, лежать в кустах, накрыв руками голову, пока другие корячатся с этим бревном, как Ленин на субботнике! Его бы просто не поняли — то есть, наоборот, поняли бы очень хорошо, а как раз этого ему хотелось меньше всего на свете. Поэтому он встал и обхватил гладкий ствол левой рукой, правой удобно взявшись за очень кстати подвернувшуюся ветку.

— Ну, командуй, умник, — сказал один из господ офицеров, давя комара.

Семен Иванович посмотрел на оставшееся на его белой рубашке пятнышко крови, из которого торчали смятые крылышки и перепутанные лапки, и сказал:

— Ну, раз-два... навались!

Они навалились. Дерево было довольно тяжелое, но и здоровьем их господь не обидел. Пестрый черно-белый ствол приподнялся и замер, удерживаемый на весу руками четверых сильных мужчин.

— Куда его — вперед или назад? — сдавленным от напряжения голосом спросил один из офицеров.

«Как дети, ей-богу», — подумал Семен Иванович.

— Вперед, — сказал он. — Сзади-то машина.

Они двинулись вперед, разворачивая перегородившее дорогу дерево против часовой стрелки. Запутавшаяся в подлеске крона трещала и шелестела, как будто там, в кустах, резвилось целое стадо кабанов, тяжелый комель, описывая дугу, гнул тонкие молодые деревца, которые потом медленно, словно с неохотой, распрямлялись, потряхивая потревоженными ветками.

За всем этим шумом никто не услышал, как позади них на дорогу из леса вышли и остановились, растянувшись цепью, четверо мужчин. В руках у них были компактные скорострельные пистолеты-пулеметы «ингрэм» с длинными, увесистыми набалдашниками глушителей. Один из них был высок, сложен, как античная статуя, и носил аккуратно подстриженную бородку, подковой обрамлявшую его мужественное и волевое, как у героя кинобоевика, лицо. Другой выглядел постарше, весил килограммов на двадцать больше, а его широкое, красное, чемто неуловимо похожее на кабанье рыло, лицо сомнительно украшал налепленный на левую скулу пластырь. Еще двое были заметно моложе и напоминали не то обычных солнцевских быков, не то переодетых в штатское милиционеров. Впрочем, если разобраться, разница между теми и другими не так уж велика, только быки немного честнее: они не прячутся за форменную одежду и уголовный кодекс и сами добывают свои деньги, а не получают их два раза в месяц из окошечка кассы.

Бородач, одетый во все черное, как протестантский священник во время траурной церемонии, коротко кивнул головой. Четыре «ингрэма» поднялись плавным, почти синхронным движением и глухо, шепеляво, залопотали, обильно поливая свинцом безоружных людей, пытавшихся оттащить с дороги неслучайно оказавшееся там дерево.

Выскользнув из мертвеющих рук, спиленная береза с шумом и треском рухнула на землю. Никто из пассажиров «уазика» не успел ни обернуться, ни хотя бы понять, что происходит, — они упали один за другим, замерев в различных, но одинаково неестественных позах.

Так же быстро и почти безболезненно умер и Семен Иванович Коновалов — прапорщик контрразведки, водитель служебного автомобиля и любящий отец, последние несколько часов своей жизни проведший в шкуре предателя. Одна пуля попала ему в затылок, две угодили в печень; целая пригоршня свинца изрешетила обтянутую легкой, насквозь пропотевшей рубашкой спину, мигом превратив ее в брызжущее кровавыми клочьями месиво. Семен Иванович ощутил только тупой толчок в голову, после чего не чувствовал уже ничего. И это было хорошо: по крайней мере, напоследок ему не пришлось пережить нового разочарования. Проживи он еще хоть минуту, он наверняка подумал о том, что голос в телефонной трубке, давая ему инструкции, обещал совсем другой конец этого поганого приключения.

ГЛАВА 12

Альберт Витальевич Жуковицкий в последний раз самостоятельно водил машину по городу уже очень давно. Он привык смотреть на суету и сутолоку городских улиц сквозь тонированное пуленепробиваемое стекло с заднего сиденья бронированного «мерседеса», и теперь, пересев за руль, по дороге из Центра в Марьино пережил несколько весьма неприятных моментов. Оказалось, что за время, проведенное им в почетной роли VIP-персоны, Москва сильно переменилась, и притом не в лучшую сторону; дорожное движение превратилось в ад кромешный, и, продираясь сквозь этот ад, Альберт Витальевич пару раз остро пожалел, что не внял совету Мазура и не доверил это дело кому-нибудь из его бойцов.

Впрочем, услугами своих телохранителей он уже был сыт по горло. Притом, что возглавляемая Олегом Федотовичем служба безопасности обычно не вызывала у него нареканий, а сплошь и рядом оказывалась весьма и весьма полезной; притом, что и сам начальник охраны, и его бойцы были настоящими, проверенными и опытными профессионалами и уже не первый год успешно водили за нос такую могущественную организацию, как ФСБ; притом, что Альберт Витальевич доверял Мазуру настолько, насколько вообще был способен кому-либо доверять, — при всех этих и многих других своих превосходных качествах начальник охраны и его команда в этом деле допускали прокол за проколом, словно их и впрямь преследовал какой-то злой рок.

Несмотря на недавно появившееся у него благодаря стараниям Юргена увлечение астрологией (не столько самой наукой, естественно, сколько ее практическим применением — так сказать, плодами), в злой рок, предопределение и прочую средневековую чушь Альберт Витальевич не верил. На этот счет Юрген ему все очень доходчиво растолковал: звезды — не вершители судеб, они не прокладывают дорог, а лишь указывают путь, это всего-навсего дорожные знаки и светофоры. Все остальное зависит от водителя: он может обращать на знаки внимание или не обращать, может, руководствуясь ими, выбрать оптимальный маршрут и скорость движения, а может мчаться, очертя голову, куда глаза глядят, пока не кончит свою жизнь в кювете, кверху колесами. С этим Альберт Витальевич был целиком и полностью согласен. Человек — хозяин своей судьбы; большинство распоряжается ею, как бог на душу положит, в меру своего слабого разумения. И Юрген с Библиотекарем, каждый со своей стороны, предлагали Жуковицкому вовсе не волшебную палочку и не магический кристалл, а всего-навсего что-то вроде подробного, достоверного дорожного атласа. Мало? Ну, это как посмотреть. Если представить себе жизнь в виде автомобильного ралли, где на финише ждут кого призы, а кого шиш с маслом и дырка от бублика, то хорошая дорожная карта в таком мероприятии не помешает. Ведь это что получается? Кто-то вообще не представляет, в какую сторону ехать, кто-то представляет, но только в самых общих чертах; у кого-то есть даже что-то вроде плохонькой схемы маршрута, а у тебя зато — подробная карта с указанием всех препятствий, всех тропок, по которым можно спрямить путь, всех заправочных станций, постов ГИБДД и даже разбойничьих засад. На этой карте помечен чуть ли не каждый ухаб, едва ли не каждая рытвина; на ней указано даже, с какой скоростью надо ехать, чтобы все без исключения светофоры встречали тебя «зеленой волной». Ну, и кто при таких условиях явится к финишу первым и возьмет самый главный приз? А-а, то-то!

Ну, так вот, о злом роке и так называемом предопределении. Ни во что это Альберт Витальевич, как уже было сказано, не верил, и неудачи, которые преследовали Мазура в этом дельце, склонен был объяснять причинами простыми, чисто земного свойства. Библиотекарь оказался фигурой довольно любопытной, непростой — в обычной жизни такого, пожалуй, встретишь нечасто, если вообще встретишь, — и Олегу Федотовичу пришлось по-настоящему трудно. Мазур, простая душа, долго не мог понять, с кем имеет дело, бросался из крайности в крайность, то относясь к Библиотекарю, как к обычному лоху в дорогом пиджаке, то, получив по носу, вдруг преисполняясь перед ним опасливого трепета. А бородач был и оставался авантюристом в первоначальном, книжном понимании этого слова — искателем опасных приключений, шустрым, отчаянным одиночкой, ловким и предприимчивым стяжателем, для которого не писаны никакие законы и который печется только об одном человеке на всем белом свете — о себе самом. Он верил только себе, рассчитывал только на себя, никого и ничего не боялся, даже смерти; он не признавал поражений, всегда приземлялся на все четыре лапы, выходил сухим из воды, обладал острым умом и безграничной фантазией. Еще он был дерзок и дьявольски, неправдоподобно везуч; родись он раньше, хотя бы лет триста назад, он бы очень далеко пошел. Но время одиночек давно миновало; как только Альберт Витальевич понял, что представляет собой Библиотекарь, он понял также, что нащупал его слабое место.

Понял он это не вчера; это стало ясно в тот самый момент, когда он обнаружил на столе в своем рабочем кабинете вызывающее письмо, в котором Библиотекарь сетовал на неуклюжие действия Мазура и назначал в качестве компенсации новую цену за свой товар.

Сообразив, кто ему противостоит, Жуковицкий без промедления начал действовать. Пока бородач развлекался, сидя напротив него в кабинете с пистолетным дулом у виска и ампулой яда за щекой, Мазур не терял времени даром. В общих чертах обговорив свой план, Библиотекарь удалился, унося за воротником черного костюма крохотный радиомаячок. Похоже, он и в грош не ставил начальника охраны и его подчиненных. Это было хорошо, потому что ему даже в голову не пришло, что против него использовали такой примитивный прием, и, покинув дом Альберта Витальевича, он не потрудился проверить свою одежду на наличие «жучков». С того самого момента люди Мазура неотступно следовали за ним по пятам, сами оставаясь незамеченными. Транслируемый радиомаяком сигнал уверенно принимался на расстоянии до полутора километров; имея соответствующую аппаратуру, ничего не стоило проследить за всеми передвижениями объекта и вычислить место, где Библиотекарь оборудовал себе новое временное пристанище.

И теперь Альберт Витальевич ехал туда — ехал сам, никому не доверив этого важного дела. Он, знал точный адрес и был уверен в том, что его не ждут никакие сюрпризы. Хватит сюрпризов! Этим он сыт по горло. Альберт Витальевич сам подготовит для Библиотекаря сюрприз — долг, знаете ли, во все времена был красен платежом...

На окраине движение было потише. Пользуясь этим, Жуковицкий позволил себе немного ослабить внимание и сосредоточился на обдумывании возможных последствий своей вылазки.

Собственно, никаких негативных последствий данная поездка возыметь не могла. Библиотекарь был в отъезде, под надежным присмотром Мазура и его людей. Самое худшее, что грозило депутату, это впустую потратить время и нервы, копаясь в пожитках бородатого мерзавца. Что ж, бывало и хуже; зато в случае успеха Библиотекаря можно будет смело, с чистой совестью сбросить со счетов.

Наружное наблюдение, осуществляемое при помощи новейших электронных средств показало, что ни к банкам, ни к вокзалам, ни к отделениям связи этот тип за все время слежки не приблизился и на пушечный выстрел. Это позволяло выбросить из головы такие распространенные тайники, как депозитные ячейки, камеры хранения и абонентские почтовые ящики. Вообще, было замечено, что Библиотекарь старается как можно реже бывать в людных местах и особенно в центре — надо полагать, у него имелись на то достаточно веские причины. Видимо, добывая товар, который теперь пытался сбыть Жуковицкому, он крепко где-то нашалил, и в Москве хватало людей, помимо Альберта Витальевича, у кого к этому типу имелись неоплаченные счета.

Это тоже было хорошо. Одиночка имеет некоторые преимущества, пока остается в тени. Но стоит ему заявить о себе, как проблемы начинают множиться в геометрической прогрессии. Слишком много вещей приходится постоянно держать в поле зрения, слишком о многом думать, слишком многое предусматривать и держать под контролем. И это притом, что человеку надо еще есть, пить и, представьте, спать хотя бы по четыре часа в сутки! Библиотекарь просто не рассчитывал на такой продолжительный марафон. Он планировал связаться с Альбертом Витальевичем, хорошенько с ним поторговаться и исчезнуть, срубив сумму, которой ему хватило бы на три жизни. Но пожар на даче неожиданно спутал все карты; с этой точки зрения грубый просчет исполнителей представлялся уже в несколько ином свете. Пожалуй, этот так называемый просчет принес больше пользы, чем самый тонкий, детально проработанный и четко осуществленный план. В результате Альберт Витальевич получил уникальную возможность заграбастать все, ничего не отдавая взамен. Чем плохо? Думай хоть сто лет, все равно лучше не придумаешь!

Прав Юрген: звезды благоволят. Все будет хорошо. Все будет просто превосходно!

Но это только в том случае, если у Мазура все пройдет, как

надо, и если догадки насчет норы Библиотекаря окажутся верны, напомнил он себе. Ну, а если нет…

Бородач снимал однокомнатную квартиру в угловом подъезде огромной, протянувшейся на целый квартал, шестнадцатиэтажной пластины. Альберт Витальевич остановил машину, непрезентабельную бледно-серую «Волгу», во дворе, где среди облезлых качелей и горок с визгом и удалым гиканьем носились, казалось, сотни ребятишек различного возраста, а на скамеечках у подъездов было полным-полно старух. Поодаль группа развеселых молодых людей, обступив какой-то маленький, нелепый, кричаще раскрашенный автомобильчик, горячо что-то обсуждала — надо полагать, достоинства и недостатки этой своей жестянки, особенно глупо смотревшейся из-за присобаченного прямо к округлой крыше гоночного спойлера. Именно этот спойлер, выглядевший тут, как черкесское седло на костлявой спине колхозной буренки, помешал Альберту Витальевичу с первого же взгляда определить, что перед ним самый обыкновенный «Запорожец». Машинка эта, без малого пятидесятилетняя, была вызывающе выкрашена в ярко-алый, с металлическим отливом, цвет, размалевана, как раллийный суперкар, и поставлена на шикарные, сверкающие литые диски, обутые в широкую низкопрофильную резину. Словом, это было как раз то, что покойная бабка Альберта Витальевича называла «выкрасить и выбросить» — никчемная, бесполезная, бросовая вещь, на которую ради забавного внешнего вида были потрачены немалые усилия и серьезные, особенно по меркам этих сопляков, деньги. Зато теперь внимание окружающих было приковано именно к ней, а не к чему-либо еще, и даже бабуси на скамеечке возле нужного подъезда, не отрываясь, смотрели в ту сторону и обменивались неслышными из-за стоявшего во дворе гама репликами.

Жуковицкий вышел из машины и направился к подъезду, подавив в себе желание зайти с тыла и, проскользнув по бетонной отмостке вдоль самой стены дома за спинами у старух, незамеченным юркнуть в подъезд. Он сдержался, потому что это было бы в высшей степени неразумно: солидный мужчина в деловом костюме, при белой рубашке, галстуке и дорогом кейсе не должен красться, как вор. Вид у него был достаточно представительный, чтобы без помех пройти куда угодно, кроме, пожалуй, стратегического оборонного объекта. В данный момент, с учетом отсутствия свиты, он мог сойти за чиновника из окружной управы или иное официальное лицо, находящееся при исполнении служебных обязанностей. Вряд ли эти бабуси знают в лицо депутата Госдумы, выдвигавшегося, к тому же, от другого избирательного округа. Он попытался припомнить, чей это, собственно, округ, чей электорат сидит у него на пути, мешая выполнить задуманное, но так и не вспомнил.

Как и следовало ожидать, проклятые старухи оглядели его с ног до головы, однако никаких вопросов с их стороны не последовало. Чувствуя спиной их заинтересованные взгляды, Альберт Витальевич открыл металлическую дверь подъезда, оборудованную давно испортившимся кодовым замком, и вошел в воняющую сырым цементом и кислыми щами полутьму.

Загаженный лифт — Альберт Витальевич уже и не помнил, когда в последний раз в таком ездил, — лязгая, громыхая и конвульсивно содрогаясь, не вознес и даже не доставил, а кое-как, через силу втащил его на двенадцатый этаж. С облегчением покинув провонявшую мочой и дымом дешевых сигарет кабину, господин депутат немного поплутал в неожиданно длинном, странной планировки, полутемном коридоре и, наконец, отыскал в тупичке дверь с нужным ему номером.

Здесь он немного помедлил, собираясь с духом. Молодость у него была лихая, но когда это было! Если его, уважаемого человека, застукают при попытке незаконного проникновения в чужую квартиру, удержать позиции, сохранить карьеру и состояние будет чертовски сложно. А уж если об этом проведают журналисты, тогда лучше сразу застрелиться.

Звезды, напомнил он себе. Звезды ко мне расположены. А еще говорят: бог любит смелых. Или удача, или что там еще есть над нами... Если там вообще что-то или кто-то есть. А если нет, так и вовсе бояться нечего. Божий суд упразднен, а с судом земным мы как-нибудь разберемся, это нам не впервой...

Он нажал кнопку звонка. Из-за двери послышалось надтреснутое дребезжание. Подождав, Альберт Витальевич позвонил еще раз, долго и требовательно, но в ответ опять не донеслось ни звука, только из квартиры напротив слышалась нежная, пронизанная светлой грустью мелодия — кто-то крутил записи Эдит Пиаф, а может, песенку просто передавали по радио. Сейчас многие оставляют радио включенным на целый день — для того, чтобы создать эффект своего присутствия дома на тот случай, если в гости заглянет квартирный вор. Можно подумать, воры — дураки и не отличат болтовню радиоточки от живой человеческой речи...

Жуковицкий вынул из кармана пиджака дубликаты ключей и один за другим открыл оба замка. Перед тем, как повернуть дверную ручку, Альберт Витальевич вдруг некстати вспомнил взрыв в квартире Леры, при котором погиб подосланный Потапчуком и так блестяще вычисленный Юргеном киллер. Ерунда, подумал он. Звезды! Звезды за меня, а вы мне про какую-то взрывчатку...

Он открыл дверь. Ничего страшного не произошло, за исключением того, что вторая, внутренняя дверь тоже оказалась заперта. Он поковырялся в ней ключом. То ли дубликат ключа вышел не совсем удачным, то ли этот замок заедало от рождения, но со второй дверью пришлось возиться почти целую минуту. Альберт Витальевич уже хотел плюнуть на свою затею и, пока не поздно, убраться от греха подальше, но тут замок щелкнул, и дверь распахнулась.

Перестав, наконец, сдерживать естественное стремление сделаться как можно незаметней, Жуковицкий боком, воровато проскользнул в прихожую и сразу же запер за собой наружную стальную дверь. Потом, подумав, прикрыл внутреннюю, обеспечив себе, таким образом, хоть какую-то звукоизоляцию. Как уже было сказано, молодость у Альберта Витальевича выдалась бурная, богатая событиями, но вот кражу со взломом он совершал впервые и сейчас очень боялся что-нибудь забыть или упустить из-за вполне понятного волнения. Он понятия не имел, правильно ли действует или, наоборот, собственными руками роет себе могилу; в связи со всем этим вспоминался один из рассказов Конан-Дойла, где знаменитый сыщик Шерлок Холмс, впервые незаконно проникнув в чужой дом, наследил там, как корова в валенках, и только чудом избежал ареста. Альберту Витальевичу снова подумалось, что безопаснее было бы послать сюда кого-то из людей Мазура, но он немедленно отогнал эту мысль, как не заслуживающую внимания. Безопаснее — да, пожалуй, хотя и ненамного. Но вот спокойнее ли? Ох, вряд ли. Ясно, что второго такого случая не представится. Попытка только одна, и нужно быть на сто процентов уверенным в результате: да — да, нет — нет. Некогда ждать, пока эти олухи царя небесного, эти так называемые профессионалы, отыщут искомое и с соблюдением всех своих профессиональных правил и заморочек доставят его по месту назначения. Они ведь даже не знают, как эта штука выглядит, и легко могут ошибиться, взять не то. А Альберт Витальевич держал эту вещь в руках и, надо полагать, узнает с первого взгляда... Но главное — время.

Обстановочка в квартире была, мягко говоря, аскетическая — видимо, сдавали это жилье либо совсем без мебели, либо с тем минимумом предметов интерьера, который лень было вывезти хотя бы на свалку: продавленная раскладушка, застеленная рваным, но довольно чистым шерстяным одеялом, испятнанный масляной краской самых разнообразных цветов и оттенков древний колченогий табурет и больничного вида деревянная тумбочка, которой на глаз было лет пятьдесят, если не больше. На кухне обнаружилась похожая на подбитый танк газовая плита с наполовину оторванной дверцей духовки; у окна стоял складной дачный столик, имевший такой вид, словно его притащили сюда со свалки, и при нем еще один табурет — поновее того, что в комнате, но зато гораздо хуже сохранившийся. На подоконнике была расстелена пожелтевшая, пыльная газета, на которой стояла пустая бутылка из-под водки, причем явно не первый год. С потолка свисала на грязном шнуре голая, засиженная мухами лампочка, пыльное окно было до половины занавешено ветхой, покрытой пятнами тряпицей.

Это было все, и это было просто отлично, поскольку, во-первых, лишний раз укрепляло Альберта Витальевича в его нелестном мнении о Библиотекаре (сам он ни за что не поселился бы в такой тараканьей берлоге, даже находясь в бегах), а во-вторых, существенно облегчало поиски. Одно дело — искать вещицу размером с обыкновенный ежедневник в заставленном дорогой мебелью, аппаратурой и антиквариатом трехэтажном особняке на Рублевском шоссе, и совсем другое — тут, в этой квартирке, похожей на две составленные вместе пустые коробки из-под обуви.

Поиски отняли совсем немного времени. Альберт Витальевич ощупал постель, заглянул под раскладушку, простучал стенки пустой тумбочки (чувствуя себя при этом великовозрастным дебилом, играющим в шпионов), пошарил вокруг плиты и внутри нее, испачкав руки старым, мохнатым от налипшей на него пыли жиром, попробовал снять решетку с вентиляционной отдушины, нисколько в этом не преуспел, помыл руки под краном и вышел в прихожую, прикидывая, где еще поискать. Он проверил встроенные шкафы и антресоли, пошуровал под ванной найденным здесь же старым веником и разочарованно выпрямился, не зная, что делать дальше. Дневника не было, а время шло.

Жуковицкий закурил и вышел из ванной, не представляя, что предпринять. Дневник Бюргермайера должен был находиться здесь, в этой квартире — так, по крайней мере, ему казалось до сих пор. Теперь, стоя в узком, освещенном проникающими из кухни солнечными лучами коридорчике, он начал понимать, что выдавал желаемое за действительное. Дневник, пропади он пропадом, мог храниться буквально где угодно. Библиотекарь не такой уж лох, чтобы все время держать его при себе. Ну, и что теперь делать?

Он докурил сигарету, рассеянно открыл дверь туалета и механически, по привычке бросил окурок в унитаз. В унитазе коротко зашипело, и сейчас же злобно зашипел сам Альберт Витальевич. Чертова глупость! Раз дневника нет, Библиотекаря трогать нельзя. А раз его нельзя трогать, он вернется сюда. Зайдет по нужде в сортир, а в унитазе — чужой бычок... Надо быть полным идиотом, чтобы не сообразить, откуда он тут взялся. А сообразив это, нетрудно понять и все остальное...

Жуковицкий потянулся к бачку, чтобы спустить воду, но вовремя одумался. Окурок не утонет, пока как следует не намокнет. А пока он будет плавать, потихонечку пропитываясь водой, можно проверить вентиляцию.

Он поднял сиденье, встал ногами на унитаз и дотянулся до вентиляционной решетки. В отличие от кухонной, эта решетка снялась без проблем. Альберт Витальевич запустил испачканную побелкой ладонь в отдушину. Там, внутри, было полно пыли, цементных крошек и какого-то неопределенного мусора. Чего там не было, так это дневника Бюргермайера. Собственно, ничего иного Альберт Витальевич уже и не ждал; он полез в отдушину просто на всякий случай, зная, что ничего не найдет, но в глубине души надеясь на чудо. Точно так же, помнится, в далеком детстве он несколько дней подряд часами бродил по улице, глядя себе под ноги в надежде найти потерянный ключ от квартиры. И он таки нашел его, но случилось это, увы, через два дня после того, как отец поменял замок на входной двери...

Он слез с унитаза и посмотрел, как там окурок. Все в порядке: он насквозь пропитался водой и, казалось, был готов затонуть сам, без посторонней помощи. Альберт Витальевич дернул ручку, и в унитаз с шумом хлынула вода, смыв единственную улику его пребывания в этой норе. Сквозь шум воды ему послышался какой-то стук — похоже, в этом доме, с виду не таком уж старом, все давно просилось на слом, и унитаз не являлся исключением из общего правила.

Жуковицкий повернулся к унитазу спиной, шагнул за порог и остановился. Все-таки что-то тут было не так, хотя он еще не понял, что именно.

Он прислушался. В бачок с характерным шумом лилась вода, и сквозь ее плеск и шипение опять доносился какой-то стук — негромкий, частый, неравномерный, как будто струя воды падала на какой-то посторонний предмет и тот, подскакивая под ее тугим напором, ударялся о фаянсовые стенки бачка.

— Занятно, — сказал Альберт Витальевич, вслушиваясь в этот стук.

Пару секунд он осваивался с незнакомой конструкцией, а затем, сообразив, что к чему, отвинтил ручку и обеими руками взялся за края фаянсовой крышки. Ему пришло в голову, что, если бы за этим занятием его застал кто-нибудь из коллег по Думе, вышло бы действительно забавно. А что? Депутат Жуковицкий не гнушается никакой работой и лично чинит сантехническую посуду в квартирах избирателей... Ха-ха.

Он поднял крышку и не поверил собственным глазам. В бачке лежала стеклянная банка с завинчивающейся крышкой, а в банке, варварски свернутый в трубку и перехваченный поперек зеленой аптечной резинкой, — тот самый дневник, который Альберт Витальевич уже не чаял отыскать.

Тяжелая скользкая крышка вырвалась из рук, с грохотом ударилась об край унитаза и разлетелась на куски. Альберт Витальевич вздрогнул от неожиданности и замер, прислушиваясь. Он стоял с сильно бьющимся сердцем минуты две, но никто из соседей не прибежал на шум. Тогда он запустил руку в бачок и выудил оттуда мокрую банку. Рука его потянулась за мобильным телефоном, но он передумал звонить Мазуру: сначала надо было убедиться, что в банке лежит именно то, что он искал.

* * *

— А не маловато нас для такого дела? — с сомнением спросил Олег Федотович, оправляя пиджак, из-под которого выпирал вороненый казенник «ингрэма».

— Я уже говорил, — терпеливо произнес Библиотекарь, который сидел за рулем, — главная защита, главная гарантия безопасности и неприкосновенности этого места — то, что о нем никто не знает. Его не должно быть, и официально его действительно нет.

— Что ж это за место такое? — спросил Мазур.

— Ты действительно хочешь это знать?

— Да, — подумав, согласился начальник охраны, — ты прав. Ну его к черту!

— Вот и молодец, — похвалил бородач. — А то я уже было заподозрил тебя в суицидальных наклонностях.

Захваченный ими «уазик» катился тем же путем, каким Иван Яковлевич не так давно вез Глеба Сиверова к новому месту службы: сначала по тенистому бульвару, а потом вдоль маневровых путей, за которыми виднелось здание вокзала. Поравнявшись с Дворцом культуры, Библиотекарь притормозил и повернул за угол. Перед железными воротами в высоком кирпичном заборе он остановился и посигналил.

— Ну и дыра, — сказал с заднего сиденья неугомонный Баранов. — Никогда бы не подумал, что в этой помойке можно откопать что-то ценное.

— Помолчите, — не оборачиваясь, сказал Библиотекарь. — Говорить буду я, а ваше дело — сидеть с умным видом и улыбаться. Только не очень широко. Если они хоть что-то заподозрят, провести разбор полетов нам уже не удастся — замочат на месте, и пикнуть не успеем.

— Все перекаты да перекаты, — пробормотал Баранов и умолк, потому что железные створки ворот, дрогнув, начали расходиться в стороны.

Сразу за воротами обнаружился КПП — полосатый шлагбаум и облезлая дощатая будка с подслеповатым окошечком, на крылечке которой стоял крепкий, как боровичок, дядечка лет сорока пяти, в армейском камуфляже, подпоясанный широким офицерским ремнем. На ремне, заметно оттягивая его книзу, висела обшарпанная кобура, а в руках дядечка держал короткоствольный «Калашников», ствол которого был направлен в ветровое стекло машины. Автомат был с глушителем, будка вместе с охранником с улицы не видна, а тут и ворота закрылись, и Мазур подумал, что, если этот долдон в камуфляже сейчас откроет огонь, там, снаружи, никто ничего не увидит и не услышит.

Библиотекарь крутил ручку, опуская оконное стекло. На лице его играла широкая, искренняя улыбка, а глаза прятались за темными стеклами солнцезащитных очков, так что судить об их выражении было трудно. Открыв окно, он протянул подошедшему охраннику путевой лист и накладную.

— А Иваныч где? — подозрительно спросил охранник, пробежав глазами бумаги.

— Захворал, — сказал Библиотекарь.

Охранник с сомнением почмокал губами, покрутил головой и даже оглянулся на свою будку, где, без сомнения, имелся телефон. Мазур напрягся, подавляя желание запустить руку под пиджак и снять «ингрэм» с предохранителя: этот пузан в камуфляже наверняка был не так прост, как могло показаться на первый взгляд. Глаза у него были холодные, цепкие, и делать лишние движения, находясь под прицелом этих глаз, наверное, действительно не стоило.

— Ну, Аркадий Степанович, — с оттенком насмешки проговорил Библиотекарь, — ты нас пропустишь, или мне эту макулатуру обратно везти?

Охранник вздрогнул, заморгал глазами и наклонился к самому окну, вглядываясь в его лицо. Чтобы помочь ему, Библиотекарь снял темные очки.

— Ба! — воскликнул охранник. — Это как же получается? А говорили, что ты... того, этого...

— А ты всему веришь, что говорят? — улыбаясь, спросил Библиотекарь. — Раз говорят, значит, надо, чтобы все так думали. Ну, ты же сам все прекрасно понимаешь, не первый год замужем.

— Это да, — согласился охранник, с серьезным до комичности видом возвращая ему документы. — Ну, жив, и слава богу.

— Только ты, Аркадий Степанович, языком... того, не очень, — сказал Библиотекарь.

— Не первый год замужем, — многозначительно повторил его слова охранник и поднял шлагбаум.

— Ну, ты ловкач, — неодобрительно протянул Мазур, когда шлагбаум и будка остались позади, а машина покатилась по ухабистому, с островками травы, немощеному двору, посреди которого ржавел установленный на бетонные блоки остов какого-то павшего в битве с российским бездорожьем грузовика. — Называется, прошел фейс-контроль! Он же тебя срисовал не хуже фотоаппарата! Он же тебя знает, как облупленного!

— Ну и что? — пожал широкими плечами Библиотекарь, направляя машину к приземистому зданию котельной, сложенному из красного, местами уже начавшего крошиться кирпича. Огромные закопченные окна с частым переплетом и отсутствующими кое-где стеклами тускло отражали солнечный свет, по обеим сторонам от входа, наполовину скрытый сухим бурьяном, ржавел какой-то металлолом. Это место выглядело мертвым, заброшенным сто лет назад и никому не нужным, но над высокой кирпичной трубой, несмотря на жару, поднимался легкий дымок.

— Ну и что с того? — повторил Библиотекарь, подгоняя машину к длинной пристройке под односкатной, пятнистой от битума крышей, останавливаясь и снова нажимая кнопку сигнала. — Во-первых, не знает, как облупленного, а просто видел пару раз, а во-вторых, какое это имеет значение? У меня сто имен, и все, кто значился под этими именами, давно занесены в списки погибших. Я не существую, и искать меня негде. А получу у твоего босса деньги, меня и вовсе днем с огнем не найдешь — оторвусь за бугор, и поминай, как звали.

— Ловкач, — с прежней неодобрительной интонацией повторил Мазур.

— Не я один такой, — снова нажимая на сигнал, с улыбкой сказал Библиотекарь. — Вы с твоим хозяином тоже хороши. Скажи лучше, зачем он тебе звонил?

Олег Федотович притворно изумился.

— Кто?

— Конь в пальто, — хладнокровно ответил бородач. — Только не надо рассказывать сказочки про жену. «Здравствуй, Зина, я же просил не звонить мне на работу», — передразнил он, довольно похоже имитируя голос Мазура. — Не надо со мной шутить. Дело серьезное, а вы разводите за моей спиной какие-то сепаратные переговоры! Черт, что они, передохли там все, что ли?

Он опять с силой придавил кнопку сигнала.

— Ну, так что он тебе сказал? — повторил он свой вопрос, поворачивая к Мазуру лицо, на котором теперь не было и тени улыбки.

— Сказал, если начнешь фокусничать, отстрелить тебе башку к чертовой матери, — глядя ему в глаза, ответил начальник охраны.

Библиотекарь усмехнулся.

— Ну, эта палка, как и все, о двух концах, — сказал он. — И потом, время фокусов миновало. Какие фокусы? Я заинтересован в благополучном исходе этого дела не меньше, чем он.

Широкие дощатые ворота пристройки, наконец, распахнулись. Каждую створку толкал вооруженный охранник. Это были не слишком молодые, крепкие ребята — как говорится, не мальчики, но мужи, — в сером милицейском камуфляже, разного роста и телосложения, с абсолютно несхожими чертами лиц, но в чем-то главном одинаковые, как братья-близнецы.

Библиотекарь загнал машину в пристройку, и ворота за ней сразу же закрылись. Под потолком вспыхнули лампы в пыльных, забранных металлической решеткой плафонах. Охранники, цокая по бетонному полу подкованными каблуками, шли к машине.

— Спокойно, — едва слышно произнес Библиотекарь. — Мочим, когда откроют окно. Айда, выходим.

Выбравшись из машины, Мазур увидел окно — квадратный проем в стене над самым полом, закрытый железной дверцей. С виду дверца была хлипкая, но, судя по конфигурации замочной скважины, замок в ней стоял серьезный, и взломать ее можно было разве что динамитом. Справа от окна виднелась кнопка электрического звонка, а слева — архаичный настенный телефон армейского образца, с массивной трубкой и без диска.

Еще здесь имелась дверь — обычная деревянная дверь без таблички, за которой, судя по всему, располагалось караульное помещение. Догадка Мазура подтвердилась, когда она распахнулась, и оттуда вышли еще двое вооруженных охранников.

Библиотекарь обошел машину и открыл дверь багажного отсека, где кривыми картонными башнями белели поставленные друг на друга связки папок. Один из автоматчиков еще раз проверил сопроводительные документы, удовлетворенно кивнул и нажал кнопку электрического звонка. Потом снял трубку телефона, сказал в нее коротко: «Принимай», и лишь после этого, звеня чудовищной связкой ключей, неторопливо отпер замок.

Библиотекарь перехватил напряженный, вопросительный взгляд Мазура и едва заметно отрицательно качнул головой. Охранник с натугой потянул на себя стальную заслонку, и стало видно, что ее толщине позавидовала бы дверь хорошего банковского сейфа. От окна вниз уходил наклонный металлический короб. Оцинкованное железо его верхней грани и боковых стенок было матовым, тускло-серым, зато дно гладко лоснилось, отполированное до блеска тоннами макулатуры, год за годом скользившей по этому пути сверху вниз. Все это так напоминало грузовой пандус обычного гастронома, что догадаться о назначении данной конструкции было нетрудно и без объяснений.

Двое автоматчиков стали по сторонам проема, держа оружие наперевес. От внимания Мазура не ускользнуло то, в каком положении находятся флажки предохранителей. «Калаш-

187

никовы» были поставлены на автоматическую стрельбу, а это означало, что тут свято чтят старую, но по-прежнему актуальную поговорку: доверяй, но проверяй. Честно говоря, глядя на этих серьезных, настороженных ребят, он ощущал себя довольно неуютно, а спрятанный под пиджаком скорострельный пистолет-пулемет казался таким же далеким и недоступным, как если бы лежал где-нибудь на дне Марианской впадины или, к примеру, на Луне. Пока его оттуда достанешь, тебя сто раз успеют превратить в дуршлаг…

Еще двое автоматчиков стали у ворот, через которые «уазик» въехал в пристройку. Олег Федотович оценил эту расстановку: стоя там, где стояли, охранники могли беспрепятственно просматривать, а при нужде и простреливать все помещение. Куда ни прячься, как ни финти, как минимум один из них все время будет держать тебя на мушке…

Поэтому Мазур не стал ни прятаться, ни финтить, а остался, где был, то есть около правой передней дверцы «уазика». Машина более или менее прикрывала его от огня со стороны окна, а из двоих автоматчиков, охранявших ворота, ему отсюда был виден и, следовательно, представлял собой потенциальную угрозу только один. А если план Библиотекаря сработает, скоро от этой угрозы не останется и следа. Только бы он сработал!

Библиотекарь, насвистывая, полез в багажник и вынул оттуда первую связку картонных папок. Левой рукой он держался за веревку, которой были перевязаны папки, а правой поддерживал увесистую пачку снизу. Так было задумано с самого начала; еще в лесу Библиотекарь засунул поставленный на боевой взвод «ингрэм» под эту пачку, и теперь автомат был у него в руке, прикрытый сверху стопкой перевязанных прочной бечевкой папок. Бородач выпрямился, развернулся и выпустил короткую очередь в охранника, который наблюдал за Мазуром. Бросив свою ношу на пол, он резко развернулся и дал еще одну очередь, свалив второго.

Как только послышался хлопок первого выстрела, Мазур выхватил из-под полы автомат и, высунувшись из-за кабины, поверх капота полоснул длинной, на всю обойму, очередью по тем двоим, что стерегли окно. Стена вспенилась известковой пылью, во все стороны брызнули осколки кирпича, и оба охранника, не издав ни звука, сползли на пол, оставляя на серой штукатурке смазанные кровавые полосы.

Все произошло практически мгновенно и почти беззвучно. Мазур вышел из-за машины и увидел, что один из охранников еще жив. Очередь прошла наискосок, размозжив его товарищу череп, а его самого всего лишь ранив в плечо. Несколько пуль, по всей видимости, попали в бронежилет, наставив ему синяков и, быть может, даже переломав парочку ребер. Но он был жив и, стоя на четвереньках, медленно, явно превозмогая сильную боль, подтягивал к себе за рукоятку отлетевший в сторону автомат.

Мазур нажатием кнопки выбросил пустую обойму, загнал на ее место новую и передернул затвор, готовясь избавить беднягу от мучений. Но тут Баранов, который успел выхватить автомат, но не успел выстрелить хотя бы разочек, с двух шагов выпустил очередь охраннику в затылок и, подскочив, ударом ноги столкнул окровавленный, почти безголовый труп в зияющий квадратный проем открытого окна.

Ничего умнее Баранов, конечно, придумать не мог, даже если бы ему хорошо заплатили за то, чтобы он провалил операцию. По замыслу Библиотекаря, они должны были сначала отправить вниз, в хранилище, пару пачек бумаги, чтобы усыпить бдительность персонала, и только потом, когда сидящий в подвале старый книжный червь сосредоточит внимание на столь обожаемой им макулатуре, поднести ему сюрпризец, спустившись тем же путем — то есть попросту съехав по трубе. А теперь, получив вместо списанных уголовных дел свеженький труп, старикан, который, если верить Библиотекарю, тоже не лыком шит, успеет подготовить им торжественную встречу...

— Идиот! — зарычал Мазур. — Ты что делаешь, долдон?!

— Так, а чего он?.. — промямлил Баранов, уже осознавший, что натворил. — Прости, Федотыч, я машинально...

— Машинально, — передразнил подбежавший Библиотекарь и, схватив Баранова за плечо, толкнул его к окошку. — За ним, быстро, бычара безмозглый!

Баранов независимо вырвал из его руки свой рукав и взглянул на Мазура, как бы спрашивая, как поступить.

— Что вылупился? Живо! — вызверился начальник охраны, понимая, что видит Баранова живым в последний раз.

Мамалыга, судя по выражению лица, которое Мазур успел заметить краем глаза, тоже это понял, однако от комментариев воздержался: тот, кто первым спустится в подвал по трубе, со стопроцентной вероятностью схлопочет пулю между глаз. Благодарить за это надо Баранова, и никого, кроме него. Так кому в таком случае спускаться первым? Тут только и остается, что, как на театральной премьере, крикнуть: «Автора!»

Весь этот безмолвный обмен мнениями занял не больше секунды, а в следующий миг Баранов, тоже все понимая, но не имея ни одного конструктивного контраргумента, ногами вперед нырнул в трубу и, выставив перед собой «ингрэм», заскользил, набирая скорость, по наклонной плоскости — вниз, навстречу своей судьбе.

ГЛАВА 13

Когда вместо папок со списанными делами из приемного окошка, обильно пачкая все вокруг кровью из разнесенной вдребезги, как спелая тыква, головы, мешком вывалился и распластался поверх груды еще не просмотренных бумаг мертвый охранник в пестром серо-черном милицейском камуфляже, Ефим Моисеевич мгновенно все понял. Случилось то, что рано или поздно должно было случиться: кто-то пронюхал о хранилище и решил прибрать его к рукам, а может быть, и просто уничтожить. Хотя, с другой стороны, уничтожить такой кладезь бесценной информации ни у кого не поднимется рука: на этих полках хранится столько компромата, что с его помощью можно за какой-нибудь час, как крошки со стола, смахнуть с занимаемых постов все руководство страны, а заодно поставить к стенке всех без исключения по-настоящему состоятельных россиян.

Помянув недобрым словом нового Библиотекаря, который, если даже не был сам замешан в этом деле, то, как минимум, накаркал неприятности, вслух упомянув о возможности налета, старик принялся действовать: хлопнул ладонью по укрепленной снизу на крышке стола кнопке тревожной сигнализации, выхватил из ящика пистолет и метнулся к стеллажам.

Это было проделано вовремя. В следующий миг в трубе опять послышалось нарастающее громыхание, и в груду сваленных под окошком неразобранных бумаг, поверх которой лежал труп охранника, с тупым стуком ударила автоматная очередь. Выстрелов слышно не было, из чего следовало, что автомат оснащен глушителем. Это было лишним подтверждением того, что на хранилище напали профессионалы, и Ефим Моисеевич слегка затосковал. Охрана этого места была поставлена недурно, но ее было не так много, как ему хотелось бы в данный момент.

Где-то очень далеко, у него за спиной, с грохотом распахнулась дверь, ведущая к лифту, и послышался тяжелый топот спешащих на выручку охранников. В это самое время из трубы вперед ногами, как спущенный с борта военного корабля покойник, вместе с целым водопадом стреляных гильз вылетел первый из гостей. Он шмякнулся на лежащий под окном труп и, не вставая, осыпал все вокруг частым свинцовым градом из уродливого, но очень эффективного в ближнем бою короткоствольного пистолета-пулемета. На голову Ефиму Моисеевичу посыпались клочья рваной бумаги: сбитая с полки, пробитая почти точно по центру папка, теряя на лету свое содержимое, свалилась откуда-то сверху и чувствительно ударила по плечу. Гость уже начал подниматься, одной рукой упираясь в расползающуюся груду бумаги, а другой держа перед собой плюющийся свинцом «ингрэм», когда Ефим Моисеевич, высунувшись из своего укрытия, выстрелил в ответ.

Пуля сорок пятого калибра ударила одетого в бронежилет Баранова точно между глаз. Он снова упал, откинув простреленную голову на тело убитого им охранника, и выпустил автомат. Но из окошка, как снаряд из орудийного ствола, уже вылетел Мамалыга и, кубарем откатившись в сторону, тоже открыл огонь — вслепую, наугад, но так густо, что Ефиму Моисеевичу поневоле пришлось пригнуться и попятиться. Старик выстрелил, но этим лишь выдал свое местоположение, и огонь стал прицельным.

Вслед за Мамалыгой, почти без паузы, в подвал один за другим ссыпались Мазур и Библиотекарь. Пока бородач запирал на засов прочную металлическую заслонку окна, а Мамалыга перезаряжал оба автомата — свой и Баранова, — Мазур прикрывал их огнем. Потом из глубины помещения, которое показалось впервые наведавшимся сюда Мазуру и Мамалыге прямо-таки безграничным, гулко простучала первая автоматная очередь подоспевшей охраны. Шальная пуля угодила в стальную заслонку, и та загудела, как колокол; еще одна очередь пришлась по письменному столу Ефима Моисеевича, понаделав в нем дырок и набросав кругом щепы. Тесно поставленные бесконечными рядами, загроможденные бумагой стеллажи ограничивали обзор; кто-то из ворвавшихся в подвал охранников, по всей видимости, принял лежащего у стены на груде окровавленной макулатуры Баранова за источник реальной угрозы, и новая очередь с меткостью, достойной лучшего применения, простучала по его легкому импортному бронежилету, заставив мертвое тело мелко задрожать. Мазур видел это, но не проникся к своему убитому подчиненному сочувствием: с учетом того, что натворил этот кретин, Олег Федотович сейчас с огромным удовольствием попинал бы его труп ногами, чтобы хоть немного отвести душу.

Увы, в данный момент ему было не до сведения счетов с мертвецами, поскольку живые представляли собой куда более серьезную проблему. Ныряя между стеллажами, увертываясь от пуль, стреляя в ответ, перезаряжая и снова стреляя по мелькающим в узких просветах между протянувшимися, казалось, на километры рядами полок плечистым фигурам, Мазур насчитал четверых автоматчиков. Не следовало забывать также и о старике, который с завидной, не по возрасту, меткостью постреливал из огромного, страшного даже на вид иностранного пистолета, калибр которого было несложно оценить по зиявшей во лбу Баранова дыре. Противник, таким образом, имел неоспоримое численное превосходство, к тому же он был, что называется, в своем праве, на своей территории, тогда как команда Мазура, фактически, очутилась в ловушке, из которой теперь существовал только один выход — вперед, по трупам врагов. Вот только враги, увы, не торопились становиться трупами...

Перебежав немного вперед и правее, Олег Федотович одним толчком сбросил с полки десятка полтора пухлых картонных папок, открыв себе что-то вроде амбразуры. Выглянув в нее, он увидел старика, который, стоя на одном колене и держа пистолет обеими руками, тщательно целился в кого-то, похоже в «покойного» Библиотекаря. У Мазура имелся четкий, недвусмысленный приказ босса, но в данный момент Библиотекарь был ему жизненно необходим — не меньше, а может быть, и больше, чем проверенный и незаменимый Мамалыга.

Старик резко обернулся на шум обрушившихся папок и испугавшийся за свою жизнь Мазур выстрелил гораздо поспешнее, чем того требовало его достоинство неустрашимого и хладнокровного профессионала, и намного длиннее, чем собирался. Стреляные гильзы фонтаном брызнули из казенника, боек сухо щелкнул, упав на пустой патронник, но старик зато был готов. Его изодранная пулями меховая безрукавка, надетая поверх теплой байковой рубахи, повисла рваными клочьями; сплясав короткий танец смерти, он боком рухнул на стеллаж и повалился на пол, а папки, каждую из которых он лично выбрал из невообразимых куч бумажного хлама и внимательно прочел, обрушившись сверху, погребли его, став могильным курганом из исписанной бумаги. Торчащие из этой кучи ноги в огромных разбитых башмаках с косо стоптанными каблуками немного поскребли пятками по цементному полу и замерли.

Мазур сменил в «ингрэме» обойму, резко обернулся на послышавшийся справа шорох и успел всадить очередь в высунувшегося из-за стеллажа охранника раньше, чем тот сумел хотя бы навести на него автомат. Опрокидываясь на спину, охранник все-таки нажал на спуск, «Калашников» загрохотал, задергался, и по потолку пробежала длинная, кривая цепочка фонтанчиков известковой пыли. Эта бессмысленная, рефлекторно выпущенная очередь сбила лампу дневного света; колба осыпалась дождем стеклянных осколков, а жестяное основание, раскачиваясь, как маятник, криво повисло на проводе.

Потом в проходе, где стоял Мазур, показался Мамалыга. Не замечая своего начальника, двигаясь боком, приставными шагами, он палил в кого-то невидимого сразу из двух «ингрэмов». В ответ тоже стреляли, заставленные папками полки так и плевались бумажными клочьями и облачками едкой архивной пыли, пули высекали из металлических стоек длинные бледные искры и с душераздирающим визгом улетали в никуда. Потом Мамалыга со злобной радостью в голосе выкрикнул: «Ага, сучара!», из чего можно было сделать вывод, что его противнику не повезло.

Повернув голову, он увидел Мазура и поднял руку с автоматом в приветственном жесте. В это время где-то за стеллажами опять коротко и гулко прогрохотал «Калашников», Мамалыга охнул, сложился пополам и исчез из поля зрения. За стеллажами раздался одиночный выстрел, потом приглушенно, как резиновым молотком в стенку, простучал «ингрэм», что-то с шумом обрушилось, и спокойный голос Библиотекаря громко позвал:

— Эй, есть кто живой? Кажется, все. Кто сколько жмуриков видит?

— Я — два, — помедлив, откликнулся Мазур.

Мамалыга промолчал, Баранов, естественно, тоже.

— Ну, и я три, — сказал Библиотекарь. — Значит, все.

Он показался из-за стеллажей — совсем не там, откуда Мазур ожидал его появления, — и подошел к начальнику охраны. В правой руке Библиотекарь держал «ингрэм», а локтем левой прижимал к боку толстенную, древнего вида, сильно пожелтевшую и обтерханную папку с коричневыми, завязанными узлом с двумя бантиками, тесемками. Плечо и локоть его траурно-черного пиджака были выпачканы чем-то белым — не то мелом, не то пылью, — на щеке подсыхали брызги чужой крови, но в остальном он был бодр и свеж, как будто полчаса назад встал с постели, принял душ и выпил утреннюю чашечку кофе.

— Оно? — глядя на папку, спросил Мазур.

— Оно, оно, — рассеянно ответил Библиотекарь, вертя головой во все стороны. — Старик где?

— Вон он, — сказал Мазур, указывая на груду папок, из-под которой торчали ноги в стоптанных башмаках. — Готов старик.

— Совсем готов? Насмерть?

— Мертвее не бывает.

— Жаль, — сказал Библиотекарь. — Я сам хотел разобраться с этим старым пархатым гоблином. Жаль! Но ничего не поделаешь. А ты уверен?..

— Не веришь — проверь, — нарочито грубо ответил Мазур, озираясь по сторонам.

Ему все еще казалось, что бородач ошибся и что прямо сейчас по узким проходам между стеллажами к ним крадутся десятки вооруженных людей. Неужели это и вправду все?

— А что ты думаешь? — сказал Библиотекарь. — И проверю. Потому что это такая хитрая сволочь, что ты даже представить себе не можешь...

Чтобы не огибать длинный стеллаж, он сбросил на пол новую груду папок и ловко пролез в узкий промежуток между полками. Мазур последовал за ним — увы, далеко не так легко и непринужденно, поскольку для него эта щель была, мягко говоря, узковата.

Когда он выпрямился, Библиотекарь уже стоял над трупом старика и стволом автомата одну за другой отбрасывал в сторону похоронившие его папки. Вид у него был настороженный, словно он действительно ожидал, что покойник может в самый неподходящий момент ожить и, вскочив, вцепиться ему в горло скрюченными пальцами.

В тишине подземелья гулко, как в бочку, прогрохотала далекая автоматная очередь, пули с громом и лязгом ударили снаружи в стальную заслонку приемного окошка. Мазур вздрогнул от неожиданности.

— Идиоты, — сказал Библиотекарь, продолжая разбрасывать папки. — Только время зря теряют. Им бы зайти с другой стороны, но они же понятия не имеют, где вход... Вот она, секретность!

Он обернулся через плечо, словно приглашая Мазура вместе с ним по достоинству оценить юмор ситуации, и увидел в нескольких сантиметрах от своего лица тускло лоснящийся торец глушителя с воняющей пороховой гарью черной дырой выхлопного отверстия.

Начальник охраны не дал ему времени даже на то, чтобы до конца осознать происходящее. Этот человек уже не раз доказывал свою ловкость и быстроту реакции, а в руке у него находился заряженный скорострельный «ингрэм». Библиотекарь был опасен, а Мазур просто не мог рисковать. Пистолет-пулемет в его руке зло подпрыгнул, издав короткий хлопок, похожий на звук энергичного плевка. Библиотекарь упал рядом с трупом старика, и Мазур для верности еще дважды выстрелил в распростертое среди раскиданных как попало папок и разрозненных листов бумаги тело.

Он наклонился и поднял с пола увесистую, толстую папку — то, зачем они сюда явились. В неподвижном воздухе подземелья медленно плавал, постепенно оседая вниз, сизый пороховой дым, и пахло здесь уже не так, как раньше — затхлой бумажной пылью и подгоревшей снедью, которую, по всему видать, старик разогревал себе на какой-нибудь электроплитке, — а так, как пахнет в стрелковом тире после дня интенсивных занятий — кислой пороховой гарью и горячей оружейной смазкой. В тишине монотонно зудела, собираясь перегореть, лампа дневного света; потом со стороны приемного окна раздался глухой лязг, словно снаружи кто-то с разгона въехал в железную заслонку обеими ногами, а спустя мгновение в подвале раздался звук, который ни с чем нельзя было спутать — высокий, скребущий по нервам визг «болгарки», вгрызающейся в неподатливый металл.

Надо было уходить.

Сунув под мышку тяжелую папку, Мазур двинулся по проходу, обогнул стеллаж и очутился в соседнем проходе, откуда были видны стол, приемное окошко, трупы под ним и краешек вагонетки. Она стояла на рельсах, которые уходили под высокую двустворчатую дверь, а через нее, надо полагать, можно было попасть в котельную, где сжигалась основная масса бумаг. Пытаться уйти через котельную было, наверное, глупо — там кочегары, да и уцелевшие охранники наверняка давно перекрыли этот путь. Дверь, скорее всего, заперта со стороны хранилища, иначе они уже давно были бы тут, но особенно рассчитывать на замки и засовы не следует: на свете нет дверей, которые устояли бы перед планомерным, грамотным натиском людей, которые знают, чего хотят.

Мазур вытянул руку с «ингрэмом» и дал очередь, целясь в серый квадрат закрытого заслонкой окошка. Расстояние для этой заграничной спринцовки было великовато, разброс получился слишком большим, но несколько пуль все-таки достигли цели и выбили лязгающую барабанную дробь по прочному металлу. Визг «болгарки» смолк — видимо, тот, кто ею орудовал, испуганно отпрянул, услышав этот недвусмысленный дробный перестук прямо у себя под носом. Мазур мысленно пожелал этому незнакомому типу по неосторожности отрезать себе ногу, а еще лучше — голову, но не тут-то было: помолчав секунду, «болгарка» завизжала снова.

Олег Федотович выбросил из рукоятки опустевшую обойму и вставил полную, с некоторым удивлением отметив про себя, что это последняя. Он явился сюда, весь увешанный запасными магазинами, как новогодняя елка игрушками, и вот, пожалуйста, — патроны-то на исходе!

Позади с шумом посыпались на пол потревоженные кем-то папки. Олег Федотович резко развернулся на сто восемьдесят градусов, выставив перед собой автомат, но это был всего лишь Мамалыга. Опираясь рукой, в которой была зажата рукоятка «ингрэма», о край полки, скособочившись, зажимая ладонью второй руки кровоточащую рану на бедре, Мамалыга стоял в проходе и через силу улыбался начальнику серыми от потери крови губами. Его левая штанина до самого низа набрякла темной кровью, по серому бетонному полу за ним тянулся кровавый след, и левый рукав тоже был насквозь пропитан кровью от плеча до самой манжеты. Ладонь, которой Мамалыга зажимал дырку в бедре, выглядела так, словно была одета в перчатку из красной лакированной кожи, зато в осунувшемся лице не осталось ни кровинки.

— Как ты? — спросил Мазур, хотя без всяких вопросов невооруженным глазом было видно, что парень остро нуждается в срочной госпитализации и переливании крови.

— Порядок, — с трудом ворочая непослушным языком, ответил Мамалыга. — Сейчас жгут наложим, и буду как новенький. Валить нам отсюда надо, Федотыч.

— Валить надо, — медленно, явно что-то обдумывая, согласился Мазур. Позади опять нечеловеческим голосом завизжала «болгарка», и, обернувшись через плечо, он увидел сноп искр, брызнувший из неожиданно возникшей в заслонке узкой вертикальной щели, вокруг которой плясали язычки пламени от вспыхнувшей масляной краски. — Только, Гена, жгуты накладывать у нас с тобой времени нет.

Мамалыга посмотрел Мазуру в глаза и медленно перевел взгляд на «ингрэм», который, опустившись было, снова поднялся на уровень груди и теперь был нацелен прямо ему в лицо.

— К большой реке я наутро выйду, — не то сказал, не то пропел он. — Наутро лето кончится...

Мазур нажал на спуск. Последним словом его верного бойца была строчка из песенки «Перекаты» — той самой, которую они с Барановым в последнее время так полюбили цитировать. Мазур хорошо помнил эту песенку и знал, как кончается начатый Мамалыгой куплет: «И подавать я не должен виду, что умирать не хочется», — вот как он кончался...

Перешагнув через труп, прижимая локтем к твердому бронежилету драгоценную папку, Олег Федотович устремился в дальний конец помещения. Позади, заставляя его все время ускорять шаг, слышался натужный визг прогрызающей железо «болгарки».

* * *

Это был фирменный сервисный центр, поэтому только что купленный Глебом телефон тонким прерывистым писком оповестил его о том, что находится в рабочем состоянии, буквально через две минуты после того, как Сиверов подписал договор и оплатил подключение к сети.

Спускаясь с крыльца и покачивая на ладони самый дешевый, какой только нашелся, аппарат с подслеповатым монохромным экранчиком и писклявым голоском китайской электронной игрушки, Глеб подумал, что при современном уровне развития техники умелый мошенник может жить припеваючи, не тратя ни копейки денег. Своих денег, разумеется, а чужие не в счет. Вот телефонный аппарат, купленный и подключенный по поддельному паспорту на имя человека, никогда не существовавшего. Аппарат дешевый, примитивный, устаревшей года три назад модели, но с возможностью доступа в Интернет. То есть теоретически у Сиверова сейчас имеется возможность анонимно и безнаказанно, не будучи никем вычисленным, орудовать в мировой сети, выкачивая с виртуальных счетов отечественных и иностранных лохов живые, реальные деньги.

Еще он подумал, что как-нибудь на досуге этим надо будет заняться. Не в корыстных целях, боже упаси, а просто для общего развития, чтобы не слишком отставать от жизни. Жизнь-то не стоит на месте, движется, а в последние десятилетия это движение больше всего напоминает бешеный галоп напуганной встречей с автомобилем деревенской лошади. Прогнозы фантастов устаревают и начинают выглядеть наивным детским лепетом раньше, чем успевает окончательно высохнуть типографская краска, которой данные прогнозы нанесены на бумагу. Потому-то, наверное эти самые фантасты и ударились в последнее время в описание всяких параллельных миров и альтернативных путей исторического развития — за реальным историческим и, в особенности, технологическим развитием их фантазия уже не поспевает, кишка тонка, образование не позволяет...

Так что мошенничество в Интернете надо будет освоить, решил Глеб. Это может пригодиться. Но — потом. Как говорил герой какого-то старого фильма про войну, «ЕБЖ» — если будем живы.

Поигрывая телефоном, Сиверов пересек пустоватую улицу, отыскал в тенистом скверике свободную скамейку и присел, забросив ногу на ногу, с видом человека, отдыхающего после тяжелой работы. Собственно, так оно и было: он отмахал немало верст за рулем «уазика», который, несмотря на мощный немецкий движок и прочие полезные новшества, оставался всего лишь «уазиком» — отечественным вездеходом с минимумом комфорта для тех, кому не посчастливилось очутиться внутри.

С того места, где сидел Глеб, машина была ему отлично видна. Несколько часов назад, находясь в полутысяче километров от Москвы, Сиверов облазил ее сверху донизу и даже забрался под заросшее грязью днище в поисках спрятанных радиомаяков. Обнаружить ему ничего не удалось, но это вовсе не означало, что маяков нет. Чтобы быть уверенным в этом на все сто процентов, машину следовало демонтировать, разобрать до винтика, потому что «жучки» могли скрываться под обшивкой, в двигателе, в подвеске — словом, где угодно, в любой полости размером в один кубический сантиметр.

«Паранойя — профессиональное заболевание органавта», — уже не в первый раз подумал он, глядя сквозь сетку зеленой, уже успевшей потемнеть и запылиться листвы на мирно стоящий у обочины «уазик». Зеленые борта были покрыты толстым слоем пыли, и это придавало машине нормальный, рабочий вид, который не слишком портили даже литые диски колес и тонированные стекла.

У Глеба имелись все основания опасаться за свою жизнь. Да, паранойя, к сожалению, была и остается профессиональным заболеванием сотрудников силовых структур, особенно органов госбезопасности. И Глеб не сомневался, что его нынешним работодателям это психическое расстройство свойственно в не меньшей, а может быть, и в большей степени, чем ему самому.

Он очень мало знал о методах работы добрейшего Ивана Яковлевича и возглавляемого им подразделения. Зато был отлично осведомлен о том, что такое контрразведка и как это ведомство умеет хранить секреты. Ему, не до конца проверенному, почти незнакомому, в сущности, человеку, доверили тайну, в которую не посвящен даже глава государства. Вооружив знанием этого секрета, его отправили выполнять задание, добывать некую вещь, в которой начальство на тот момент испытывало острую нужду. И вот он возвращается назад, не выполнив задания, но по-прежнему владея упомянутым секретом. Как с ним поступить в такой ситуации?

Тут Глебу виделось целых три варианта развития событий. Вариант первый: его принимают с распростертыми объятиями, верят каждому его слову, сетуют по поводу того, что его кто-то успел обскакать и что драгоценный дневник Бюргермайера, таким образом, ускользнул прямо из-под носа, а затем, обласкав и вручив денежное вознаграждение, с подобающими почестями препровождают обратно в подвал, где над термосом со свежезаваренным чаем его уже поджидает, потирая сухие стариковские ладошки, разговорчивый Ефим Моисеевич. Это был бы самый приемлемый вариант — разумеется, с точки зрения Сиверова. Вот только неизвестно, устроит ли этот вариант генерала Корнева...

Второй вариант выглядел куда более реальным. Заключался он в следующем: Иван Яковлевич, а вместе с ним и Ефим Моисеевич не поверят ни единому слову и, как только Глеб предстанет пред их светлые очи, немедля швырнут его в застенок и начнут выбивать из него так называемую правду — кому и за сколько он продал украденный им (разумеется, им, а то кем же еще?) дневник придворного астролога. Как у Аверченко: «Она схватила ему за руку и неоднократно спросила, где ты девал деньги»...

Третий вариант представлялся как самым вероятным, так и самым поганым. Независимо от того, поверят ему или нет, начальство может принять решение тихо от него избавиться — просто так, на всякий случай, во избежание нежелательной утечки совершенно секретной информации. Корнев будет, сочувственно кивая и прихлебывая из кружки чаек, слушать его рассказ, а старый гриб в это время зайдет со спины, достанет свой чудовищный пистолет и выстрелит в затылок. Главное, удобно: котельная под боком, вагонетка — вот она...

Словом, возвращаться с пустыми руками не хотелось. Не очень-то хотелось и с полными, но дневник Бюргермайера мог бы послужить Глебу чем-то вроде щита: дескать, я вам дневник, а вы держите руки подальше от пистолетов, а то как бы чего не вышло... Но дневника не было.

А главное, не было никакой возможности связаться с тем же Иваном Яковлевичем и хотя бы из телефонного разговора попытаться понять, какое у него настроение. Сиверов был предоставлен самому себе, он не имел никаких контактных телефонов или адресов, по которым мог бы оставить сообщение.

Еще раз хорошенько все обдумав, он решительно набрал памятный, давно заученный наизусть номер.

В трубке один за другим потянулись длинные гудки. Глеб сунул в зубы сигарету, чиркнул зажигалкой и закурил, выпустив на волю облачко дыма. Он по-прежнему не спускал глаз с машины; у него было ощущение, что, набрав этот номер, он нарушил какое-то ужасное табу, и это может возыметь самые непредсказуемые и катастрофические последствия — того и гляди, небо на голову рухнет...

Трубку сняли, и знакомый голос произнес:

— Да. Слушаю.

— Здравствуйте, — сказал Сиверов.

Он хотел добавить «Это я», поскольку по опыту знал, что «здравствуйте» — странно обезличенное слово, по которому мало кто способен опознать своего телефонного собеседника.

Тем не менее его узнали.

— Здравствуй, — отозвался Федор Филиппович.

В его голосе Глебу почудился новый, теплый и немного грустный оттенок, как будто генерал сильно по нему соскучился, но Слепой отдавал себе отчет в том, что, скорее всего, просто выдает желаемое за действительное. К тому же, поздоровавшись, генерал Потапчук выжидательно умолк. Он не сказал ни «Как я рад», ни «Наконец-то», ни даже «Где тебя носило?» —

ничего, что обычно говорят люди, услышав голос человека, от которого давно не получали известий.

Одно из двух: либо Федор Филиппович на самом деле не был ему рад, либо по-прежнему в силу неизвестных Глебу причин старался сохранить между ним и собой максимальную дистанцию.

Сиверов решил это проверить.

— Может быть, я зря звоню? — спросил он.

— Зря или не зря — тебе виднее, — довольно уклончиво ответил генерал. — Но что преждевременно — это даже к гадалке не ходи.

— Обстоятельства, — сказал Глеб.

— Понимаю, что обстоятельства. А то я, было, подумал, что ты просто соскучился.

— А «просто соскучился» — это, по-вашему, не обстоятельство?

Федор Филиппович промолчал в ответ на это замечание, из чего следовало, что он считает праздную болтовню не самым подходящим в данный момент занятием.

— Вы что-нибудь знаете о моих делах? — спросил Сиверов.

— Практически ничего, — после непродолжительной паузы осторожно сказал генерал. — А должен знать?

— Может быть, — ответил Глеб. — Это надо обдумать. Но сейчас это, как вы сами только что сказали, преждевременно. Как там вообще?..

— Вообще — по-разному. Только не проси передавать приветы. Это... гм... преждевременно.

— Что за жизнь, — огорчился Сиверов. — О чем ни спроси, все преждевременно... Может быть, мне уснуть лет, этак, на десять?

— Десять — это многовато, — прозвучало в ответ. — Но сама по себе идея не лишена рационального зерна. Вот именно, уснуть. Или хотя бы притвориться спящим.

— Ладно, — сказал Глеб, — намек понял. Но все-таки об одной услуге я вас попрошу. Дайте мне, пожалуйста, контактный телефон Ивана Яковлевича.

— Какого Ивана Яковлевича? — очень натурально изумился Потапчук.

— Ну-ну, — укоризненно произнес Сиверов. — Я знаю только одного. А вы?

— Гм. — Вообще-то, он не из тех людей, телефоны которых принято раздавать направо и налево. Он, вообще-то, не обрадуется, когда узнает об этом нашем разговоре.

— А вы обрадуетесь, узнав, что он отстрелил мне голову?

— Ах, даже так... А у него есть основания?

— По-моему, нет. Но он может думать, что есть.

— А ты, значит, хочешь убедить его в обратном... Что ж, в добрый час. Только учти, это не так-то просто. И я, поверь, ничем не могу тебе помочь.

— Номер продиктуйте, — попросил Глеб. — А дальше я как-нибудь сам.

— Так я же ищу... Сейчас... Только ты, пожалуйста, поаккуратнее. А то — сам... Знаю я тебя!

— Это уж как карта ляжет. Сдаю-то не я, и колода не моя...

— Не прибедняйся. Ага, нашел. Давай, записывай... то есть запоминай.

Он назвал номер — только один раз, но разборчиво.

— Запомнил?

— Запомнил. — Спасибо, Федор Филиппович.

— Не спеши благодарить, — проворчал Потапчук. — Сам-то как? — спросил он после новой паузы.

— Бог милует, — ответил Глеб и, подумав, добавил: — Пока. Выражаясь вашими же словами, разговор о состоянии моего здоровья в данный момент представляется преждевременным.

— Ох, и язва же ты все-таки, — вздохнул Федор Филиппович. — Ну, бог с тобой, золотая рыбка. Привет от тебя я все-таки передам.

— Кому? — не менее натурально, чем минуту назад сам генерал, удивился Сиверов.

— Ну-ну, — точно скопировав интонацию, повторил его собственные слова Потапчук. — Там все в порядке. Я лично присматриваю, так что можешь не беспокоиться.

— Вот теперь, — сказал Глеб, — я обеспокоен по-настоящему. «Лично присматриваю» — это звучит!

— Для этого я слишком стар, — оскорбился Федор Филиппович. — И вообще, знаешь, что?

— Что?

— Тьфу на тебя!

Сказав так, господин генерал прервал связь. Посмеиваясь, Слепой закурил новую сигарету и, чтобы не забыть, набрал только что продиктованный генералом номер. Впервые за много дней он ощущал что-то вроде душевного комфорта. Этот разговор многое для него прояснил. Федор Филиппович по-прежнему был «своим». Таких людей можно было пересчитать по пальцам одной руки, но им Глеб Сиверов доверял, как самому себе. Человек должен кому-то доверять; те, кто не верит никому на свете, обычно достигают больших высот, но, карабкаясь наверх по чужим головам, они незаметно для себя перестают быть людьми.

«Вот и превосходно, — подумал он, попыхивая сигаретой и сквозь темные стекла очков наблюдая за голубями, бессмысленно бродящими по иссеченному частой сеткой трещин асфальту аллеи. — На этом пока и остановимся. Федор Филиппович по-прежнему «свой», как пацан из соседнего подъезда, а я ему доверяю и, следовательно, до сих пор не утратил некоторого человекоподобия. Очень мило! Однако надо отметить, что господин генерал был дьявольски осторожен и ни разу не назвал меня по имени. Поневоле приходится предположить, что он опасается прослушки. И, значит, то, что он скромно назвал «передам привет», скорее всего, будет выглядеть как масштабная секретная операция с привлечением всех имеющихся в наличии сил и средств. Бедная Ирина! Впрочем, она наверняка ничего не заметит, для нее все это будет выглядеть как обыкновенный разговор с пожилым, симпатичным человеком, начальником мужа и старым добрым знакомым. Случайная встреча на улице, «сколько лет, сколько зим», ни к чему не обязывающая болтовня о здоровье, о погоде, и, в самом конце разговора, невзначай оброненное: «Кстати, вам привет от нашего общего знакомого, с ним все в порядке, он соскучился и обещал быть очень осторожным»... А если заметит, значит, либо наши органы стали работать из рук вон плохо, либо Ирина за годы жизни со мной приобрела чутье и навыки, которым позавидовали бы Джеймс Бонд, комиссар Мегрэ и полковник Максим Исаев, он же штандартенфюрер СС Штирлиц...

Но что же это все-таки происходит с моим Федором Филипповичем? Точнее, не с ним, а у него... Неважно, где именно, но творится что-то нехорошее. И началось это, по-моему, в тот самый день, когда я так неловко взлетел на воздух вместе с чужой дверью в двух шагах от Белорусского вокзала. Ну, или немного раньше. Прошло уже довольно много времени, а я ведь так до сих пор и не собрался спокойно, обстоятельно обдумать то происшествие. В госпитале башка трещала, а там, в подвале, трещала уже не башка, а Ефим Моисеевич. И сейчас думать об этом некогда. Ну, некогда! Если я начну думать, кто и почему подложил мне ту бомбу, то как раз набреду на новую, и теперь, скорее всего, мне уже не повезет так, как повезло тогда».

На этом он подвел черту под своими рассуждениями, выбросил в урну окурок, закурил новую сигарету и, по-прежнему приглядывая одним глазом за своим «уазиком», нажатием клавиши вызвал номер генерала Корнева. При этом в голове у него крутился неизвестно откуда и почему всплывший куплет полузабытой песенки: «И если есть там с тобою кто-то, не стоит долго мучиться: люблю тебя я до поворота, а дальше как получится!» Глеб попытался припомнить, откуда это, но ему ответили, и он выбросил из головы все посторонние мысли, сосредоточившись на проблеме выживания, которая в данный момент являлась для него основной.

ГЛАВА 14

Мазур прошел за перегородку, сооруженную из частой проволочной сетки, которой обычно обносят дачные участки, окинул равнодушным, но внимательным и цепким взглядом обшарпанный письменный стол и картотечный шкаф, какие лет тридцать назад можно было увидеть в любой поликлинике, особенно провинциальной, и в нерешительности остановился перед распахнутой настежь двустворчатой дверью.

Эта дверь была не из тех, которым полагается стоять нараспашку, и это место было не из тех мест, где дозволяется держать двери настежь. Впрочем, те, кто был обязан следить за соблюдением здешних правил, в данный момент лежали у Мазура за спиной, нашпигованные свинцом, и Олег Федотович надеялся, что покойный Библиотекарь ему не соврал и это действительно все.

За дверью обнаружился голый кубический тамбур — бетонные пол и потолок, кое-как оштукатуренные, выкрашенные в казенный «веселенький» цвет стены и еще одна дверь, тоже открытая во всю ширь — похоже, дверь лифта.

Подбадриваемый хорошо слышным даже здесь пронзительным визгом «болгарки», Мазур решительно шагнул в кабину и нажал кнопку, на которой был изображен обращенный острием кверху треугольник. Створки дверей сомкнулись с характерным стуком, пол под ногами дрогнул, и кабина тронулась — вверх, к свету и жизни, а не вниз, к чертям собачьим в пекло.

Мазур поймал себя на том, что стоит, прислонившись спиной к скользкой стенке и направив автомат в закрытую дверь. Ему вспомнилось, как однажды, неожиданно войдя в караульное помещение головного офиса, он застал Мамалыгу (покойного, поправил он себя и поморщился) за предосудительным занятием: крутой профессионал Мамалыга сидел за компьютером, играл в примитивную ходилку-стрелялку, и как раз в этот момент ехал — виртуально, разумеется, — в каком-то лифте, точно так же наставив автомат на сомкнутые створки двери. Начальник охраны тогда подождал с разносом, невольно заинтересовавшись происходящим на мониторе; вся караулка замерла в тревожном ожидании; Мамалыга, не замечая стоящего за спиной начальника, ехал в лифте. Потом лифт остановился, створки разошлись, за ними обнаружилась пара-тройка каких-то уродов — оживленных силой науки послезавтрашнего дня мертвецов, — и Мамалыга, добрая душа, тут же подарил им вечный покой, воспользовавшись для этого хорошо знакомым ему пистолетом-пулеметом «ингрэм» — тем самым, который был у него в руке в момент настоящей, не виртуальной смерти. Потом Мазур положил на плечо меткому стрелку искалеченную ладонь, и увеселение кончилось. Эх, знать бы тогда, каким он будет, настоящий конец...

— К большой реке я наутро выйду, — пробормотал Олег Федотович, — наутро лето кончится... Тьфу, сволочь, привязалось!

Лифт остановился с характерным толчком, створки разошлись, но компьютерных уродов за ними не оказалось. Увидев еще одно пустое, скучное кубическое помещение с голыми стенами, Мазур неохотно опустил оружие. Стрелять тут было не в кого, разве что в себя.

Он поправил под мышкой тяжелую, неудобную папку и вышел из лифта. Створки сомкнулись у него за спиной, и, оглянувшись через плечо, Олег Федотович понял, что вторично войти в лифт ему уже не удастся: с этой стороны он открывался одновременным поворотом двух ключей. У Мазура их не было, отсутствовало и желание возвращаться в заваленный трупами подвал.

Расположенная напротив лифта дверь, которая вела куда-то в неизвестность, была оснащена электрическим замком. Изнутри, к счастью, его можно было открыть простым нажатием кнопки, и Олег Федотович подумал, что обитавший в подвале дряхлый еврейский гном с его огромным черным пистолетом, должно быть, пользовался безграничным доверием своего начальства. Попасть в его бетонную нору было дьявольски трудно, зато он мог выходить свободно.

За дверью открылся длинный голый коридор, освещенный лампами дневного света. Одна стена его была аккуратно оштукатурена, а вторую оштукатурить то ли забыли, то ли не сочли нужным. Примерно посередине на привинченном к стене кронштейне торчала видеокамера, обращенная к Мазуру тыльной стороной похожего на обувную коробку жестяного корпуса, а в конце виднелась еще одна дверь — стальная, массивная, как в бомбоубежище, со сложной системой запиравших ее рычагов. Можно было только гадать, куда она его выведет, но размышлять Мазур не стал. Выбора все равно не было, и он быстро пошел, почти побежал по коридору. Приблизившись к камере, он на ходу, не останавливаясь, дал по ней короткую очередь из автомата. Жестяной корпус стал рябым от круглых вмятин; из того места, где к камере был подключен силовой кабель, снопом брызнули искры, взвился воняющий горелой изоляцией дымок, и любопытный стеклянный глаз ослеп, умер, так и не получив возможности запечатлеть своего убийцу хотя бы со спины.

Дверь открывалась просто — достаточно было всего один раз повернуть по часовой стрелке массивный стальной штурвальчик. Мазур переступил порог, выставив перед собой «ингрэм», готовый открыть огонь при первых признаках угрозы, и слегка опешил: перед ним опять было помещение, густо заставленное книжными стеллажами. Точно так же, как и внизу, в подвале, под потолком зудела, готовясь перегореть, лампа дневного света, и пахло здесь так же: бумажной трухой, книжной пылью и скукой — одним словом, библиотекой. Можно было подумать, что Олег Федотович просто описал круг и вернулся на то же место — сделай еще шаг, и увидишь разбросанные, залитые кровью, изодранные автоматными очередями бумаги и застывшие в неестественных позах изрешеченные пулями трупы.

Через секунду, немного придя в себя, он увидел, что это не так. Помимо ламп, это помещение освещалось еще и естественным, дневным светом через загороженные стеллажами окна. Да и на стеллажах стояли не папки с протоколами допросов и прочей секретной мутью, а самые обыкновенные книги — разномастные, потрепанные, со следами многочисленных ремонтов — короче говоря, обычного библиотечного вида. И сами стеллажи были не металлические, а деревянные, грубо сколоченные из плохо оструганных, густо перемазанных светлой масляной краской брусьев и досок, и пол под ногами тоже был деревянный, дощатый, с забитыми грязью и мусором щелями и блестящими шляпками гвоздей. Это была самая обыкновенная библиотека — по всей видимости, в том самом клубе, за углом которого прятались служившие въездом на территорию секретного объекта ворота в кирпичном заборе.

Мазур осторожно, без стука прикрыл за собой дверь, которая с этой стороны имела самый мирный, не вызывающий подозрений, убогий и скучный вид. Деревянный каркас, фанерные филенки, бугристая масляная краска, испачканная все той же краской табличка «Посторонним вход воспрещен» — за такими дверями, как правило, скрываются какие-нибудь подсобки, чуланы для веников и швабр или, на худой конец, тесный кабинетик заведующего. «С ума сойти», — подумал Олег Федотович и решительно двинулся по узкому проходу между стеллажами туда, где, по идее, должен был находиться выход.

Между делом ему подумалось, сколько же, черт подери, потайных ходов, мрачных бетонных нор и прочих глубоко и надежно засекреченных объектов скрывается за ширмами скучных, облезлых фасадов по всему постсоветскому пространству. Ведь это же уму непостижимо, сколько во все это дерьмо было вбухано денег, труда, нервов и, конечно же, крови... Причем кровь свою на этих «великих стройках» проливали, понятное дело, люди, которые ни в чем не были виноваты, кроме того, что родители, болваны этакие, произвели их на свет именно в этой стране, а не в какой-нибудь другой. Впрочем, цену человеческой жизни Мазур знал очень хорошо. Во всем мире она была одинакова и равнялась нулю. Сколько дураков ни перебей, сколько их ни сгнои на рытье каналов и строительстве бетонных бункеров, а также дворцов из стекла и мрамора, ничего не изменится, бабы новых нарожают, только и всего... Зато каналы и бункеры, не говоря уже о стеклянно-мраморных дворцах, простоят еще века, и новые поколения дураков будут восхищенно ахать: это ж надо, какие на свете люди жили не ленивые, как умели строить!

Стеллажи кончились, и он увидел стол, за которым сидела пожилая сухопарая библиотекарша в очках, занавешенное пыльными шторами окно, а главное, двустворчатую дверь, на которой красовалась стеклянная табличка с надписью «Выход». Библиотекарша удивленно взглянула на внезапно возникшего в пустом помещении потного, грязного человека с пластырем на щеке и автоматом в руке. Разумеется, эта седая старая швабра сидела тут не просто так; она могла не знать, что скрывается за дверью в глубине библиотеки, но, несомненно, была в курсе того, что дверь эта непростая, и основную зарплату ей, надо думать, начисляла вовсе не администрация клуба. Левая рука очкастой церберши стремительным и плавным змеиным движением метнулась к трубке телефона, а правая нырнула куда-то под крышку стола. Мазур дал короткую очередь, и старую грымзу снесло со стула. Она с грохотом обрушилась на пол грудой сухих костей, сдернув со стола телефон, за трубку которого успела-таки схватиться. Олег Федотович перегнулся через стол, чтобы посмотреть, как она там. Библиотекарша была в порядке: одна пуля угодила ей в голову чуть выше виска, одна в щеку, еще одна пробила гортань, и парочка пришлась по плоской груди, украшенной старомодной брошкой с ограненными под бриллианты стекляшками. Серое в черных и голубоватых разводах платье задралось, обнажив костлявые колени и худые дряблые бедра в плотных чулках; в правой руке мертвая старуха сжимала пистолет, в левой монотонно пищала телефонная трубка. Дотянувшись, Мазур оборвал телефонный провод, и писк работающей линии смолк.

Толкнув дверь, он очутился на узкой лестничной площадке с подслеповатым, заросшим пыльной паутиной окошком. Из него был виден кусочек знакомого двора с ржавеющей на бетонных блоках рамой грузовика. По двору пробежал человек в камуфляже, с кобурой на боку, но без автомата. Размахивая рукой, он что-то кричал кому-то, кого Мазур не видел. Да, на территории секретного объекта имело место нездоровое оживление, но далеко не таких масштабов, как можно было ожидать. Олег Федотович сориентировался и понял, что выйдет на улицу буквально в двух шагах от железных ворот. Если эти ворота открыты, и если возле них стоит хотя бы парочка автоматчиков...

Впрочем, гадать и строить предположения можно было до бесконечности. Мазур сбежал по скрипучим деревянным ступенькам, один раз оступившись в темноте и едва не свернув себе шею, секунду постоял внизу перед закрытой дверью, собираясь с духом, и решительно толкнул деревянную филенку.

Ворота были закрыты. Те, кто охранял секретный объект, явно не хотели выносить сор из избы, средь бела дня бегая по привокзальной улице с автоматами, как играющие в «Зарницу» пионеры. Да они, по словам покойного Библиотекаря, и понятия не имели, где находится выход из хранилища. Вероятнее всего, они даже не догадывались о том, что именно охраняли, и теперь те из них, кто прорывался через железную заслонку приемного окошка, чувствовали себя первооткрывателями. Мазур им не завидовал: нарушенную секретность постараются восстановить в кратчайшие сроки, а значит, все, кого угораздило принять участие в сегодняшних событиях, будут тихо и аккуратно ликвидированы раньше, чем успеют поделиться своими впечатлениями с родными и знакомыми.

Он, как сумел, почистил ладонью пиджак и брюки, спрятал под полу автомат и, прижимая к себе драгоценную папку, никем не замеченный вышел на улицу. На привокзальной площади ему удалось взять такси; из машины он позвонил в свой офис и приказал, чтобы его встретили возле метро. Все прошло, как по маслу, и уже через полтора часа папка, содержавшая в себе ключ к знанию будущего, была вручена им лично Альберту Витальевичу Жуковицкому.

* * *

Из кирпичной трубы котельной густыми ленивыми клубами валил жирный угольно-черный дым. Смотревшее в обнесенный высоким кирпичным забором двор окошко на лестничной площадке оказалось заколоченным, да так ловко и аккуратно, словно его тут никогда и не было — даже краска, которой замазали свежие доски, была подобрана точно в тон и выглядела старой, выгоревшей и облупленной. В связи с тем, что источник дневного света на лестнице приказал долго жить, в патрон ввинтили-таки новую лампочку — яркую, ватт на сто, если не все сто пятьдесят. При таком освещении обшарпанные дощатые стенки и стертые, с сохранившимися только по краям, куда никто не наступал, остатками краски ступеньки выглядели особенно убого.

Библиотекарша была новая, незнакомая — довольно молодая и даже привлекательная, но с цепким, холодным и невыразительным взглядом опытной профессионалки. Картотечный шкаф у нее за спиной, прежде покрытый облупившимся от старости светлым лаком, теперь был окрашен в белый цвет и издавал свежий, еще не успевший выветриться запах нитроэмали. Жестяной корпус следящей видеокамеры в потайном коридоре был, словно оспинами, изрыт округлыми, очень характерными вмятинами, но контрольная лампочка тлела ровным рубиновым огоньком, из чего следовало, что камера продолжает функционировать.

Внизу, в подвале, разрушения были заметнее — потому, наверное, что маляров и штукатуров сюда не пустили. Стены и потолок были рябыми от выбоин, на металлических стойках стеллажей тут и там поблескивали свежие царапины; при желании, вооружившись перочинным ножом и малой толикой терпения, из штукатурки можно было бы наковырять килограмма полтора пуль на сувениры, но желающих заниматься такой ерундой здесь, в подземелье, не было — дураков сюда не пускали.

Заслонка на приемном окошке тоже была новая, и, глядя на нее, Глеб поневоле задался вопросом, что стало с теми, кто ее устанавливал. Ответ был очевиден, а валивший из трубы котельной густой дым служил подтверждением жутковатой догадки.

Рабочий стол Ефима Моисеевича был изрешечен пулями и наполовину погребен под грудами распотрошенных, изодранных в клочья папок. На столе стояла литровая банка силикатного клея, в которой торчала кисточка, рядом лежали ножницы, ворох нарезанной папиросной бумаги, моток прозрачной клейкой ленты, коробочка со скрепками и прочие причиндалы для приведения в порядок пострадавшей во время перестрелки документации. Все это добро в данный момент было сдвинуто на край стола. Поверх всего красовался знакомый длинноствольный пистолет сорок пятого калибра — старательно вычищенный, смазанный и хоть сию минуту готовый к употреблению.

Рядом с письменным столом был установлен еще один — металлический, на колесиках, вроде тех, какими пользуются в операционных, только вместо хирургических инструментов на нем стоял небольшой телевизор, а на нижней полке — подключенный к нему видеомагнитофон. Еще здесь откуда-то появились два дополнительных стула, так что всего их теперь было три.

— Да, дела, — с протяжным вздохом сказал Иван Яковлевич. Он заглянул в чашку, понюхал содержимое и скривился с явным и нескрываемым отвращением. — Вот это и называется — перебдеж. Так засекретились, что какие-то уроды пришли, взяли, что хотели, и ушли, а охрана еще битый час по двору кругами бегала, будто им соли на хвост насыпали.

Глеб, который был с ним полностью согласен, дипломатично промолчал. К тому же Иван Яковлевич в данный момент попусту сотрясал воздух, и Сиверову не хотелось принимать участие в этом бессмысленном занятии.

Ефим Моисеевич, с левой рукой на перевязи и в новых очках, тоже промолчал, ограничившись досадливым кряхтеньем. Рубашка на нем тоже была новая, и в вырезе расстегнутого ворота виднелся черный треугольник легкого бронежилета. Старик заметил, куда смотрит Глеб, и застегнул ворот.

— Я его теперь не снимаю, — сообщил он. — Только вечером, когда спать ложусь. Да и то, знаете ли, не без внутреннего сопротивления. Покажите-ка мне еще раз эту штуку.

Глеб молча вынул из кармана куртки и положил на стол никчемную подделку, украденную им в краеведческом музее. Старик зачем-то достал из ящика стола сильную лупу и, склонившись над титульным листом, стал его внимательно изучать. Иван Яковлевич наблюдал за его манипуляциями с выражением какого-то болезненного интереса.

— Ну, что ты там ищешь? — спросил он наконец. — Автограф? Отпечатки пальцев?

Ефим Моисеевич отложил лупу и выпрямился.

— Да, — сказал он. — То есть нет, конечно. Не отпечатки. Но теперь я на сто процентов уверен, что это именно тот муляж, который изготовил я. Изготовил по просьбе этого бедняги, прежнего Библиотекаря. Следовательно, наш юный друг не солгал — он действительно побывал в Шарово, наведался в музей и взял эту куклу там.

Эти слова сопровождались коротким ироничным наклоном головы в сторону Глеба.

— Так вы говорите, что оставили в витрине точно такой же муляж? — спросил старик.

— Да, — лаконично ответил Сиверов.

Он испытывал чувство, подозрительно похожее на детскую обиду. После всего, что было, его еще и проверяли! Проверка в подобной ситуации, конечно, была неизбежной, но у Ефима Моисеевича был такой свойский, домашний вид, что подобная инициатива с его стороны действительно выглядела как незаслуженная обида.

— Хорошие мысли посещают умных людей практически одновременно, — заявил старик.

— А я слышал, что одинаковые мысли бывают только у дураков, — возразил Иван Яковлевич. — Прости, сынок, — обратился он к Глебу, — я не хотел тебя обидеть. Вернее, хотел, но не тебя одного. Все мы хороши.

— Да уж, что хороши, то хороши, — вздохнул Ефим Моисеевич и вдруг, обреченно махнув рукой, полез в тумбу стола. — К черту это свиное пойло, — объявил он, со стуком водружая рядом с чайником запыленную бутылку коньяка. — И сухой закон туда же, и вообще все на свете...

— Вот это правильно, — одобрил его действия Корнев.

Он взял свою кружку, поискал, куда бы выплеснуть чай, и, не найдя поблизости подходящей емкости, выплеснул его прямо на пол.

— Спасибо, кошечка, хрю-хрю, я от души благодарю, — невнятной скороговоркой пробормотал Ефим Моисеевич, безуспешно пытаясь откупорить бутылку одной рукой.

— Это еще что такое? — подозрительно осведомился Иван Яковлевич.

— Что именно?

— Да вот это... насчет хрю-хрю.

— А, это... Это «Кошкин дом», бессмертное сочинение Самуила Яковлевича Маршака. Реплика... э... одного домашнего животного.

— Ах, вот что! На что это ты намекаешь, дядя Фима?

— Боже сохрани! Какие могут быть намеки между двумя взрослыми интеллигентными людьми? Просто вспомнилось почему-то, вот и сказал. Старики вечно бормочут себе под нос всякую чепуху, зачем обращать на них внимание?

Глеб отобрал у старого болтуна бутылку и откупорил ее. Ефим Моисеевич, который только что обвинил генерала Корнева в том, что он недалеко ушел от небезызвестного домашнего животного, небрежным жестом выплеснул свой чай туда же, на пол; подумав, Глеб все-таки не последовал примеру старших коллег, а допил свой чай залпом, тем более что тот уже был едва теплым.

— Куод лицет Йови, нон лицет бови, — на чудовищной латыни одобрительно провозгласил Иван Яковлевич. — Что дозволено Юпитеру, не дозволено быку, — повторил он по-русски на тот случай, если его кто-нибудь не понял. — Молодец, сынок. Субординация и дисциплина — вот два кита, на которых держится любая силовая структура!

— А третий? — поинтересовался Ефим Моисеевич, завладевая бутылкой и наливая понемножку в каждую из трех чашек.

— Чего?

— Я говорю, китов должно быть три. Какой же третий?

— Непроходимая тупость, — немедленно ответил Корнев. — Без этого у нас никак. А кто со мной не согласен, пусть посмотрит вокруг и вспомнит, что тут творилось два дня назад. Нас, товарищи дорогие, обули в лапти. Да как ловко! Вот она, элита российских спецподразделений. Болваны с каменными челюстями. Интересно, почему это в природе так устроено: где каменная челюсть, там, будь уверен, и вместо мозгов булыжник? Хорошо хоть, что друг друга не перестреляли.

— Что же в этом хорошего? — удивился Ефим Моисеевич. — Было бы меньше работы...

— Ну-ну, — предостерегающим тоном одернул его Иван Яковлевич. — Не при детях!

Глеб сделал каменное лицо.

— Ругать дураков, особенно дураков в погонах, может всякий, — совершенно неожиданно вступился за честь представителей силовых структур старик. — А только получилось все это как раз из-за того, что мы — точнее, вы, — впустили сюда умного человека. Он сообразил, что тут можно без особенного труда озолотиться. К сожалению, его интеллектуальный потолок оказался недостаточно высок, чтобы вовремя отказаться от этой губительной идеи. Ах, Сережа, Сережа...

— Сережа? — приподнял брови Иван Яковлевич.

— Да, его так звали... А вы думали, я этого не знаю? И не выкатывайте вы на меня, пожалуйста, глаза, я вас не боюсь. Давайте лучше поговорим о деле.

— Давайте все-таки выпьем, — ворчливо предложил Корнев.

— Вы начальство, вам виднее, — с подозрительной кротостью ответил ядовитый старикан.

Они выпили, чокнувшись чайными чашками.

— Значит, он приходил сюда за «Центуриями», — поплебейски занюхав коньяк рукавом, констатировал Иван Яковлевич.

— Совершенно верно, — согласился старик. — А еще раньше украл дневник Бюргермайера, убил своих помощников и имитировал собственную гибель. Шифр Нострадамуса без ключа не разгадать, а ключ, открытый Бюргермайером, не имеет смысла без полного варианта «Центурий». Одно без другого — просто стопка исписанной бумаги, представляющей некоторую ценность разве что для коллекционера. «Центурии» — бомба, дневник — запал. Так что тут все сходится.

— Да не сходится тут ни черта, — сердито возразил генерал. — Если он такой умный, почему не взял «Центурии» еще до того, как уехал в это Шарово?

— Я бы хватился, — ответил Ефим Моисеевич. — Я их иногда почитываю ради собственного удовольствия.

— Тоже мне, развлечение! Ну, и хватился бы, и что с того? Он бы тогда уже знаешь, где был? И вообще, что ему стоило их скопировать? Пускай не все, а только самое главное, из-за чего он эту писанину и попятил...

— Писанина, попятил, — передразнил Ефим Моисеевич. — Где это вы научились так выражаться?

— В Управлении, — коротко и исчерпывающе ответил Иван Яковлевич. — А в общем, ты, конечно, прав. Почему он не упер эти «Центурии» сразу, мы, наверное, уже не узнаем. Но дневник взял он, и этих ворошиловских стрелков сюда привел тоже он. Рисковый парень! Наверное, большие бабки хотел срубить. Но действовал он, ей-богу, как последний баран. Вот так, нагло, открыто, в лоб, среди бела дня...

— Я с вами не согласен, — возразил старик, вновь вооружаясь бутылкой и наливая всем коньяку. — Он избрал самый разумный путь проникновения в хранилище... да, пожалуй, единственный. И если бы в результате какой-то нелепой промашки ко мне, сюда, из окошка не вывалился убитый охранник, у них все прошло бы, как по маслу. Вообразите: вот из окна выпадает пачка макулатуры, вот еще одна, я наклоняюсь, чтобы ее оттащить, слышу, как по трубе съезжает новая пачка, а вместо нее оттуда вдруг выскакивает молодец с автоматом... Да ему даже стрелять не понадобилось бы, хватило бы хорошего удара кулаком по старой плешивой голове. Они бы спокойно взяли папку, отключили записывающую аппаратуру, уничтожили кассету с записью своих подвигов и ушли. Наружная охрана у лифта и пикнуть бы не успела — они ведь ждут нападения снаружи, а не изнутри, с тыла. Так что у этих ребят были все шансы уйти отсюда в полном составе и без единой царапины.

— Кстати, экипаж «уазика», который вез документацию, так до сих пор и не нашли, — заметил Иван Яковлевич.

— Думаю, что и не найдут, — сказал старик. — Разве что случайно.

— А тебе повезло, дядя Фима. Этот бык, который завалил Библиотекаря, тебя, можно сказать, спас. Еще бы немного...

— Нам всем повезло, — сказал Ефим Моисеевич и, забыв чокнуться с коллегами, выпил коньяк. Его костлявые стариковские плечи под новенькой меховой безрукавкой зябко передернулись при воспоминании о недавних событиях. — Мне с самого утра будто кто-то в ухо шептал: надень жилет, надень жилет... И так мне сделалось не по себе, что я взял и надел. Повезло... Повезло, что у них вышел этот прокол с покойником, повезло, что не попали в голову, повезло, что засыпало папками и что, пока эти двое стояли надо мной, я был без сознания и не подавал признаков жизни... Повезло, что аппаратура включилась и все зафиксировала, что запись осталась у нас — тоже, можно сказать, повезло...

— Да уж, — сказал Иван Яковлевич, — ничего не скажешь, сплошная везуха. Просто праздник какой-то! А ты, сынок, чего молчишь? — повернулся он к Глебу.

— У меня вопрос, — сказал Сиверов, разминая сигарету.

— Ну-ка, ну-ка, — заинтересовался Корнев. — Лучше бы, конечно, у тебя был хоть какой-нибудь ответ, вопросов у нас и так хватает... Но вопрос — это тоже интересно. Ты у нас человек новый — может, и заметил что-то, что мы проглядели. Свежим, так сказать, взглядом.

— Вопрос у меня вот какой, — продолжал Глеб, поджигая кончик сигареты и глубоко затягиваясь горьковатым дымом. — Библиотекарь наверняка знал о наличии записывающей аппаратуры. Знал, что она автоматически включается, если нажать кнопку тревожной сигнализации, знал, где она расположена и как ее отключить... Я, например, знаю.

— Откуда? — быстро спросил Ефим Моисеевич.

— Имеющий глаза да увидит, — сообщил ему Глеб.

— Шустрый мальчик, — констатировал старик. — Очень шустрый. Ну, и?..

— Так вот, мне интересно, почему он не предупредил своих подельников об этой аппаратуре? Почему не отключил ее сразу? Почему, наконец, хотя бы не сказал им, что они участвуют в съемках развлекательной телепередачи?

— А это хороший вопрос, — заметил Иван Яковлевич. — Действительно, некрасиво. Из этого следует, что союз у них был временный, на одно дело, и каждый был себе на уме.

— Это следует уже из того, что один из подельников его пристрелил, — проворчал старик. — Подумаешь, открытие. А раз так, это вообще не вопрос. Даже если бы меня прикончили, а аппаратура ничего не записала, догадаться, кто все это организовал, не составило бы труда. Только один человек, кроме нас троих, знал и о существовании полной версии «Центурий», и о дневнике Бюргермайера. Его обгоревший труп опознали только косвенно — решили, что это он, просто потому, что больше в той машине некому было находиться. Значит, ему было плевать, попадет его физиономия в поле зрения видеокамер или нет. А что до подельников, то он, я думаю, рассчитывал незаметно для них изъять кассету с записью и позднее использовать ее для шантажа.

— Логично, — согласился генерал. — Ну, сынок, ты доволен ответом на свой вопрос?

Глеб затянулся сигаретой и пожал плечами.

— Да, — сказал он, — конечно, доволен. Полные штаны удовольствия.

— Понимаю тебя. Я же говорю: это просто праздник какой-то... Ладно, дядя Фима, давай еще разочек посмотрим твое кино. И ты, сынок, смотри. Внимательно смотри! Ты этого еще не видел, тебе это пригодится.

— Зачем?

Иван Яковлевич вздернул брови в комическом изумлении и оглянулся на Ефима Моисеевича, не то приглашая его в свидетели, не то ожидая разъяснений.

— Дядя Фима, — сказал он, — ты что, не разъяснил молодому человеку его обязанности? Это часть твоей работы, сынок, — продолжал он, снова повернувшись к Глебу, — возвращать то, что украдено из хранилища. Или ты предложишь нам обратиться в милицию?

Сиверов опять подумалось, что работенка ему перепала нескучная.

Старик ткнул узловатым пальцем в клавишу пульта дистанционного управления; и на экране телевизора вспыхнуло изображение, поделенное, по числу установленных в подвале скрытых камер, на восемь прямоугольников, в каждом из которых помещалась своя картинка. Камеры записывали и звук, так что хранилище снова, как позавчера, наполнилось грохотом «Калашниковых», шепелявым лопотанием «ингрэмов», тупым стуком уродующих штукатурку пуль, громом, лязгом и пронзительным визгом рикошетов. Налетчики действовали с отчетливой слаженностью людей, которые не только обладают высокими профессиональными навыками, но и точно знают, чего хотят и как этого добиться. Охранники по сравнению с ними смахивали на слепых котят, вываленных из коробки на пол и растерянно тычущихся в разные стороны в поисках теплого материнского живота. Но их численный перевес почти наверняка сыграл

216

бы в деле решающую роль, если бы не Библиотекарь — рослый чернобородый красавец с внешностью мачо, который явно знал хранилище, как свои пять пальцев, перемещался по нему уверенно, бесшумно и стремительно, как призрак, неожиданно возникая в поле зрения то одной, то другой камеры, и стрелял, пожалуй, не хуже Глеба. Сиверов даже увлекся: Библиотекарь и впрямь действовал, как персонаж голливудского кинобоевика, выполняющий отлично поставленные, тщательно отрежиссированные трюки, и, наблюдая за ним, оставалось только радоваться, что этот противник уже вышел из игры, отправившись в свой последний путь в пресловутой вагонетке, курсировавшей по короткому маршруту от хранилища до котельной.

Глеб не сразу заметил на экране знакомое лицо, а заметив, чуть не выругался, но успел вовремя поймать себя за язык. Он промолчал, хотя пока и сам не знал, что помешало ему сообщить Ивану Яковлевичу и Ефиму Моисеевичу, что теперь ему известно, где именно искать похищенные из хранилища бумаги.

ГЛАВА 15

Отдернув тяжелую портьеру, закрывавшую огромное, во всю стену, окно из толстого закаленного стекла, Юрген облокотился о металлический поручень и посмотрел вниз. С двадцать шестого этажа элитного небоскреба открывался великолепный вид на море городских огней, которые красиво отражались в черном зеркале реки; небо было усеяно звездами, которые не затмевало электрическое зарево Москвы. На западе дотлевала узкая полоска заката, над крышей соседней многоэтажной башни висел тонкий серпик молодого месяца, но Эрнсту было не до красот пейзажа: он смотрел вниз, где на асфальтированной площадке перед домом виднелись крошечные цветные пятнышки припаркованных на ночь автомобилей. Он долго вглядывался в эти разноцветные, залитые светом ртутных фонарей крупинки, но так и не сумел определить, в какой из машин сидят ребята из службы наружного наблюдения. Подавив вздох, он задернул портьеру и вернулся к своему рабочему столу, уютно освещенному настольной лампой.

В конусе яркого света, падающего из-под полукруглого хромированного абажура, лежали два предмета: ветхая тетрадь с пожелтевшим, крошащимся от старости обрезом, в потертом кожаном переплете, и пухлая, тоже старая и пожелтевшая, картонная папка с коричневыми ботиночными тесемками, завязанными узлом с двумя бантами. На границе светового круга стопкой лежали словари и справочники — тоже старые, пухлые, громадных, не современных размеров. Некоторые из этих книг представляли собой немалую библиографическую ценность, хотя раздобыть их было все-таки намного легче, чем вот эту папку и эту тетрадь...

Юрген опустился в глубокое кресло у стола и погасил окурок в переполненной пепельнице. Странно, но теперь, когда бесценные документы наконец-то были у него в руках, он почему-то не испытывал никакого желания поскорее приступить к их изучению. Наоборот, хотелось, чтобы время повернуло вспять, а этих бумаг как-нибудь тихо не стало — пусть бы лежали там, где лежали до сих пор, или вовсе сгорели... Знать будущее — это очень хорошо, но только в том случае, если оно приятное. А если нет? Система дорожных указателей... Да так ли уж она нужна людям, эта система? Вот, взять, к примеру, Эрнста Карловича Юргена... нет, к черту Юргена! Возьмем для примера Эдика Юркина — неглупого, недурно образованного, интеллигентного человека, который любит порассуждать о том, что человек сам творит свою судьбу и что звезды лишь помогают ему выбрать правильный путь. Рассуждая так, он не кривит душой, искренне веря в то, о чем говорит... Это в высшей степени похвально, но давайте посмотрим, как этот умник следует своим же собственным советам. Вон, на столе пепельница и полупустая пачка сигарет. И это не первая пачка, а уже вторая за сегодня. А поскольку Эдик Юркин в данный момент не намерен ложиться спать, а, наоборот, намерен поработать, можно не сомневаться, что довольно скоро будет открыта третья.

Теперь так. О том, что курение является причиной сердечно-сосудистых и раковых заболеваний, знает любой дурак. Чтобы это знать, не надо прибегать к помощи астрологии — это написано на каждой пачке сигарет, причем довольно крупным шрифтом. Ну, и как в свете вышеизложенного выглядит Эдуард Максимович Юркин вместе со своими мудрыми советами и рекомендациями? А? То-то... Выкуривая по две пачки в день, можно с большой долей вероятности прогнозировать свое будущее безо всякого Нострадамуса. Но кому это надо? Кто хочет заранее знать о грозящих ему неизбежных неприятностях? И вообще, все мы кончим одинаково — понесут нас ногами вперед, только одних на кладбище, а других в крематорий, вот и вся разница, вот и все наше будущее...

Но рак легких — это еще полбеды. Звучит, конечно, спорно и где-то даже смешно, и, тем не менее, это так — именно полбеды. А вот то, что некоторые умники, вооруженные навыками астрологического прогнозирования человеческих судеб, ухитрились связать свою собственную судьбу с таким человеком, как Алик Жуковицкий, — вот это, граждане, уже беда. Как там у классика-то сказано? В России две беды: дураки и дороги... Дороги тут ни при чем, а вот насчет дураков — истинная правда, и, чтобы это понять, вовсе необязательно овладевать легендарным методом Нострадамуса. Сотрудничество с Жуковицким опаснее употребления в пищу мухоморов; сделка с дьяволом — вот что оно такое, это сотрудничество...

У него за спиной, в глубине квартиры, негромко стукнула дверь ванной. Юрген вздрогнул, мгновенно покрывшись гусиной кожей, но сейчас же вспомнил: это не взломщик, это охранник, приставленный к нему Мазуром на всякий случай, чтобы с драгоценными документами чего-нибудь не случилось... Например, чтобы астролог не вздумал сбежать с ними к черту на кулички, оставив своего щедрого работодателя с носом. Так-то вот. И можно не сомневаться, что, попытайся он это сделать, с ним обойдутся безо всяких церемоний. Полный текст «Центурий» у них, дневник Бюргермайера у них, а астрологов в Москве навалом — покажи сто долларов, и слетятся, как мухи на дерьмо, со всех сторон...

Вздохнув, Юрген придвинул к себе папку. Папка была огромная, тяжелая; на крышке черной краской, архаичным шрифтом было оттиснуто: «Дело». Расположенные ниже линейки, на которых полагалось написать, что за дело содержится внутри, были пусты; в правом верхнем углу стоял проставленный порыжевшими чернилами номер — 15078, нижний левый угол и почти вся задняя сторона папки были залиты расплывшимся желто-коричневым пятном, как от жира или машинного масла, а посередине, наискосок через всю папку, веером расположились какие-то бурые брызги, как будто в непосредственной близости от этого вместилища драгоценных документов кто-то готовил себе бутерброд и уронил на стол открытую бутылку кетчупа.

«Да-да, — подумал астролог, — давай, теши себя иллюзиями. Конечно, это кетчуп, что же еще? Это же нормальная, принятая во всем цивилизованном мире практика — держать такие вещи на кухне и ронять на них бутерброды. Только, приятель, я могу держать пари, что этот бутерброд был с мозгами...»

Он потянул за кончик тесемки, и узел легко развязался. Еще раз тяжело вздохнув, Юрген закурил новую сигарету (здравствуй, рак легких!), придвинул к себе словари и заставил себя работать.

Через четверть часа он уже забыл и о Жуковицком, и о торчащем в прихожей охраннике, и о крови на картонной крышке папки — словом, обо всем на свете, — с головой уйдя в работу. Мало того, что это была его любимая работа, так он еще и держал в руках подлинную рукопись Нострадамуса! За то, чтобы прочесть эти строки и вникнуть в их смысл, не жаль было отдать правую руку.

Довольно скоро Юрген отыскал в ворохе желтого, ломкого от старости пергамента послание, в котором Нострадамус описывал свой метод вычислений. На первый взгляд послание могло показаться кое-как зарифмованной, безграмотной и лишенной какого бы то ни было смысла чепухой. Но под рукой у Юргена был дневник Бюргермайера, а к дневнику прилагался словарь немецкого языка, изданный в Петербурге в середине восемнадцатого века, и постепенно неуклюжие, громоздкие строки начали обретать смысл.

Метод Нострадамуса оказался прост, как все гениальное, — прост, разумеется, для того, кто хоть что-то смыслил в астрологии. Он требовал довольно громоздких вычислений, но этот процесс упрощался благодаря наличию в распоряжении Юргена обычного калькулятора — вещи, во времена Нострадамуса немыслимой, но тем не менее им предугаданной. Позднее Юрген намеревался сделать подробный перевод послания, найти программиста — желательно, относящегося к астрологии как к набору бессмысленных заклинаний и дремучих предрассудков, — и с его помощью превратить метод Нострадамуса в простую и изящную компьютерную программу. С помощью этой программы предсказание будущего превратится в рутинную техническую процедуру: получаешь с клиента деньги и листочек с его биографическими данными, вводишь эти данные в память компьютера, запускаешь программу и через пару минут получаешь точный, безошибочный прогноз. Жуковицкий прав, время вычерченных от руки космограмм, ворохов бумаги, линеек, циркулей и транспортиров давно прошло. Теперь настало время высоких технологий, и, как предсказывал Нострадамус, всю черновую работу должны выполнять «болваны с железными головами». Ха! Нострадамус действительно был гением, который обладал почти мистическими, нечеловеческими способностями. А встречающиеся в его пророчествах ошибки, как с полной ясностью осознал Юрген, были плодами арифметических погрешностей — обычных, вполне понятных и даже неизбежных при сложных вычислениях.

Более или менее разобравшись, что к чему, он решил для начала, просто для тренировки, просчитать вероятность того, что Жуковицкому удастся осуществить его безумную, маниакальную идею — подмять под себя Газпром, а вслед за ним и всю Россию. Теперь этот вопрос казался ему мелким, не заслуживающим внимания, годящимся только для того, чтобы потренироваться перед решением по-настоящему важных проблем мирового масштаба. Продолжая увлеченно работать, Юрген грезил наяву. В полуосознанных и зыбких, еще не успевших обрести четкие очертания мечтах он видел себя благодетелем человечества, повсеместно знаменитым и почитаемым предсказателем стихийных бедствий, террористических актов и биржевых крахов. Он даст людям мир и процветание и, будьте уверены, постарается сделать это так, чтобы люди не забыли его отблагодарить...

Время неслось бешеным аллюром, короткая летняя ночь стремительно катилась к рассвету, но погруженный в работу астролог ничего не замечал. Гора окурков в пепельнице выросла, расползлась и давно уже погребла ее под собой; в дело пошла и уже была почти выкурена третья за эти сутки пачка сигарет, табачный дым больше не плавал по комнате слоями, а стоял плотным серым облаком, заполняя весь ее объем; калькулятор и разбросанные повсюду листы бумаги, на которые Юрген торопливой рукой заносил результаты вычислений, были густо посыпаны пеплом. Лицо астролога побледнело и осунулось, обретя сходство с посмертной гипсовой маской, но в прорезях этой маски бешено сверкали полные маниакального вдохновения глаза.

Постепенно движения Юргена сделались замедленными, горячечный блеск потух, а глаза пристально и недобро прищурились. По углам рта залегли скорбные складки, брови сошлись к переносице; Эрнст Карлович покусал нижнюю губу, сварил и выпил бог знает какую по счету чашку крепчайшего черного кофе, выкурил, откинувшись на спинку кресла, очередную сигарету и снова взялся за работу — с прежним усердием, но уже без видимого энтузиазма. Похоже было на то, что проступившие сквозь корявые строчки расчетов контуры будущего не вызывают у него восторга, а казавшаяся такой достижимой мечта стать благодетелем всего человечества только что прямо у него на глазах рассыпалась прахом.

Наконец, Юрген оставил работу. Все было бесполезно. Он проверил расчеты дважды, и оба раза получил один и тот же результат. Метод Нострадамуса работал, в этом не было сомнений. Но лучше бы все это оказалось фикцией, миражом, фата-морганой; лучше было жить, оставаясь в блаженном неведении, чем знать о себе такое.

Он выцарапал из пачки последнюю сигарету и закурил, заметив, что руки дрожат, как с сильного похмелья. Уже вторая затяжка вызвала острый приступ тошноты. Юрген ввинтил сигарету в отвратительную, как куча дерьма, и почти так же воняющую груду окурков, под которой была погребена пепельница, встал, с трудом разогнув затекшую от долгого сидения спину, и на непослушных ватных ногах подошел к окну.

Отдернув портьеру, он обнаружил, что снаружи почти рассвело. В сереньком предутреннем свете поблескивала тонкая, прихотливо изогнутая линия реки, внизу по шоссе катились автомобили, и фары у некоторых уже были погашены. Фонари вдоль дороги и вокруг стоянки перед домом еще горели, но их свет уже стал бледным и ненужным. По просторному, поросшему ровной зеленой травкой пустырю уже бегали выведенные на прогулку собаки — самые нетерпеливые, привыкшие будить хозяев ни свет, ни заря. Вдали, у причала, белели прогулочные теплоходы, с такого расстояния похожие на дремлющих у берега чаек.

Юрген смотрел с высоты птичьего полета на Москву, но видел при этом совсем другое. Перед его внутренним взором, как наяву, стояли похожие на древние храмы просторные сосновые леса вокруг родного Козьмодемьянска, тихие лесные речки с черной, как деготь, водой и невысокими, обрывистыми песчаными берегами, редкие, нищие деревеньки и их обитатели — тоже нищие, испитые, изуродованные жизнью, но простодушные, открытые и безобидные. Эдик Юркин видел лица своих земляков, слышал их своеобразный, торопливый и одновременно напевный говор, и понимал, что его место там. Еще несколько часов назад он был уверен, что больше никогда не вернется на свою малую родину, что его место здесь, в Москве, а в перспективе, возможно, где-нибудь в самом сердце старушки-Европы. Но за эти несколько часов многое изменилось, и теперь

Юрген понимал — просто знал, как люди знают, что вода мокрая, трава зеленая, а солнце встает на востоке, — что из Москвы надо уезжать.

Бежать со всех ног. Убежать будет очень трудно даже налегке, а уж о том, чтобы оголить банковский счет и, тем более, продать квартиру, не может быть и речи.

«А впрочем, — подумал он, немного успокоившись, — не надо пороть горячку. Я всегда презирал шарлатанов, за деньги вешающих людям на уши наукоподобную лапшу, но факт остается фактом: уличить шарлатана, выдающего себя за астролога, неспециалисту очень трудно. Проверить правильность прогноза, как правило, невозможно, и в случае, если прогноз не сбудется, всегда найдется убедительная отговорка: вы повернули не направо, а налево, и прошли на три шага дальше, чем следовало, потому-то, вместо того, чтобы найти чемодан с долларами, получили кирпичом по макушке. А чемодан там был, можете не сомневаться, и нашел его вместо вас кто-то другой. А вас то ли сглазил кто-то, то ли вы сами совершили нечто такое, из-за чего аура ваша помутнела, и все это привело вас на больничную койку с проломленным черепом и сотрясением мозга... Короче, отвали, приятель, денег твоих у меня уже нет, ступай-ка лучше в церковь, грехи замаливать. А понадобится новый астропрогноз — милости прошу, телефончик вам известен...

Поэтому бежать мне никуда не надо, а надо спокойно наплести Алику с три короба: дескать, все просто превосходно, а вскорости станет еще лучше, и твое будет царствие небесное на земле. Избранный курс в целом верен, только надо быть немного осторожнее, дипломатичнее, а главное, пока дело окончательно не решится в нашу пользу, поменьше баловаться с уголовным законодательством, а лучше вообще с ним не баловаться...

Это мысль. Ей-богу, мысль! Так, по крайней мере, я сумею спокойно, без спешки собрать вещички и подготовиться к отъезду. Только надо сделать главный упор именно на осторожности и взвешенности каждого шага. Не то, вдохновленный моим прогнозом, он допрыгается раньше срока — сам накроется медным тазом и меня за собой утащит. А накроется он обязательно, девяносто два процента вероятности — это вам не шутка. И мне надо изо всех сил постараться в этот момент быть как можно дальше от него. Это как с большим кораблем — если он начал тонуть, то непременно утащит за собой под воду, а еще того лучше — под винты».

Приняв решение, Юрген немного успокоился. Руки перестали дрожать, и опять возникло желание закурить. Выкурить сигаретку, принять ванну, и — спать. Спать, спать, а Жуковицкий может и подождать — сочиненное астрологом вранье никуда от него не денется. А потом, сразу после разговора с Аликом, надо начинать готовиться к отъезду. Еще не все потеряно, его прогноз раздваивается, ветвится, как лесная тропинка. Всего-то и надо, что не прозевать поворот и свернуть в нужную сторону...

Тут он осознал, что уже некоторое время слышит какие-то посторонние звуки. В квартире кто-то напевал — негромко, под нос, не слишком мелодично. «Из Ливерпульской гавани всегда по четвергам», — разобрал Юрген. До него дошло, что пение раздается уже не первую минуту, и он его все это время слышал, но, занятый своими мыслями, решил, помнится, что это поет радиоточка, которую он по рассеянности забыл выключить из розетки. Что-то там было не так — не то с самим приемником, не то с проводкой, — из-за чего висящая на стене в кухне пожелтевшая от старости и кухонного чада пластмассовая коробка включалась и выключалась самопроизвольно, то замолкая на полуслове, то вдруг в полной тишине неожиданно принимаясь орать благим матом.

Все-таки задумался он чересчур глубоко, да и бессонная ночь с немыслимым количеством выкуренных натощак сигарет, наверное, давала о себе знать. Возвращение к реальности и впрямь напоминало постепенное всплытие с большой глубины. Сейчас Юрген был уже у самой поверхности, перед ним забрезжил дневной свет, и он, наконец, сообразил, что чокнутая радиоточка стояла на его старой квартире, которую он снимал, только-только перебравшись в Москву. А здесь радиоточки не было как таковой — это — во-первых. А во-вторых, песни, исполняемые в такой манере, по радио не передают. «Только «Дон» и «Магдалина» ходят по морю туда... Так, а это куда? Это сюда... так, отлично... Никогда вы не найдете в наших северных лесах...»

Юрген резко обернулся и увидел охранника, который, мало того, что без спроса вошел в комнату, так еще и имел наглость хозяйничать на его рабочем столе. Это был темноволосый тип в просторной матерчатой куртке какого-то темного цвета, в черных джинсах и черной же водолазке; на носу у него красовались темные солнцезащитные очки. Продолжая напевать про длиннохвостых ягуаров и броненосных черепах, этот наглец аккуратно и сноровисто собирал со стола и укладывал обратно в папку разбросанные листы «Центурий», небрежно отбрасывая в сторону расчеты Юргена, когда те подворачивались ему под руку.

Охранник был незнакомый, совсем не тот, что торчал в прихожей вечером, когда Юрген садился за работу. Из этого следовало, что, увлекшись работой, Эдуард Максимович просто не заметил, так сказать, смены караула. Никто не объяснял ему график дежурств этих дуболомов; никто даже не спрашивал его согласия на присутствие в квартире посторонних, да еще и вооруженных людей. С этим еще можно было как-то смириться, учитывая ценность оказавшихся в его распоряжении документов. Но вот это... Это, черт подери, было уже слишком.

— Послушайте-ка, — неприятным голосом окликнул охранника Юрген, подавив желание добавить оскорбительное словечко «любезный», — что это вы себе позволяете?

Охранник взглянул на хозяина квартиры. Темные стекла очков блеснули, отразив свет настольной лампы, а руки продолжали бережно и ловко укладывать в папку хрупкие листы старинной рукописи.

— Навожу порядок, — с обезоруживающей улыбкой сообщил охранник. — Насвинячили вы, извините, безбожно. Как какой-нибудь, извините, черемис... Может, откроете окно? Надо бы проветрить, а то у вас тут вместо воздуха один чистый никотин, капля которого, как известно, убивает лошадь.

Юрген снова закусил губу. Только что владевший им праведный гнев начал стремительно улетучиваться, уступая место уже ставшему привычным в последнее время испугу. Что, черт возьми, это значит? Среди охранников, конечно, встречаются и болтуны, и наглецы, и даже нормальные, простодушные ребята, которые готовы по собственной инициативе прибрать у клиента на столе и не понимают, почему это может кому-то не нравиться. Но вот это упоминание о черемисе... Так когда-то называли марийцев, и в течение долгих лет это слово действительно служило синонимом неряхи, грязнули, никчемного лентяя и пропойцы. Причем употребляли его в этом смысле как раз те люди, которые десятилетиями старательно низводили малые народности Сибири, Севера и Поволжья до скотского состояния... Непонятно только, помянул охранник черемиса именно в этом смысле, или Мазур, скотина этакая, докатился до того, что обсуждает подробности биографии Юргена со своими быками?

— Не трогайте бумаги! — стараясь, чтобы это прозвучало как можно более резко и повелительно, потребовал астролог. — Оставьте, говорю вам, я сам уберу!

— Но я же помогаю, — даже не думая выполнять требование хозяина, возразил охранник. — От всей души, от чистого сердца... Вы же по уши в грязи, а я помогаю вам из нее выбраться, потому что желаю только добра. Я же вижу, вы хороший человек, зачем вам эта грязь?

Юрген нахмурился. Во всем, что говорил этот тип, чудился какой-то второй смысл. Какую грязь он имел в виду — кавардак на столе, действительно свинский, или то, о чем только что подумал Эдуард? Даже песенка, которую он напевал, хозяйничая в чужом кабинете — старая веселая песенка про быстроходные суда, которые уходят в плаванье к далеким берегам, — вторила мыслям астролога о побеге, как будто эти мысли были написаны у него на затылке светящимися буквами...

Охранник между тем подровнял толстую стопку, закрыл папку и завязал тесемки все тем же узлом с двумя бантами. Потом выудил из груды исписанной рукой Юргена бумаги дневник Бюргермайера, сдул с разворота сигаретный пепел, укоризненно покачав при этом головой, закрыл тетрадь, положил ее поверх папки и вдруг извлек откуда-то из-за пазухи черную матерчатую сумку с ремешком для ношения оной на плече.

— Что вы де... — начал Юрген и осекся, поняв, наконец, что перед ним не охранник. — Кто вы такой? — задал он вопрос, показавшийся ему куда более важным.

— Библиотекарь, — любезно пояснил человек в темных очках, укладывая папку и дневник в сумку и задергивая «молнию».

— Но...

— Свято место пусто не бывает, Эдуард Максимович. Библиотекарь — это не кличка, как вы, может быть, решили по незнанию. Это должность, понимаете? Данные бумаги вам не принадлежат, они попали к вам таким путем, что вам об этом лучше не знать. Поэтому послушайтесь доброго совета: бегите. Прямо сейчас, не тратя времени на сборы. Плюньте вы на свое имущество. В конце концов, решите свои финансовые вопросы, когда все это кончится, то есть очень скоро. Да вы ведь и сами это знаете, верно? Если пресловутый метод Нострадамуса не плод чьей-то больной фантазии, вот эти расчеты, — незнакомец постучал пальцем по одному из исписанных листков, — должны содержать в себе нечто столь же любопытное, сколь и неприятное для вас и вашего патрона. Так что уносите ноги,

Эдуард Максимович. А впрочем, как знаете. За все рано или поздно приходится платить, в том числе и за содействие такой сволочи, как Жуковицкий, в его делишках. Так почему бы, в самом деле, не расплатиться прямо сейчас?

Прервав свою речь, Библиотекарь исчез. На самом-то деле он, конечно, покинул кабинет обычным путем, то есть вышел через дверь, но у Юргена сложилось впечатление, что гость именно исчез — растворился в прокуренном воздухе, смешался с сигаретным дымом и пропал без следа.

Не вполне соображая, что произошло, даже не до конца осознав, что у него только что спокойно, без применения насилия, даже не сказав худого слова, отобрали бесценное сокровище, Эдуард Максимович на подгибающихся ногах выбежал в прихожую. Входная дверь была приоткрыта, дверь ванной — тоже, и из-за нее в коридор высовывались ноги в темно-серых брючинах, начищенных до блеска полуботинках и однотонных черных носках. Около дверного косяка валялся, как клочок ненужного мусора, пистолет с коричневой пластмассовой рукояткой, на которой была вытиснена обведенная кругом пятиконечная звезда — ни дать, ни взять, пентаграмма, отлично соответствующая прямому назначению данного предмета.

Переступив через ноги охранника и даже не задавшись вопросом, жив тот или уже умер, Юрген выскочил на лестничную площадку и увидел, как сомкнулись створки одного из двух выходивших сюда лифтов. Кнопка вызова горела ровным желтовато-белым огоньком; чуть слышно загудел мотор, и в окошечке над дверью лифта начали быстро сменяться номера этажей: двадцать шестой, двадцать пятый, двадцать четвертый...

Когда лифт, увозивший нового Библиотекаря, достиг восьмого этажа, навстречу ему снизу, из вестибюля, начал подниматься другой лифт. Остолбеневший Юрген все еще с потерянным видом стоял на лестничной площадке, когда лифт добрался до двадцать шестого этажа, и из распахнувшихся дверей навстречу астрологу шагнул злой и встревоженный Мазур.

* * *

Звонок в дверь разбудил Олега Федотовича примерно в половине третьего ночи. Случилось это аккурат в ту самую ночь, когда астролог, смоля сигарету за сигаретой, осваивал легендарный метод вычислений, изобретенный его гениальным предшественником, Мишелем Нострадамусом.

Несмотря на то что последние несколько лет были сравнительно спокойными, Мазур проснулся сразу, как будто его включили нажатием кнопки, сел на кровати и первым делом, не зажигая свет, посмотрел на часы.

Зеленые светящиеся цифры на дисплее электронного будильника показывали два двадцать пять, за окном серели предрассветные летние сумерки. В дверь продолжали названивать с упорством, достойным лучшего применения. Мазур спустил ноги с кровати, нашарил на прикроватной тумбочке мобильный телефон и нажатием клавиши заставил включиться дисплей. Аккумулятор мобильника был заряжен более чем наполовину, аппарат был подключен к сети, напоминания о пропущенных звонках отсутствовали. Если бы что-то случилось на работе, ему бы позвонили — если не на мобильный телефон, то на домашний. Даже если бы случилось что-то экстраординарное и очень спешное, позвонили бы все равно — по дороге, из машины, чтобы он не терял драгоценного времени на протирание глаз и напяливание штанов, а был готов немедленно выехать.

Но нет, кто-то без предупреждения ломился к нему в дверь посреди ночи, лишая его заслуженного отдыха и рискуя, между прочим, нарваться на неприятности.

Мазур сунул руку под матрас в изголовье и нащупал рукоятку пистолета. Этого оказалось достаточно: трезвон в прихожей смолк, как будто тип за дверью догадался, что хозяин не намерен шутить. Впрочем, вероятнее всего, бедолага просто отчаялся его разбудить и решил попытать счастья в другой квартире. Мазур даже догадывался, кто это мог быть: сосед с шестого этажа, по кличке Манюня, который на третьи сутки запоя, как правило, переставал отличать день от ночи, а свои двери от чужих. То ли поддача у него опять кончилась, то ли деньги, а скорее всего, и то, и другое, причем одновременно. А заодно и закуска, хотя как раз закуска во время запоев волновала Манюню в самую последнюю очередь. Он ее игнорировал, авторитетно утверждая, что алкоголь сам по себе достаточно калорийная штука...

— Алкаш чертов, когда ж ты сдохнешь? — пробормотал Олег Федотович, вынул руку из-под матраса и оторвал ноги от пола с намерением улечься обратно в постель.

В эту минуту в прихожей опять задребезжал звонок.

Олег Федотович выругался и выдернул из-под матраса теплый пистолет.

Бормоча нехорошие слова, с пистолетом в руке, в одних мятых «семейных» трусах, он босиком прошлепал в прихожую.

Свет не включал, поскольку, во-первых, знал квартиру, как свои пять пальцев, жил в ней один и, следовательно, мог не опасаться свернуть себе шею, споткнувшись в темноте об оставленный кем-нибудь на дороге стул или брошенные посреди прихожей туфли. Во-вторых, Мазур давно, еще на войне, выработал для себя золотое правило: думай, что хочешь, и о тебе пусть думают, что угодно, но живую мишень из себя делать не стоит. Лучше сто раз послужить для окружающих посмешищем, чем однажды, не ко времени включив лампу или чиркнув спичкой, схлопотать пулю в башку.

Следуя этому золотому правилу, он пересек погруженную во мрак прихожую и приблизился к входной двери. В темноте отчетливо виднелся освещенный горевшей на лестничной площадке лампой кружочек дверного глазка. Вместо того чтобы посмотреть туда (и, очень может быть, поймать пулю прямо в глаз), Олег Федотович прижался спиной к стене около двери и сонным голосом неприветливо поинтересовался:

— Кто там?

— Экспресс-почта, — послышался снаружи мужской голос. — Мазур Олег Федотович?

— Ну, допустим, я.

— Откройте, вам срочная бандероль.

— Охренели, что ли? — хмуро осведомился Мазур и, не получив ответа на этот сугубо риторический вопрос, добавил: — Погодите, я не одет.

Он быстро вернулся в спальню и первым делом, отодвинув занавеску, осторожно выглянул в окно. У подъезда действительно стоял приметный, ярко раскрашенный пикап экспресс-почты. Начальник охраны натянул пижамные штаны и пошел открывать. Взявшись за барашек замка, он все-таки посмотрел в глазок. Курьер был молодой, одетый в броскую, легко узнаваемую униформу, и стоял перед дверью, с мученическим, терпеливым видом устремив томный взгляд куда-то в потолок. Дверной глазок у Мазура был хороший, с почти круговым обзором, и позволял видеть, что, кроме курьера, на площадке никого нет.

Это, впрочем, еще ничего не означало. Быть начальником службы безопасности — дело хлопотное и тонкое, чреватое самыми разнообразными неприятностями. А работать у такого человека, как Алик Жуковицкий, и вовсе означает жить на пороховой бочке. Олег Федотович знал за собой не менее десятка дел, по которым еще не истек срок давности. И потом, это имеет значение для суда, следствия — словом, для закона. А для серьезных людей, которые так и рвутся свести с тобой счеты, срок давности — пустой звук. Они не успокоятся, пока не справят нужду на твоей могиле, и об этом следует постоянно помнить. И особенно внимательным надлежит быть, когда раздается вот такой неурочный звонок в дверь. Киллер нынче пошел грамотный и изобретательный, так что, раз начав играть в эти игры, надо держать ухо востро...

Мазур приоткрыл дверь на ширину ладони. Услышав щелканье отпираемого замка, курьер оживился, задвигался, и лицо его приобрело осмысленное выражение. Олег Федотович выглянул в щель и убедился, что руки свои курьер держит на виду, и, кроме большого желтого конверта с броским логотипом экспресс-почты, в руках у него ничего нет.

— Заходи, — скомандовал Мазур, открыл дверь шире и отступил от нее на шаг.

Когда курьер вошел, Олег Федотович включил свет.

— Срочная бандероль, — повторил курьер и осекся, увидев в опущенной руке Мазура пистолет.

Олег Федотович протянул свободную руку, но передумал.

— Вскрой конверт, — приказал он, отступая еще на шаг.

— Это не входит в мои обязанности, — хмуро огрызнулся курьер, которому происходящее начинало активно не нравиться. — Распишитесь в получении, у меня еще куча адресов...

— Подождет твоя куча, — ответил Мазур и поднял пистолет. — Конверт открой!

— Я на вас в милицию заявлю, — пообещал курьер.

— Валяй, — разрешил хозяин. — Только сперва открой этот трахнутый конверт, а то, когда к тебе придет милиция, ты об этом уже не узнаешь.

— Да пожалуйста, подавитесь! — в сердцах воскликнул курьер и одним резким движением криво надорвал конверт.

— Доставай, что там у тебя.

Курьер вынул из конверта обыкновенную видеокассету — предмет вполне безобидный, все еще очень широко распространенный, но уже начинающий уступать место цифровым носителям. Между делом Мазур подумал, что правильно поступил, не выкинув на помойку свой старенький видеоплеер.

— Положи на полку, — скомандовал он. — Давай, где там у тебя надо расписаться?

Не сводя с курьера глаз и не опуская пистолет, он поставил неразборчивую закорючку в блокноте, — а затем, дотянувшись до висевшей на вешалке куртки, выудил из ее внутреннего кармана бумажник.

— Держи за беспокойство, — сказал он, протягивая курьеру стодолларовую бумажку.

Курьер состроил оскорбленную мину, но деньги взял, из чего, по идее, следовало, что вопрос о милиции закрыт. Впрочем, Мазуру было безразлично — пистолет у него был зарегистрирован по всем правилам, и улаживать инциденты, подобные сегодняшнему, ему было далеко не впервой. Жаль было только времени и денег, которые придется потратить на этих упырей...

Снова вернувшись в спальню, с пистолетом в одной руке и с видеокассетой — в другой, Мазур еще раз выглянул в окно — как раз вовремя, чтобы увидеть, как курьер садится за руль своего пикапа. Пестро изукрашенный почтовый «рапид» укатил, осторожно ощупывая дорогу бледными лучами фар.

Мазур опустил занавеску, бросил на стол пистолет и, включив торшер, осмотрел кассету. Она была самая обыкновенная, разве что с укороченной лентой — сквозь прозрачное окошечко на лицевой стороне корпуса было видно, что на ролике ее совсем немного. Невозможно было даже предположить, кому взбрело в голову прибегнуть к недешевым услугам экспресс-почты, чтобы доставить эту штуковину Мазуру прямо посреди ночи. Что это — шутка, дурацкий розыгрыш сослуживцев? Попытка шантажа? Да нет, какой там, к дьяволу, шантаж! Олег Федотович — не олигарх, не прокурор какой-нибудь, чтоб его шантажировать. Да и чем, собственно, его можно шантажировать? Ну, предположим, заснять на пленку, как он кувыркается с какой-нибудь телкой, — не проблема. Ну и что? Жены у него нет, Жуковицкому плевать, с кем спит его главный телохранитель, да и секс Олег Федотович всегда практиковал исключительно традиционный...

Впрочем, одно предположение, и притом довольно правдоподобное, у Мазура имелось. Правда, оно было такого сорта, что Олег Федотович ощутил легкий холодок где-то в области солнечного сплетения. Он часто повторял, особенно своим подчиненным, что ничего не боятся только круглые дураки, и что страх — такое же естественное чувство, как, скажем, голод или похоть. Инстинкт размножения не дает человечеству вымереть, голод не позволяет загнуться от бескормицы, утащив за собой тысячи, а может быть, и миллионы своих нерожденных потомков, и точно такую же роль играет страх. Он вроде таблички «Не влезай — убьет!», повешенной на двери трансформаторной будки.

Но сам Мазур испытывал страх редко — не потому, что был дураком или не дорожил собственной жизнью, а потому, что давным-давно научился давить это чувство в зародыше, в самый момент его появления, и так в этом преуспел, что переставал бояться раньше, чем успевал осознать свой страх.

Однако сейчас ледяная змея заползла в его сердце. Олег Федотович был уже почти уверен, что знает содержание видеозаписи так же хорошо, как если бы успел внимательно ее просмотреть.

Он помнил, как расстрелял видеокамеру в коридоре, — единственную, которую ему удалось обнаружить. Библиотекарь утверждал, что в хранилище камер нет. Но покойничек, земля ему битым стеклом, был человек непростой, крученый, как подача чемпиона мира по большому теннису. Мог он солгать? Да запросто! Потом улучил бы момент, прихватил кассету и назначил бы за нее дополнительную цену. А поскольку сам Библиотекарь по известной причине этого сделать не смог, это сделал за него кто-то другой. И этот кто-то, судя по оперативности, с которой он разыскал Олега Федотовича, был очень, очень опасен...

Чтобы прекратить эту пытку неизвестностью, Мазур втолкнул кассету в приемную щель видеомагнитофона и включил телевизор. На экране возникло изображение: знакомое квадратное окошко в стене, груда макулатуры, старый поганец в меховой безрукавке... Потом из окошка головой вперед вывалился труп в пятнистом камуфляже, и началось увеселение.

Мазур досмотрел это кино до конца, старательно подсчитав, сколько раз на экране появился он сам — крупным планом и во всей своей красе. Четыре раза. И это притом, что хватило бы и одного...

Выключив телевизор, Олег Федотович почувствовал себя абсолютно беззащитным. Было совершенно очевидно, что неизвестный противник решил поиграть с ним в кошки-мышки. Он мог прикончить Мазура в любую секунду, и то, что начальник охраны до сих пор оставался в живых, значило только, что в плане противника ему отведена какая-то немаловажная роль.

Он сходил в прихожую и отыскал разорванный конверт. Никакой записки там не было, и запись на пленке также не содержала ничего похожего на инструкцию или хотя бы ультиматум. Противник предлагал Мазуру самостоятельно понять, что от него требуется, и принять решение.

Олег Федотович скрипнул зубами. Противника надлежало переиграть, от этого сейчас зависела его жизнь. Но как играть, не видя не только карт противника, но даже и своих собственных? Да что там карты!.. Ведь неизвестно даже, что это, собственно, за игра, в которой тебя вынуждают принять участие. Ты сядешь в карты играть, а это окажется домино, а то и вовсе какой-нибудь боулинг, в котором тебе, дураку, отведена незавидная роль кегли...

Первым делом следовало прояснить ситуацию. За Жуковицкого пока волноваться, пожалуй, не стоило — он находился под надежной охраной, и, если что, из его резиденции Мазуру бы непременно позвонили. Там этих бездельников столько, что хоть один из них наверняка успел бы это сделать, даже если бы дом штурмовало войсковое подразделение с артиллерией, танками и поддержкой с воздуха.

Значит, с Аликом пока все в порядке. Теперь так. Из-за чего сыр-бор? Из-за стопки старых бумажек, добытых Олегом Мазуром в местечке, которого как бы и на свете-то нет. Именно они, судя по всему, являются главным призом в этой игре, и от данного факта следует отталкиваться, планируя дальнейшие действия.

А бумажки где? Правильно, у Юргена. Значит...

Олег Федотович закурил и, дымя зажатой в уголке рта сигаретой, набрал номер мобильного телефона охранника, который возглавлял группу наружного наблюдения за домом астролога. Номер не отвечал. Мазур выругался, раздавил сигарету прямо об крышку стола, сейчас же закурил новую и, припомнив, кого из своих бойцов назначил на дежурство в квартире Юргена, позвонил ему.

Этот номер тоже не отвечал, как и домашний телефон Эрнста Карловича. Мазур поставил аппарат на автодозвон и бросился одеваться. Нужно было срочно мчаться туда. И это, между прочим, тоже была проблема. Как ехать? Одному, на своей машине? А если она уже заминирована? А если по дороге его ждет засада? Как угадать, каких именно действий ждет от него противник, где и какая подстроена ловушка? А в том, что она подстроена, можно не сомневаться...

Впрочем, в таких ситуациях Олег Федотович чувствовал себя как рыба в воде. Первая растерянность уже прошла, и он начал действовать так, как привык — стремительно, расчетливо и осторожно. Через каких-нибудь пять минут вся служба безопасности Жуковицкого была поднята на ноги. Караулы были удвоены, бдительность усилена, а из расположенного в здании головного офиса гаража выехали две машины с вооруженными охранниками.

Одна из них направилась прямиком на дом к Юргену, но по дороге с ней приключилась странная история: на пустом шоссе она врезалась в неожиданно вывернувшийся из бокового проезда мусоровоз. По счастливой случайности никто не погиб, хотя двоих охранников пришлось госпитализировать с переломами и ушибами различной степени тяжести. Послуживший причиной аварии мусоровоз с места происшествия скрылся. Немного позднее выяснилось, что он был угнан в ту же ночь прямо со стоянки спецавтопредприятия. Его обнаружили недалеко от места аварии; угонщика, естественно, давно и след простыл, в кабине густо воняло алкогольным перегаром, а на сиденье справа от водителя валялась пустая бутылка из-под дешевого плодово-ягодного вина.

Вторая машина заехала за Мазуром к нему домой, после чего также направилась к дому Юргена. Она добралась до места без приключений. Припаркованный перед подъездом автомобиль группы наружного наблюдения стоял на месте; его экипаж находился в салоне и, как сразу же удалось установить, мирно спал под воздействием какого-то наркотика, введенного весьма простым и действенным способом. Эти олухи царя небесного курили на боевом посту и, чтобы не задохнуться, опустили оконное стекло, в результате чего некто, оказавшийся достаточно ловким в обращении с пневматическим ружьем, всадил в каждого из них по дротику со снотворным. Олег Федотович подержал один из этих дротиков в руках и убедился, что неизвестный противник, прибегнув к столь экзотическому способу нейтрализации охраны, даже не понес особенных материальных затрат: дротики были стандартные, российского производства — из тех, которые в последнее время широко используются собачниками для отлова бродячих животных.

И Мазур нисколько не удивился, когда, поднявшись в лифте на двадцать шестой этаж, обнаружил прямо на лестничной площадке взлохмаченного и совершенно потерянного Юргена.

ГЛАВА 16

Иван Яковлевич с трубным звуком продул мундштук «Герцеговины Флор», прикурил, а затем провел ладонью по своей гладкой, сверкающей лысине. Это был странный жест; обычно так приглаживают растрепавшиеся волосы.

— Чудеса, — сказал он. — Как тебе это удалось?

Глеб пожал плечами.

— Довольно легко, — сказал он.

Ефим Моисеевич на миг поднял глаза и бросил на Сиверова быстрый, внимательный взгляд поверх сдвинутых на кончик носа очков. Пальцы его при этом продолжали бережно перебирать и оглаживать страницы рукописи; так человек, встретив кого-то очень родного и близкого после разлуки, которая обещала стать вечной, дотрагивается до его лица, словно не веря собственным глазам.

— А главное, быстро, — с легкой подначкой добавил Корнев.

— Я почему-то решил, что именно это от меня и требуется, — заявил Глеб.

Это был довольно острый момент. На самом-то деле с той минуты, как он отобрал папку с полным текстом «Центурий» и дневник придворного астролога Бюргермайера у другого «придворного» астролога, Юргена, прошло уже больше суток. Сиверов провел это время с пользой для дела, но его нынешним коллегам было вовсе не обязательно об этом знать.

— Двое суток, — не отставал от него Иван Яковлевич. — Даже меньше. За это время ты узнал, чья это работа, нашел, где прячут документы, разработал план и провел операцию. Самостоятельно. Как говорится, без ансамбля. Сам, бля. Один, бля. Да ты просто клад! Слушай, мне всю жизнь, с самого детства, было интересно, где находится Атлантида. Может, смотаешься на денек, узнаешь? Для меня, по дружбе, а?

«Не отвяжется, — понял Глеб. — Да и на его месте я бы и сам ни за что не отвязался. Придется колоться, а пока нельзя. Надо как-то выкручиваться, Глеб Петрович. Надо, потому что это еще не конец...»

— У меня такое впечатление, что вы чем-то очень недовольны, — сказал он.

Генерал тяжело, протяжно вздохнул и снова потер ладонью лысину. Будучи водруженным на хлипкий казенный стул, явно знававший лучшие времена, его кубическое тело казалось особенно громоздким, плотным и тяжелым. На легкой летней рубашке с короткими рукавами медленно подсыхали влажные пятна пота — наверху опять стояла несусветная жара, и Ивану Яковлевичу с его телосложением в такую погоду приходилось нелегко.

— Не то чтобы недоволен, — медленно, словно прямо на ходу подбирая слова, произнес Корнев. — Даже наоборот.

О таком работнике, как ты, можно только мечтать. Одно слово — волшебник! М-да... Только я, знаешь ли, в волшебство не верю — специальность не та, сынок, чтоб на добрую фею надеяться.

— Что-то я вас не совсем понимаю, — солгал Глеб.

Он поймал себя на том, что невинно таращит глаза, и усмехнулся про себя: похоже, работа в этом месте и с этими людьми здорово способствовала развитию актерских способностей. Вот только в данном случае сценические ухищрения Сиверова пропали втуне: его невинно округленные глаза все равно были скрыты от публики темными очками.

— Сомневаюсь, — не клюнул на его вранье Иван Яковлевич. — Но, если хочешь, скажу прямо. То, с какой волшебной скоростью ты вернул документы, поневоле наводит на мысль, что тебе не надо было за ними далеко ходить. Ну, вроде, сбегал домой и принес.

Ефим Моисеевич оторвал взгляд от дневника Бюргермайера, поднял голову и пристально уставился на генерала.

— Что? — немного агрессивно осведомился тот, устав играть со стариком в гляделки.

— У мальчика железное алиби, — сообщил Ефим Моисеевич и снова склонил голову над дневником, обратив к начальству обрамленную седыми кудряшками коричневую плешь.

Иван Яковлевич немного посверлил эту плешь взглядом, словно надеясь проделать в ней отверстие и добраться до мозга, нисколько в этом не преуспел и снова повернулся к Глебу.

— В том-то и дело, — глубоко затягиваясь папиросой и щурясь от дыма, сказал он. — В том-то и дело, что алиби. Да еще, понимаешь, и железное...

Сиверов покосился на лежавший поверх бумаг пистолет Ефима Моисеевича. Дело было плохо, и эта жутковатая штуковина, конечно же, оказалась тут неслучайно. Вообще, такой оборот событий было легко предвидеть; по правде говоря, другого варианта просто не существовало. Глеб это знал, но в силу некоторых обстоятельств уклониться от визита в хранилище или хотя бы отложить его он не мог.

— Дело не в алиби, — сказал он, — а в обычной целесообразности. Какой смысл воровать что-то, чтобы тут же и вернуть?

Ефим Моисеевич в ответ на эту реплику лишь криво усмехнулся, продолжая бережно листать дневник придворного астролога, а Корнев укоризненно покачал головой.

— Во-первых, не тут же, — сказал он, — а почти через двое суток. А за это время всю эту писанину можно скопировать десятком способов. Даже переписать от руки — не все, конечно, а только самое основное. Так что целесообразность налицо.

«Дрянь дело, — подумал Глеб. — Совсем паршиво. Пожалуй, Федор Филиппович был прав, зря я все это затеял».

Генерал потушил в пепельнице папиросу.

— Так что, сынок, — продолжал он задушевным, доверительным тоном, — сам понимаешь, снять с тебя подозрение я не могу. Ну, не могу! А специфика нашего заведения, как тебе известно, диктует определенные правила. И одно из них таково: подозрение, даже малейшая тень, является достаточным основанием для... Ну, ты понимаешь.

Он начал заводить руку за спину. Глеб был к этому готов, и огромный пистолет Ефима Моисеевича будто сам по себе очутился у него в руке. Сиверов передернул ствол и навел пистолет на Ивана Яковлевича.

— Что это ты, сынок? — удивился тот.

Старик при этом даже не поднял головы — он по-прежнему перелистывал то дневник Бюргермайера, то содержимое папки с надписью «Дело», словно проверяя, все ли на месте.

— Прошу прощения, — медленным, плавным движением поднимаясь из-за стола, сказал Глеб, — но умирать я сегодня не планировал. И валять дурака я тоже не расположен, — добавил он, заметив, что Иван Яковлевич по-прежнему держит правую руку за спиной.

— И тем не менее валяешь, — заметил Корнев. — Да еще какого!

— Пистолет не заряжен, — не поднимая головы, произнес Ефим Моисеевич таким тоном, каким сообщают, что небо хмурится и что после обеда, возможно, пойдет дождик.

Глебу очень не хотелось в это верить, но он был достаточно опытен, чтобы по весу пистолета определить, что старик не лжет. Правда, оружием этой системы он еще ни разу не пользовался, и сравнивать его вес ему было не с чем. Чтобы окончательно во всем убедиться, Сиверов хотел было пальнуть в стену над головой Ивана Яковлевича, но решил, что и без того сделал уже достаточно ненужных телодвижений и мелодраматических жестов. Поэтому он просто еще раз передернул ствол и ничуть не удивился, когда из затвора ничего не выпало.

Генерал нарочито замедленным жестом кинематографического злодея, только что осознавшего, что главный положительный герой целиком, со всеми потрохами, находится в его власти, потянул из-за спины правую руку. В его мясистом кулаке оказался зажат мятый носовой платок, которым Иван Яковлевич без видимой необходимости вытер сначала лысину, потом лоб, затем щеки и, наконец, шею.

— Я хотел сказать, — спокойно, без тени насмешки, произнес он, — что с учетом специфики нашей работы даже тень подозрения является достаточным основанием для расследования.

Глеб с отвращением бросил пистолет на стол и уселся, чувствуя себя полным идиотом. Это было очень неприятное чувство.

— Если бы мне удалось нащупать в твоей трудовой биографии хоть одну точку пересечения с твоим предшественником, — все так же спокойно продолжал Корнев, — схватиться за пистолет ты бы не успел. Я бы просто не стал с тобой разговаривать, а отдал бы приказ охране, и тебя превратили бы в решето прямо там, возле лифта. Впрочем, если бы ты был знаком с прежним Библиотекарем и действовал с ним заодно, то вряд ли явился сюда.

— А что, — радуясь тому, что собеседник не видит сквозь темные стекла его глаз, спросил Глеб, — вам многое известно о моей трудовой биографии?

— Да практически ничего, — лениво и благодушно ответил Иван Яковлевич. — Поэтому я и говорю, что ничего не знаю о точках вашего соприкосновения. Но если узнаю... В общем, даже не пытайся убежать. Ни одно живое существо на этой планете не бегает достаточно быстро для того, чтобы убежать от пули.

— Браво, — сказал Ефим Моисеевич. — Это хорошо сказано! Сами придумали или прочли где-нибудь?

Он наконец-то оставил в покое свои драгоценные раритеты, завязал тесемки папки и положил поверх нее дневник Бюргермайера.

— Надо будет поместить их как-нибудь подальше друг от друга, — задумчиво произнес он, поглаживая кончиками пальцев растрескавшуюся, пересохшую и покоробленную кожаную обложку дневника. — Чтобы, если что, было труднее найти.

— Что значит — «если что»? — возмутился Иван Яковлевич. — Тебе одного раза мало?

— Мне достаточно, — кротко ответил старик. — Ну что, заварим чайку?

— Да ну тебя к черту с твоим чайком, — отмахнулся Иван Яковлевич. — Некогда мне тут с вами чаи гонять. Какой может быть чаек, когда у меня дел выше крыши? Мне еще столько сегодня надо успеть!

— Например, выяснить подробности моей трудовой биографии, — невинным тоном подсказал Глеб, который до сих пор чувствовал себя не в своей тарелке и ощущал настоятельную потребность отыграть очко-другое.

— Да, — с вызовом подтвердил Корнев, — например. Я бы сказал, в том числе.

— И вы думаете, это будет легко сделать?

— Нет, — обращаясь к старику, сказал Иван Яковлевич, — это не Библиотекарь, это просто подарок. Дар божий! Сначала он пугает меня пистолетом, потом сомневается в моей профессиональной пригодности... Впрочем, что я несу!

— Вот именно, — негромко сказал Ефим Моисеевич.

— Нет, что я такое несу, а?! Как будто тыкать в меня пистолетом, который битый час лежал прямо у меня под носом, и сомневаться в моей профессиональной пригодности — не одно и то же!

— А рассчитывать вот так, запросто, пойти и выяснить подробности моей биографии — не то же самое? — осведомился Глеб.

— За словом в карман не лезет, — по-прежнему адресуясь к старику, констатировал генерал. — Моя бабка про таких говорила: в рот колом не попадешь.

— Фи! — брезгливо произнес Ефим Моисеевич.

— Да, представь себе, именно так она и говорила! Моя бабка была простая русская крестьянка, в иешивах не обучалась...

— Фи, — повторил старик. — Нашли, чем гордиться. Я тоже не обучался в иешиве, и что с того? И потом, воображаю себе эту милую картину: простая, как вы выразились, русская крестьянка, изучающая талмуд в иешиве!

— Все! — прекратил эту пикировку Корнев и решительно поднялся из-за стола. — Мне пора. Ты, сынок, останешься здесь — так сказать, под домашним арестом. До тех пор, пока я не выясню... э, гм... ну, словом, подробности твоей биографии.

— Елки-палки, — не удержался Сиверов. — Так бы сразу и сказали: пожизненное заключение...

— Еще чего не хватало — всю жизнь тебя задаром кормить! Все, господа библиотечные работники, мне пора.

Ефим Моисеевич убрал в ящик стола папку, дневник астролога и свой огромный пистолет. Ящик он запер на ключ, а ключ спрятал в карман, что слегка укололо Глеба — впрочем, не сильно.

— Мне тоже надо в город, — сказал старик. — Подбросите до метро?

— До метро так до метро, — согласился Иван Яковлевич. — Только собирайся побыстрее.

— Долго ль голому одеться? Взять да подпоясаться! — бодро сообщил Ефим Моисеевич. — Моя бабка была простая еврейская домохозяйка и в иешивах не обучалась, — не без яду ответил он на удивленный взгляд Корнева.

— Два сапога пара, — проворчал тот и, кивнув Глебу, направился к выходу.

Следом, шаркая стоптанными ботинками, засеменил сгорбленный Ефим Моисеевич. Проводив эту парочку взглядом, Сиверов отметил про себя, что его не слишком умная выходка с пистолетом возымела-таки определенный положительный эффект: вопрос о том, где и каким образом он отыскал похищенные из хранилища документы, в результате отодвинулся на второй план и более не поднимался. Что же до домашнего ареста, то данная мера пресечения Сиверова вполне устраивала — по крайней мере, пока.

Он сварил себе кофе, закурил и опустился в глубокое, продавленное и потертое, но очень уютное кресло Ефима Моисеевича. Вообще-то, думать Глеб умел и стоя, и на ходу, но, коль скоро представилась возможность поразмыслить со всеми удобствами, грех было ею не воспользоваться.

А поразмыслить нужно было о многом, и притом весьма основательно.

* * *

— У тебя усталый вид, — сказала Лера.

— Правда? — деланно удивился Альберт Витальевич. — С чего бы это, ума не приложу... Извини, — добавил он, сообразив, что пытается сорвать на Лере свое дурное настроение, в котором она нисколечко не виновата. — Я действительно устал, как собака. Представляешь, вчера в Думе...

Он осекся: говорить то, что он только что чуть было не

произнес вслух, не стоило. И не потому, что тут была какая-то коммерческая или политическая тайна. Просто он не привык демонстрировать свою слабость перед кем бы то ни было, тем более перед женщиной, с которой делил постель и счета которой оплачивал. А то, о чем он собирался рассказать минуту назад, послужило бы Лере поводом для размышлений. Потому что это был признак слабости — первый звоночек, свидетельствующий, что несокрушимый монолит в лице Альберта Витальевича Жуковицкого дал трещину, покачнулся и может в любую минуту с грохотом завалиться в облаках пыли и граде осколков...

Вчера в Думе, в перерыве между заседаниями двух комиссий, одну из которых Альберт Витальевич возглавлял, а в работе другой принимал непосредственное участие, в буфете (в кулуарах, как любят выражаться журналисты), к нему подошел один коллега и поинтересовался, обдумал ли Жуковицкий свои предложения о поправках к законопроекту, который будет рассматриваться на будущей неделе. Вот тут-то Альберт Витальевич и испытал чувство, сходное с тем, которое, помнится, испытал однажды в далеком детстве. Он тогда возвращался из кинотеатра, где впервые просмотрел черно-белый фильм «Приключения на берегах Онтарио», снятый по произведениям Фенимора Купера, о Кожаном Чулке — Натаниэле Бампо, и его неразлучном спутнике, последнем из могикан, Чингачгуке. Шестилетний Алик Жуковицкий шел домой, а перед глазами у него по-прежнему суетились черно-белые фигурки делаваров, гуронов, английских охотников и французских солдат, которые бегали, стреляли и картинно падали с высоких бревенчатых стен осажденного форта. Потом он больно ударился обо что-то лицом и, придя в себя, обнаружил, что сошел, оказывается, с тротуара на газон и впечатался физиономией прямо в ствол росшей на этом газоне березы. Так вот, ощущение, испытанное им тогда и повторившееся спустя много лет в думском буфете (с чашечкой превосходного кофе в одной руке и бутербродом в другой), было ощущением грубого и болезненного возвращения к реальности из мира сладких грез.

В законопроекте, о котором шла речь, Альберт Витальевич был кровно заинтересован. В своем нынешнем виде данный законопроект его не устраивал, и депутат потратил немало времени и нервов, добиваясь отправки этого документа на доработку. Он также добился того, чтобы разработку предложений о поправках доверили ему, и вот, изволите ли видеть: второе чтение состоится уже на будущей неделе, а он за все это время даже не вспомнил об этом чертовом законопроекте!

Лера, как всегда, чутко уловила возникшую в разговоре заминку и, конечно же, догадалась о ее причине. Знать о вчерашнем казусе в Думе она, естественно, не могла, но поняла, что речь чуть было не зашла о чем-то неприятном для Альберта Витальевича, унижающем его мужское достоинство, и со свойственным ей тактом немедленно перевела разговор на другую тему.

— Ну, а что твой Юрген? — спросила она.

Жуковицкий про себя отметил, как тонко это было проделано. Лера сменила тему, но не резко, а повернув ось разговора всего лишь на сотую долю градуса: вроде, и тема прежняя — причины, по которым ее любимый с утра пораньше выглядит усталым и чувствует себя, как выжатый лимон, — а неприятная оговорка по поводу вчерашнего парламентского позорища осталась в стороне.

Он подумал, что так было всегда, с самого начала. Они часто встречались, проводили вместе время, много разговаривали; они делили постель, периодически вытворяя в ней такое, что наутро Альберт Витальевич только диву давался: откуда у него, немолодого, в сущности, мужчины, взялись силы и, главное, акробатические способности? И при этом все их разговоры напоминали игру в шахматы: каждый ход, каждое слово были тщательно продуманы и взвешены, даже когда они, казалось бы, просто трепались о ерунде, отдыхая послеураганного секса и куря одну сигарету на двоих.

Еще неделю назад Альберту Витальевичу казалось, что так и должно быть. Они оба — взрослые, самостоятельные, умные люди, давно переросшие всякую романтическую чушь и точно знающие, чего хотят друг от друга. Ясно, что цели у них не совпадают; ясно, что каждый из них стремится просто-напросто использовать другого так, чтобы получить для себя максимум пользы и удовольствия. Это нормально, потому что такова жизнь. Что наша жизнь? Игра! Вот только в последние несколько дней Альберт Витальевич вдруг почувствовал, что начинает уставать. Захотелось вдруг махнуть рукой на осторожность и, ничего не просчитывая наперед, выложить кому-нибудь — Лере, например, — все, как есть.

Жуковицкий знал, что она выслушает внимательно и с полным сочувствием, скажет в ответ все, что он хотел бы услышать в такой ситуации, и вообще поведет себя наилучшим образом. И сочувствие ее будет выглядеть неподдельным и искренним, но в том-то и беда, что он в эту искренность не поверит. А значит, и сочувствию ее грош цена, и откровенный разговор затевать не стоит — это будет пустое сотрясение воздуха...

— Юрген молчит, — нехотя ответил он на вопрос. — Не то чтобы совсем уж молчит, у Мазура не очень-то отмолчишься, но толку от того, что он говорит, никакого.

— Его что, бьют? — сдержанно ужаснулась Лера.

— Да нет, зачем же? — солгал Альберт Витальевич. — Существует множество других способов вызвать человека на откровенность.

Лера в задумчивости покусала красивую нижнюю губу ровными белыми зубами.

— Так, может быть, он действительно ничего не знает?

— Да я и сам так думаю. — Жуковицкий закурил сразу две сигареты и одну из них протянул любовнице. — На героя-молодогвардейца этот черемис никак не тянет. Мне только непонятно, что с ним теперь делать. Слишком уж много знает. Просто так отпустить нельзя, а... э...

— Убивать его тоже нельзя, — быстро сказала Лера. — Ведь он единственный, кто не просто видел, а хотя бы раз прочел эти документы. А то, что человек прочел хотя бы раз, навсегда остается у него в памяти. Только докопаться до этой информации бывает сложно.

«А ведь ты не о Юргене сейчас заботишься, — подумал Альберт Витальевич, — и тем более не обо мне. Ты ведь, девочка моя, тоже знаешь про меня слишком много — пожалуй, больше, чем все остальные, вместе взятые. Выходит, если астролога можно взять к ногтю, то тебя закопать сам бог велел...»

— А знаешь, о чем я думаю? — сказал он вслух. — Может, ну его к черту, этого Юргена вместе со всей его астрологией? Ты посмотри, в какую катавасию я из-за него встрял! Дался мне этот Нострадамус... Вот уж, действительно, не было бабе заботы — купила порося...

Лера глубоко затянулась сигаретой и поменяла местами лежавшие одна на другой ноги. Альберт Витальевич прекрасно понимал, что это всего-навсего нехитрая женская уловка, направленная на то, чтобы лишний раз привлечь его внимание, но суть дела от этого не менялась: обтянутые прозрачным нейлоном ножки, как и всегда, вызвали у него приятное волнение.

— А тебе не кажется, что ты поздно спохватился? — спросила Лера.

— То есть?

— Что ты намерен делать? Бросить все, как есть? Но ведь ты, насколько я понимаю, разбудил спящую собаку. Большую собаку, кусачую... Эта собака сейчас идет по твоему следу. Она собирается откусить тебе голову, а ты хочешь повернуться к ней спиной? Если да, скажи сразу, чтобы я успела собрать чемоданы.

— Что? — опешил Жуковицкий. — Чемоданы?! Ты хочешь...

— Не хочу, — мягко, но решительно перебила Лера. — Мне с тобой хорошо. От добра добра не ищут, да и я уже, прямо скажем, не девочка, чтобы бросить все и начать жизнь с нуля. Но я и не семнадцатилетняя влюбленная дура, чтобы, как говорится, ты на тот свет — и я вслед. Нет, милый! Я бы сказала, что не позволю тебе опустить руки, но... Я уже достаточно опытна, чтобы знать: нельзя помочь человеку, если он не хочет, чтобы ему помогали.

Альберт Витальевич потряс головой, как человек, не вполне понимающий, спит он или бодрствует. Только что выслушанная им резкая отповедь казалась особенно обидной оттого, что прозвучала из уст Леры — любовницы, содержанки... да, в конце концов, просто бабы. Баба, будь она хоть семи пядей во лбу, все равно остается бабой. И Лера, между прочим, это только что блестяще доказала. Тоже мне, кошка, которая гуляет сама по себе! Называется, получил утешение...

— Если ты хотел, чтобы я погладила тебя по головке и сказала, что все само рассосется, ты ошибся адресом, — продолжала Лера, как всегда, безошибочно угадав его мысли. — Сказки тебе пусть рассказывает твой драгоценный Мазур. Мне почему-то кажется, что он в последнее время только этим и занят.

— С чего это ты взяла?

Жуковицкий задал этот вопрос гораздо агрессивнее, чем ему того хотелось. Он чувствовал себя как человек, которого в уличной драке сбили с ног и не дают подняться, а продолжают лупить по нему ногами, как по футбольному мячу.

— А ты вспомни, когда он последний раз смотрел тебе в глаза, — предложила Лера. — Чувствую, он где-то очень сильно наследил. Да тут и чувствовать нечего! Откуда они, кем бы они ни были, узнали, что рукописи у Юргена?

Альберт Витальевич озадаченно почесал в затылке. Да, это был вопрос! В самом деле, откуда? Лера, как всегда, смотрела в корень.

— К чему ты, собственно, клонишь? — спросил он.

— Я клоню к тому, что расслабляться тебе сейчас нельзя. Или ты их, или они тебя — вот как сейчас стоит вопрос. Я понятия не имею, где Мазур достал те бумаги и каким именно образом он там наследил. Но то место и людей, с ним связанных, необходимо уничтожить. А потом, полагаю, тебе придется подыскать нового начальника охраны.

Жуковицкий заметил, что сигарета у него в руке истлела почти до фильтра, и рассеянно сунул окурок в пепельницу. Его не покидало ощущение нереальности происходящего; притом, что каждое слово Леры, что называется, попадало в десятку, все это были слова, которые он ожидал услышать от нее в самую последнюю очередь. Он бы понял, если бы так говорил Мазур, но Лера?! Впрочем, она и тут права: Олег Федотович и впрямь по уши в дерьме, вот-вот утонет. И Альберта Витальевича за собой утащит...

— Легко сказать — уничтожить, — пробормотал он. — Как ты предлагаешь это сделать?

— Я? — Лера, казалось, была до глубины души удивлена этим вопросом. — Господь с тобой, милый, что же я могу предложить? Я — женщина, мне о таких вещах даже знать не полагается. Это сугубо мужское дело, и я заговорила о нем только потому, что вижу: ты немного растерялся и не знаешь, в какую сторону податься. Впрочем, не обращай на меня внимания. Это все так, домыслы, женская болтовня. Смешно, наверное, выслушивать от женщины рассуждения о том, в чем она ничего не понимает. Не сердись, милый. Господи, я совсем с тобой заболталась! — воскликнула она, посмотрев на часы. — У меня же тренировка! Все, я побежала, не скучай.

Она погасила в пепельнице окурок, чмокнула Альберта Витальевича в щеку и вышла — как всегда, неотразимая.

Проводив ее взглядом, Жуковицкий рассеянно потер ладонью то место, куда она его поцеловала, налил себе виски, закурил новую сигарету и попытался обдумать услышанное. Он все еще занимался этим, незаметно для себя пьянея с каждым сделанным глотком, когда на его рабочем столе зазвонил телефон. Альберт Витальевич не хотел брать трубку, но телефон продолжал упорно трезвонить в тишине кабинета. Думать стало невозможно, и Жуковицкий, выругавшись сквозь зубы, сорвал трубку.

— Ну?! — требовательно рявкнул он в микрофон.

— А ты не нукай, сынок, — послышался в трубке незнакомый мужской голос, — не запряг. Я тебе звоню по поводу бумаг... сам, знаешь, каких. Так вот, если они тебе еще нужны, делай, как я скажу, и не задавай лишних вопросов. Напортачил ты, конечно, сильно, но все еще можно поправить. Значит, сделаем так...

ГЛАВА 17

Эдуард Максимович Юркин сидел на продавленной раскладушке в полутемном подвальном помещении и лениво, как о чем-то постороннем, думал о том, что вот так, бесцельно и болезненно, как захворавшее, никому не нужное животное, проводит последние дни, а может быть, и часы своей жизни. Все кости у него ломило, лицо распухло от побоев, и он вяло радовался тому, что в подвале нет зеркала. Хорош, наверное, у него сейчас видок!

Подняв дрожащую руку, он провел кончиками пальцев по заросшему жесткой щетиной подбородку, стараясь не задеть болезненный, плохо заживающий шрам, оставшийся после знакомства с пудовым кулачищем Мазура. Хорошо, что челюсть не сломал, фашистская морда... А впрочем, что в этом хорошего? Не сломал, так сломает, ему это ничего не стоит. Может быть, как раз сегодня...

В расположенное под самым потолком узкое зарешеченное окошко упал косой луч света, позолотив рябой от многочисленных сколов бок зеленого эмалированного ведра. Ведро было плотно закрыто крышкой, но это не избавляло от вони. Сам Юрген уже притерпелся к запаху настолько, что перестал его замечать, но он отлично понимал, почему, входя в подвал, охранники брезгливо воротят носы.

Наступало утро. Скоро Юргена покормят, если краюху черствого ржаного хлеба и кружку водопроводной ржавой воды можно назвать кормежкой, а потом опять потащат на допрос. И допрос — с задушевной беседой, внезапно переходящей в жуткий, истеричный крик, с мордобоем и угрозами, если не начнет говорить, включить паяльник...

Все душевные силы Юргена теперь уходили только на то, чтобы не рассказать своим мучителям, каких, черт возьми, блистательных результатов он достиг, произведя вычисления по методу Нострадамуса, какое славное будущее напророчили

246

звезды их всемогущему боссу, Алику Жуковицкому. Будущее у господина депутата было очень простое: собачья смерть, вероятность которой составляла более девяноста процентов. Чтобы попытаться реализовать оставленные ему судьбой и звездами мизерные шансы — не на победу, нет, а на простое выживание, — хозяин должен был бросить все, бежать за тридевять земель, в тридесятое царство, и сидеть там тише воды, ниже травы. Зная характер этого алчного упыря, можно было не сомневаться, что такая перспектива его не устроит; это означало, что господин Жуковицкий обречен. Сообщать ему об этом астролог по-прежнему не собирался по одной простой причине: огласив окончательный, не подлежащий обжалованию приговор, он сам прекратит свое существование, не успев даже проверить, правильным ли был его прогноз. Человек, сидящий на скамье подсудимых, смотрит на судью со страхом и надеждой, но это продолжается только до тех пор, пока тот не огласит смертный приговор. После этого судья больше не играет в судьбе приговоренного никакой роли; он ему больше не нужен, он ему ненавистен, и, будь у приговоренного такая возможность, он разодрал бы судью на части голыми руками. Так вот, у Алика Жуковицкого такая возможность имеется. Ему даже рук пачкать не придется, и, осознав, что пользы от астролога больше нет и, главное, не предвидится, он, не моргнув глазом, прикажет списать в расход. Пиф-паф, ой-ой-ой, умирает Юрген мой...

Поэтому Эдуард Максимович держался изо всех сил, которых у него, к слову, уже почти не осталось. Здоровье заметно ослабло, нервы, и раньше не отличавшиеся железной крепостью, окончательно расшатались. Когда на него замахивались, он шарахался, как испуганная лошадь, прикрывая руками лицо; когда палачи, действуя в строгом соответствии с отшлифованной до блеска методикой проведения допроса третьей степени, в точно рассчитанный момент сменяли гнев на милость и принимались втолковывать ему, какой он умный человек и славный парень, Юрген с трудом сдерживал слезы благодарности. А бывало, что и не сдерживал, но это ничего не меняло: за дружеской беседой и предложенной сигаретой все равно следовал неизбежный удар по лицу и дикий, нечеловеческий вопль: «Колись, сука!!! Говори, где бумаги?!»

Палачи оказались дьявольски предусмотрительны: в этом чертовом подвале даже не на чем было повеситься, а в своей способности разбить голову о стену Юрген не без оснований сомневался. Он подумывал, не утопиться ли ему, засунув голову в парашу, но, во-первых, это было отвратительно, а во-вторых, парашу выносили дважды в сутки, так что утопить в ее содержимом можно было разве что новорожденного мышонка...

Эдуард Максимович сидел на продавленной раскладушке, смотрел, как скользит по эмалированному боку параши, почти незаметно сползая на сырой бетонный пол, теплый солнечный луч, и мечтал о том, чтобы все это как-нибудь поскорее кончилось. Впрочем, сейчас, когда его не били, когда сидеть было почти удобно, а за окошком подвала стояло тихое, солнечное летнее утро, Юрген мечтал о смерти, так сказать, головой. Тело его, худо-бедно отдохнувшее за ночь, этих мрачных мечтаний не разделяло — оно хотело жить и, вопреки бьющей в глаза очевидности, еще надеялось на благополучный исход. Эдуард Максимович осознавал это противоречие, и оно его нисколечко не удивляло: от природы он был трусоват и всегда об этом знал.

Снаружи послышался шум подъехавшей машины. Сюда приезжали нечасто, а по утрам — вообще никогда. Наверху лязгнул засов, железная дверь с грохотом открылась, и на лестнице послышались шарканье и топот множества ног. Юрген похолодел.

— Кто посмел?! — внезапно прогремел на лестнице знакомый голос, от которого сердце несчастного замерло в ужасе и надежде. — Я спрашиваю, мать вашу, кто посмел?! Без моего ведома! Поднять руку!!! На кого?!! Твари одноклеточные, волки позорные! На куски порву! Дерьмо у меня жрать будете, подонки! Друг друга будете жрать! По очереди — на завтрак, обед и ужин. А последнего я сам сожру, переварю и в кустах опростаюсь, чтоб его, урода, после меня еще собаки жрали!

Дверь распахнулась настежь, как от сильного порыва ветра, и в нее вихрем ворвался Альберт Витальевич Жуковицкий собственной персоной. Он был страшен: глаза грозно сверкали на бледном от ярости лице, и даже зубы были оскалены, словно господин депутат получил заманчивое предложение сыграть в кино роль графа Дракулы и теперь, не теряя даром времени, вживался в образ.

Он остановился посреди подвала, дико озираясь по сторонам и, кажется, не замечая Юргена, который сидел прямо перед ним. Вслед за Жуковицким в подвал один за другим протиснулись Мазур и двое охранников. Все они в данный момент более всего напоминали псов, отведавших хозяйской плётки, а пожалуй, что и хорошей дубины.

— Где?! — всё тем же жутким голосом, которым орал на лестнице, вскричал Альберт Витальевич.

— Да вот же, — указывая на пленника, кислым тоном сказал Мазур.

Но Жуковицкий не смотрел на Юргена. Он смотрел на освещённую утренним солнышком парашу.

— Эт-то что такое? — зловещим полушепотом осведомился он, ни на кого не глядя.

— Параша, — с огромной неохотой откликнулся Мазур.

— Па-ра-ша? — по складам, словно это слово было ему незнакомо, повторил Жуковицкий. — Ах, параша! — обрадовано, будто поняв, наконец, о чём идёт речь, воскликнул он и вдруг, лихо развернувшись на одной ноге, с ловкостью и силой, выдававшей в нём заядлого футболиста, наподдал по ведру носком сверкающего дорогой кожей полуботинка.

Несмотря на владевшую им ярость, Альберт Витальевич, похоже, очень точно рассчитал силу и направление удара, и ведро, которое на четыре пятых своего объёма было пустым, потеряв крышку, красиво, как футбольный мяч с одиннадцатиметровой отметки, поднялось в воздух.

«Штанга», — отстранённо подумал Юрген, когда ведро, веером расплескав своё пахучее содержимое, ударилось о скрещённые перед лицом руки одного из охранников. Гол в понимании Юргена — это прямое попадание в ненавистную рожу Мазура. Впрочем, начальнику тоже досталось.

Затем Альберт Витальевич круто развернулся на каблуках и, наконец, увидел Юргена, который к этому моменту уже нашёл в себе силы подняться с раскладушки. Лицо Жуковицкого дрогнуло и перекосилось, губы задрожали, словно он собирался заплакать.

— Эрнст Карлович, — выдохнул он. — Господи, что же они с тобой сделали, эти мерзавцы?! Кто?!! — опять нечеловеческим голосом завопил он, оборачиваясь к охране. — Закопаю, мрази!

В его руке, откуда ни возьмись, появился большой автоматический пистолет. Олег Федотович успел присесть, и пуля ударилась о стену точнёхонько в том месте, где мгновение назад была голова начальника охраны.

— Подонки! Животные! Говноеды! Всех перестреляю!!! — кричал Альберт Витальевич, паля поверх голов. По подвалу плавал серый дым, запах жженого пороха забивал даже резкую вонь перевернутой параши, по полу прыгали стреляные гильзы, во все стороны летела цементная крошка.

Затем наступила тишина — у Альберта Витальевича кончились патроны. Отшвырнув разряженный, дымящийся пистолет, Жуковицкий шагнул к астрологу, порывисто обнял его и прижал разбитым лицом к своему отлично сшитому, пахнущему дорогим одеколоном и хорошим табаком пиджаку.

— Нашелся, дорогой ты мой человек, — приговаривал он, осторожно, чтобы не сделать больно, похлопывая Юргена по спине. — Живой! Слава тебе, господи! А я уж думал... Все, пошли отсюда, пошли скорее из этой крысиной норы... А вы, уроды, — железным голосом добавил он, обращаясь к охране, — на глаза мне не попадайтесь. Хотя бы до вечера. Остыть мне надо, лишний грех на душу брать не хочу. Хотя какой это, в сущности, грех?.. Ну, пойдем, Эрнст Карлович, пойдем, голуба. Есть хочешь? А курить? Э, что я спрашиваю... Пойдем, дорогой, все тебе будет — и ванна, и пожрать, и сигарета, и бутылочка... Если врач понадобится, будет и врач. Только, если тебе понадобится врач, кому-то из наших общих знакомых понадобится патологоанатом. Это я тебе клятвенно обещаю.

Юрген покинул подвал и уже не видел, как Мазур, стерев дерьмо со щеки носовым платком и с брезгливой миной швырнув платок в угол, коротко приказал охранникам:

— Пошли мыться. Концерт окончен...

* * *

— Но как же это?.. — пролепетал Юрген распухшими губами, ошарашенно глядя на стол.

На столе лежало все необходимое, начиная с включенного ноутбука последней и самой престижной модели (вместо калькулятора, который некогда было искать), и кончая ластиком на тот случай, если после пережитых волнений рука у Юргена ненароком дрогнет, и он испортит какой-нибудь мудреный астрологический чертеж. Здесь была и нераспечатанная пачка писчей бумаги, и новенький блокнот (в клеточку, других Юрген не признавал, и то, что Альберт Витальевич об этом, оказывается, помнил, было особенно приятно), и набор ручек, и профессиональная готовальня, и транспортир, и целых три линейки; еще на столе аккуратной, сужающейся кверху башенкой лежали те самые справочники и словари, которыми

Юрген пользовался в памятную ночь своего знакомства с новым Библиотекарем.

А еще на столе лежало то, что, собственно, и повергло Эдуарда Максимовича в состояние, близкое к обморочному, — толстенная картонная папка с надписью «Дело» и знакомыми брызгами крови на пропитанной каким-то жиром крышке, а также пухлая тетрадь в пересохшей, потертой и покоробленной кожаной обложке — дневник придворного астролога Петра Великого. Смятые и заново разглаженные, с растертыми следами сигаретного пепла листки расчетов, сделанных Юргеном в ту проклятую ночь, тоже были здесь. Но на них Эдуард Максимович глянул только раз и больше уже не смотрел: он был до смерти рад, что простому смертному в этой писанине не разобраться даже после трех бутылок водки. Там, на этих мятых, перепачканных пеплом листках, был записан смертный приговор Жуковицкому, а заодно и ему самому.

Но все эти мысли скользнули по самому краешку сознания и сорвались в пустоту. Все это была ерунда на постном масле; главное — каким образом тут очутились «Центурии» и дневник?

— Ведь этого просто не может быть, — пробормотал Юрген.

— Да как же не может, когда — вот оно! — весело сказал Жуковицкий.

Спорить с этим было трудно. Астролог шагнул к столу, отодвинул тяжелый, массивный, сработанный под старину, из цельной дубовой древесины стул и уселся, поскольку именно это от него и требовалось. После горячей душистой ванны, бережной обработки синяков и ссадин, сытного, очень вкусного завтрака и хорошей сигареты он ощущал себя будто заново родившимся. Его избавление было сродни чуду; Юрген не верил в чудеса, подозревал, что сцена его освобождения была разыграна, как по нотам, но обдумывать все это ему сейчас не хотелось. Наоборот, хотелось верить, что все было именно так, как рассказывал Жуковицкий: Мазур, тупая скотина, прохлопал появление нового Библиотекаря, с перепугу наложил в штаны и принялся действовать по собственному разумению, на свой страх и риск. Ну, а какое такое «собственное разумение» может быть у матерого спецназовца наподобие нашего дорогого и горячо любимого Олега Федотовича, объяснять не надо.

Короче говоря, эта тупая скотина, наверное, замордовала бы ни в чем не повинного и, главное, незаменимого Эдуарда Максимовича до смерти, если бы похищенные бумаги не нашлись сами собой. И вот, когда они нашлись, когда, черт возьми, назрела настоятельная необходимость в них разобраться, использовать их по прямому назначению, этот урод, этот тупой долдон, этот так называемый начальник службы безопасности, наконец-то, пряча глаза, признался, что уже без малого неделю держит Юргена — единственного человека, который способен эти бумаги хотя бы прочесть! — на своей загородной базе, пытаясь выбить из него информацию, которой тот не располагает.

Едва узнав об этом, Альберт Витальевич, естественно, озверел и немедля кинулся на выручку. Его обуревала свирепая жажда убийства, и счастье Мазура, что он успел вовремя втянуть в плечи свою дубовую башку, не то валялся бы сейчас на полу в подвале, в луже дерьма и с пулей промеж ушей.

И так далее, и тому подобное... Эта красочная история выглядела не слишком правдоподобно, но Юргену не хотелось испытывать ее на прочность. Она его устраивала. Он допускал, что испытанная им при виде Жуковицкого радость была радостью дворового пса, с восторгом лижущего руки хозяина, который передумал топить его в загаженном гусями пруду. Ну, подумаешь, избил палкой и привязал к ошейнику авоську с кирпичами! В воду не бросил, и ладно. А бока заживут — вот именно, как на собаке...

Сравнение с дворнягой, угодливо лижущей руку, которая чуть было не лишила ее жизни, разумеется, не льстило самолюбию Эрнста Юргена. Оно не льстило даже самолюбию Эдика Юркина, но что с того? Все это была лирика, которой, как он убедился на собственном горьком опыте, грош цена. Главное, что приведение в исполнение вынесенного ему смертного приговора было отсрочено, и каким он будет, этот срок, теперь зависело только от самого Эдуарда Максимовича. И, что бы ни говорили звезды, как бы ни складывались обстоятельства, Юрген сделает все возможное, чтобы пережить и Алика Жуковицкого, и его ручного волкодава Мазура...

— Я, конечно, понимаю, что это не мое дело, — осторожно сказал астролог, усевшись и положив на крышку стола ладони. Крови под ногтями уже не было, он ее отмыл, только два ногтя на левой руке почернели и, кажется, готовились слезть. — Да, повторил он, — не мое дело... Но все-таки интересно, где вы это взяли?

— Где взял, где взял... Купил! — жизнерадостно ответил Жуковицкий. — Знаешь этот анекдот? Нет? Это, понимаешь, откинулся один зека, поселился в деревне. Ведет себя тихо — не ворует, не дебоширит, не пьет даже. Одним словом, стал на путь окончательного исправления. А участковый, понятно, ни на грош ему не верит. Так и ходит за ним по пятам — ждет, значит, когда он опять за старое возьмется, чтобы его за решетку упечь. И вот идет, значит, этот зека по деревне, по центральной, понимаешь ли, улице, а в руке у него — новенький топор. Ну, участковый, ясно, тут как тут. «Где, — говорит, — топор взял?» Зека молчком разворачивается на сто восемьдесят градусов и идет в другую сторону. Участковый не отстает. «Где взял?» Зека сворачивает в переулок, участковый — следом. «Где взял?» Зека за угол, участковый за ним, и опять: «Где взял?» Зека разворачивается и как хватит его этим топором по башке! «Где взял, где взял… Купил!»

Юрген напрягся и выдавил из себя бледную, неискреннюю улыбку. Увидев эту улыбку, Жуковицкий перестал сиять, как новенький пятак, присел на краешек стола и, засунув руки в карманы брюк, пожал плечами.

— Серьезно, — сказал он. — Пришлось раскошелиться. И, знаешь ли, не по мелочи! Ч-черт… До сих пор, как вспомню, сколько отдал за эту макулатуру, зло берет. Так бы и загрыз кого-нибудь… Но ты ведь сам говорил, что дело того стоит! Давай, Эрнст Карлович, не подкачай, на тебя вся надежда.

Юрген бережно, сдерживая предательскую дрожь в руках, придвинул к себе дневник Бюргермайера и папку с «Центуриями».

— Кстати, — продолжал Жуковицкий, — я вижу, ты тут уже что-то наковырял… — Его указательный палец небрежно поддел листок с расчетами. — Только не разобрать ничего. Что это тут у тебя, а?

— Это так, — ответил астролог, — черновые наброски. В общем, у меня в тот раз ничего не получилось. Просто не успел до конца разобраться… Так что вас интересует? Газпром?

— О Газпроме поговорим потом, — покачал головой Жуковицкий. — Ты вот только что сказал: не успел, мол, до конца разобраться… Это вот, Эрнст Карлович, и есть самый главный вопрос на сегодняшний день: как нам с этим делом до конца разобраться. Библиотекари эти, то да се… Ты ведь, как и я, не горишь желанием еще раз встретиться с этой сволочью, верно? Вот и посчитай, дорогой, вот и посоветуй, как бы это нам сделать так, чтобы вся эта шушера исчезла с горизонта и больше не отсвечивала… Сможешь?

— Постараюсь, — слегка окрепшим голосом пообещал Юрген.

Такая постановка вопроса в корне меняла дело. Во-первых, он и сам был не прочь посмотреть, как Мазур и его опричники разберутся с новым Библиотекарем. А во-вторых, львиная доля нависшей над Жуковицким смертельной угрозы исходила как раз таки от Библиотекаря. Так, может быть, если этого типа не станет, не станет и угрозы? Тучи разойдутся, горизонт очистится, и все вернется на круги своя... Да нет, не так! Это будет не возвращение, а выход на новый виток спирали — вперед и вверх, к богатству и мировой славе, о которых Юрген, помнится, смутно грезил, впервые взяв в руки эти самые бумаги...

Ведь подавляющее большинство ответов, как правило, зависит от постановки вопроса. Каков вопрос — таков ответ. Если спрашиваешь, будешь ли ты жить вечно, не стоит удивляться, получив в ответ короткое и категоричное «нет». А если спросить, как тебе избежать смерти в ближайшие, скажем, тридцать-сорок лет, тогда возможны варианты. Конечно, ответ «никак» тоже возможен, но он, по крайней мере, не единственный...

— Постараюсь, Альберт Витальевич, — уже совсем твердо повторил он и принялся раскладывать словари.

— Ну, давай тогда, — сказал Жуковицкий, легко спрыгивая со стола. Он положил у локтя Юргена только что распечатанную пачку сигарет и зажигалку, придвинул пепельницу. — Дерзай, Эрнст Карлович, не буду тебе мешать. Желаю удачи!

— Спасибо, — рассеянно откликнулся Юрген, даже не заметив, что в комнате, кроме него, уже никого нет.

В коридоре хозяина поджидал хмурый и озабоченный Мазур. В последнее время он вообще перестал улыбаться, а сегодня у него имелись особые причины для дурного настроения. Альберт Витальевич заметил, что начальник службы безопасности сменил испачканный деловой костюм на спортивную куртку и шаровары, и с трудом сдержал ухмылку.

— Ты, Олег Федотович, извини меня, — первым заговорил Жуковицкий, кладя на каменное плечо Мазура ладонь. — Там, в подвале, я, пожалуй, малость увлекся.

— Пожалуй, не малость, — не глядя ему в глаза — ну, точь-в-точь, как давеча говорила Лера! — ответил охранник. — Но зато получилось убедительно, комар носа не подточит. Даже я почти что испугался. Думал, вы точно кого-нибудь замочите. Зато этот лох, — он кивнул на дверь, за которой работал Юрген, — купился.

— Да, похоже на то, — согласился Жуковицкий, подумав, что Юргену хватило бы и половины представления, которое, грешным делом, доставило самому Альберту Витальевичу массу удовольствия. Он уже давно нуждался в разрядке и, если честно, ему стоило немалых усилий действительно кого-нибудь не пристрелить. Вот, хотя бы и Мазура. Все равно ведь придется рано или поздно... — Ну, так как, Федотыч? Кто старое помянет?..

— Тому глаз вон, — по-прежнему не глядя в глаза, закончил Мазур. — У меня еще один вопрос, Альберт Витальевич, — торопливо добавил он, видя, что босс собирается уйти.

— Ну?

«Не нукай, сынок, — вспомнилось ему тут же, — не запряг». Вот сволочь, подумал он, снова закипая. Погоди, я тебя еще достану. Тогда и поглядим, кто кого запряг...

— Это насчет Валерии Алексеевны, — сказал Мазур тем особенным, стесненным и в то же время упрямым тоном, каким подчиненные обычно заговаривают с начальством о его личных, интимных делах. Дескать, делайте со мной, что хотите, но молчать я не могу, потому что забочусь, сами понимаете, о вашем же благополучии...

— Насчет Леры? — непритворно изумился Жуковицкий. — Что такое? Случилось что-нибудь?

— Не беспокойтесь, с ней все в порядке, — с неприятной многозначительностью произнес Мазур.

— Тогда в чем дело?

— Нам, наконец, удалось кое-что о ней выяснить.

— Не прошло и двух лет, — съязвил Альберт Витальевич. Он сам когда-то отдал приказ разобраться в прошлом своей любовницы, но в данный момент этот разговор казался ему крайне несвоевременным.

— Да, это было нелегко, — согласился Мазур.

— Ну, и что же вы, трудяги, нарыли? — пренебрежительно поинтересовался Жуковицкий.

— Во-первых, она еврейка, — сообщил Олег Федотович таким тоном, словно уличал Леру в подготовке террористического акта.

— С кем не бывает, — хладнокровно отреагировал Альберт Витальевич, который уже давно об этом догадывался.

— Во-вторых, живет под чужим именем, — продолжал несгибаемый Мазур.

— Тоже случается. Евреи в нашей стране никогда не пользовались особенной популярностью, и чтобы с высоко поднятой головой нести по жизни гордое имя Сара Абрамовна или, скажем, Рива Мордехаевна, надо быть либо очень мужественным человеком, либо дурой набитой, не понимающей, почему каждый раз, когда она возвращается с рынка, у нее весь подол заплеван, а под глазом фингал... Ну, и как же ее звали в прошлой жизни? Надеюсь, не Голда Мейер?

Тяжелая, похожая на свиное рыло физиономия охранника скривилась в подобии скептической усмешки.

— Да нет, — сказал он. — Тогда бы ей, наверное, лет сто было. Она, конечно, тоже не девочка. Далеко не девочка, но Голде Мейер во внучки годится. Если не в правнучки...

— Язык прикуси, — окоротил его Жуковицкий. — Гляди-ка, разговорился, чувство юмора в нем проснулось... Звать ее как?

— Валентина... Отчество запамятовал, — признался Мазур. — Сейчас, я тут у себя записал...

Он полез за пазуху и стал мучительно долго копаться в недрах своего легкомысленно яркого, красно-фиолетового спортивного костюма, как будто там, за пазухой, у него лежало полтонны секретной документации, и он никак не мог на ощупь выбрать из тысяч одинаковых листков тот, который искал.

Найти блокнот, в котором было записано настоящее имя Леры, Мазур так и не успел, потому что из комнаты, легко проникнув сквозь запертую дверь, донесся леденящий кровь, полный ужаса вопль Юргена:

— Альберт Витальевич! Кто-нибудь!!! Господи, да что же это?!

ГЛАВА 18

Жуковицкий с трудом дотянулся до стола, приподнял бутылку и посмотрел, сколько в ней осталось. Он понял, что придется идти к бару за добавкой.

«Ха, — подумал он, — идти... Брести! А в перспективе, возможно, и ползти. На руках. Потому что ноги не держат. Ноги — предатели. "Какое гнусное коварство! Полуживого забавлять. Ему подушки поправлять..." Нет, это из другой оперы, это к нашему случаю не подходит. Как там было-то... А! "Дух ног слаб, рук мощь зла." Во как! Господи, ну и бредятина. Надо же было так надраться...»

Альберт Витальевич и в самом деле был сильно пьян. Он беспробудно пил уже вторые сутки подряд, периодически впадая в беспамятство и приходя в себя только для того, чтобы распечатать новую бутылку виски.

Рядом с ним все это время никого не было — он всех разогнал к чертовой матери, чтоб не путались под ногами. Он прогнал оказавшегося бесполезным Юргена — посадил его под домашний арест на той самой загородной базе, только не в подвале, а в одной из гостевых спален. Астролог. Ученый... Презерватив копченый, вот и весь ученый. Кончить бы его, да где другого такого возьмешь?

Он прогнал Леру, которая сказала, что деньги — пыль и что у него имеются и другие достоинства. А если ему вдруг не хватит мелочи на сигареты или на метро, она ему с удовольствием одолжит. До получки. Как ее было после этого не прогнать? Пусть поищет другого — побогаче, поумнее... В ее возрасте — ха-ха! — это должно получиться особенно легко. Ведь олигархи всего мира давно уже испытывают острую нехватку незамужних тридцатидвухлетних баб с дорогостоящими привычками... Так что — полный вперед!

Последним, и с особенным удовольствием, он прогнал к чертовой матери Мазура, который предложил поднять в ружье всю службу безопасности и взять пресловутое хранилище штурмом. Полк, за мной! Коммунисты, вперед! На пулеметы, мать вашу, а то что-то много вас опять развелось — плюнешь в собаку, а попадешь обязательно в члена партии... Пленных не брать. Все, что горит, сжечь. Все, что шевелится, расстрелять. В крайнем случае, зарезать. Остальное взорвать. В центре города. В двух шагах от железнодорожного вокзала. В самом сердце Московского военного округа. Военачальник. Стратег! Начальник службы — чего? — безопасности! Бе-зо-пас-нос-ти! Хороша безопасность — развязать целую войну чуть ли не под Кремлевской стеной, а потом сесть на диванчик, сложить руки на животе и ждать, чем это кончится... Ну, не идиот? В шею, в шею, под зад коленкой!

Жуковицкий, разумеется, забросил все дела и даже не поехал в Думу на слушание того самого законопроекта, который... А, плевать! Какой там еще законопроект? Зачем? Польза для бизнеса? Чушь собачья, бизнеса-то никакого нет! Бизнес превращен в деньги, а деньги — тю-тю. Пятьдесят миллионов. Практически все, что у него было. Почти все. Столько, сколько у него сейчас осталось, имеет любой уважающий себя владелец продуктовой палатки. Дорогие друзья, уважаемые коллеги, сегодня мы с вами присутствуем при знаменательном событии: хорошо известный всем нам и безгранично уважаемый Альберт Витальевич Жуковицкий только что пережил второе рождение. Теперь он — голодранец! Обратите внимание на окно. Видите, там, в глубине двора, помойку? А человека, который в ней роется, видите? Вот это он самый и есть — господин депутат, собственной персоной. Да, узнать его трудно, но вам же сказали: человек заново родился! А чтобы заново родиться, надо сначала умереть.

Спустить в сортир пятьдесят миллионов долларов тоже надо уметь, это не каждому по плечу. А вот он сумел. Раз — и нету! Поаплодируем ему, он это заслужил. Ему предложили купить то, что он не сумел по-человечески украсть, и он принял предложение. Потому что ему этого очень хотелось. Он думал, что все еще остается политиком и бизнесменом, и что, совершая эту сделку, по-прежнему борется за власть и зарабатывает деньги. А на самом-то деле он в это время уже был стопроцентным развесистым лохом и держался не за кормило власти и не за рычаги управления экономикой. А держался он, господа, одной рукой за крышку унитаза, а другой — за ручку смывного бачка. Что? Где он в это время держал пятьдесят миллионов? В зубах, наверное, руки-то у него были заняты... Вот ведь как случается порой: человек умер, заново родился и даже не заметил этого. А когда заметил, было уже поздно...

Жуковицкий отлично понимал, что ведет себя неправильно. Не пьянствовать ему сейчас надо, а действовать — быстро, продуманно и четко. Но легко сказать — действовать. Как? Что делать? Штурмовать хранилище, как предлагал Мазур? Ну, и что это даст? Вряд ли человек, который развел всесильного депутата на такую сумму, сидит там и ждет, когда с ним придут сводить счеты. Этот подонок сейчас наверняка где-нибудь в другом полушарии устраивает свой быт на денежки Альберта Витальевича. И хихикает, сволочь, вспоминая, как ловко он все обстряпал. И бумаги, за которыми охотился Жуковицкий, тоже наверняка у него. Подыщет нового лоха и впарит бумаги ему. А может, себе оставит. Может, он сам неплохо разбирается в астрологии. Может, всю эту операцию он придумал и провернул, опираясь на расчеты, проведенные по методу Нострадамуса.

Вспомнив о расчетах, Альберт Витальевич болезненно сморщился и торопливо глотнул виски прямо из горлышка. Да-а, обставили его лихо, тут ничего не скажешь...

Алкоголь давно пропитал каждую клеточку его организма — ей-богу, страшно было закуривать, — но толку от него было мало. Главную свою задачу — помочь забыть о происшедшем — это отдающее дубовой бочкой шотландское пойло выполнить не могло. Может, стоило попробовать водку? И лучше всего паленую. Чтобы хватил полстакана, и сразу башню снесло...

Юрген, когда обнаружил, что их обули в лапти, чуть с катушек не съехал. Насилу его отпоили... Папка, по его словам, была та самая, и бумаги — недостающая часть «Центурий» Нострадамуса — в ней лежали те же. Там описывалось, какие катаклизмы ожидают старушку Землю в период с две тысячи грехсотого по три тысячи какой-то там год. Изначально там же содержалась глава, в которой Нострадамус зашифровал свой метод астрологических вычислений. Так вот, эта самая глава тоже оказалась на месте, но, как очень быстро выяснилось, глава была, что называется, та, да не та. Как только Юрген приступил к расшифровке, используя для этого открытый Бюргермайером ключ от шифра, выяснилось, что послание Нострадамуса кто-то подменил искусно выполненной фальшивкой. С виду оно было таким же, как и все содержавшиеся в папке материалы, и даже почерк был тот же самый — по крайней мере, на первый взгляд. А вот зашифровано там было вовсе не описание легендарного метода, а нечто вроде письма запорожцев турецкому султану. Только обращено это послание было не к какому-то там султану, а к Альберту Витальевичу Жуковицкому, лично.

Сейчас он, грешным делом, и сам не понимал, как, каким образом все это допустил, как позволил сотворить над собой такое. Если бы ему месяц или даже неделю назад рассказали подобную историю, он бы в нее просто не поверил. Человек, который сумел заработать по-настоящему большие деньги, хорошо знает им цену и просто неспособен в одночасье пустить по ветру все, что у него есть, погнавшись за химерой. А если бы его убедили, что эта история правдива, если бы предоставили неопровержимые доказательства, он бы, наверное, только пожал плечами и первым делом предположил, что это какой-то не слишком ловкий, довольно неуклюжий трюк наподобие ложного банкротства. А если не трюк, то, значит, человек просто не выдержал борьбы за выживание и сошел с ума. Ну, а сумасшедшему деньги ни к чему, так что и говорить тут особенно не о чем...

Словом, согласно его собственной логике, которую он до сих пор считал не только правильной, но и единственно возможной, Альберт Витальевич Жуковицкий сошел с ума. Спекся. Сдулся. Сошел со сцены, уплыл в канализацию. А самое смешное, что он ничего не мог по этому поводу возразить.

Альберт Витальевич снова поднес к губам горлышко бутылки, но задержал руку, так и не сделав глоток. У него вдруг появилось ощущение какой-то перемены, произошедшей не снаружи, вокруг него, а где-то глубоко внутри. Кажется, погружаясь в пучину отчаяния и самоуничижения, он, наконец, достиг дна, оттолкнулся от него и начал потихонечку всплывать на поверхность.

Во-первых, сказал он себе мысленно, хватит валять дурака. Хватит! Хватит корчить тут убогого, юродивого и, главное, нищего. Псих, не псих — кому какое дело? Кого это касается? Это, ребята, внутренняя проблема Алика Жуковицкого, и он решит ее без вашей поганой помощи, как решал до сих пор всегда. Что случилось-то? Пятьдесят лимонов уплыли? Ай-ай-ай, горе-то какое! Беда, огорчение... Это, выходит, вы, господин Жуковицкий, с пятьюдесятью миллионами в активе точили зуб на контрольный пакет акций Газпрома? Вы что, действительно больной? Вы не знали, сколько это стоит? Знали, мистер Жуковицкий. И вас это не смущало, поскольку в одном симпатичном банке на Каймановых островах у вас имеется счетец на... Ну, что, назвать сумму? Не хотите... А про Швейцарию не забыли? А про... Что, достаточно? Ну, так хватит рвать на себе нижнее белье. Зрители уже насладились представлением и давно разошлись, пора заняться делами. Кофейку выпить для начала, очухаться и все хорошенько обдумать.

Из-за пятидесяти миллионов в запой уходить — где это видано? Ты ж не ларечник, не челнок, чтоб из-за чемодана баксов так убиваться. Дело, конечно, не в деньгах, а в принципе. Кидать Алика Жуковицкого никому не позволено — так было, есть и будет. А кто кинет, тому мало не покажется...

Вот так. Это и есть нормальное мировоззрение. Здоровое.

Теперь так. Деньги у него имеются, и их с лихвой хватит на то, чтобы трижды перевернуть вверх тормашками земной шар. Никто не исчезает без следа, особенно нищие подонки, нежданно-негаданно сорвавшие куш в пятьдесят миллионов. И хватит об этих миллионах. Хватит! Эти деньги теперь вроде радиомаяка — рано или поздно, близко или далеко, но они проявятся, дадут о себе знать. Потому что нищим подонкам деньги нужны, чтобы их тратить — покупать машины, дома, выпивку с закуской и, само собой, баб.

Не в деньгах дело, а в бумагах, и не в бумагах даже, а в методе Нострадамуса. Овладеть этим методом, загрузить его в Юргена, как в компьютер и, манипулируя этим ученым болваном, точь-в-точь, как хорошим компьютером, показать всем на свете, кто таков на самом деле Алик Жуковицкий. Что? Кто сказал — маньяк? Налейте ему, он правильно говорит. Фокус в том, ребята, что все сколько-нибудь стоящие дела совершаются именно маньяками — то есть теми, кого вы, бараны, привыкли так называть. Теми, кто, избрав цель, ломится к ней через все преграды, крушит стены голыми руками, ни черта не боится и никого не жалеет, в том числе и себя. Один режет баб в темных переулках, а другой перекраивает карту мира. Так вот, первого вы называете маньяком, а второго — великим человеком. Почему? Потому, что он пролил больше крови? На самом деле, так оно и есть, только вы этого никогда не признаете. Тогда скажем так: он велик потому, что, проливая кровь, преследовал великие цели. Так лучше? Ну, еще бы!

Но вот Гитлера, например, несмотря на огромное количество пролитой им крови, а также великие цели, которые он не только преследовал, но и почти что достиг, вы полагаете чудовищем и маньяком. Вопрос: почему? Ответ: потому, что ему не повезло. Победитель всегда прав, его не судят. Судят побежденного. И уж тогда он у вас, конечно, становится маньяком.

Из этого следует, что цель оправдывает средства. Не всегда, заметьте, а лишь тогда, когда эта цель достигнута. Значит, если сейчас, во-первых, плюнуть на налоговую, а заодно и на перспективу потерять депутатский мандат, запустить руку в кубышку и бросить все силы и средства на поиск этого хитрого подонка, дело может выгореть. Только искать надо очень быстро — действовать, а не сидеть в обнимку с бутылкой. А то ведь у нас как? Потерял депутатский мандат — значит, потерял неприкосновенность. А из тех, кому не терпится к тебе, так сказать, прикоснуться, давно уже выстроилась километровая очередь. И кого в ней только нет! Налоговая полиция, братва, менты и даже ФСБ в лице генерала Потапчука, ни дна ему, ни покрышки...

Альберт Витальевич снова поднес к губам горлышко, но передумал и поставил бутылку на стол. Решение прекратить валять дурака, принять горячий душ и выпить ведро черного кофе окончательно созрело в его мозгу, и как раз в этот момент на столе зазвонил телефон.

Вообще-то, на протяжении этих полутора суток телефон принимался звонить неоднократно. Жуковицкий был из тех людей, которые постоянно кому-то нужны, так что заливистые трели одного, двух, а то и сразу нескольких телефонов давно стали привычными. Считая звонки, Альберт Витальевич смутно припомнил, что за время запоя уже несколько раз собирался оборвать телефонный шнур, чтобы беспрепятственно упиваться горем — ну, и виски, разумеется. Но это был радиотелефон; оборвать шнур ему было никакой возможности, надо было искать базу, а где она находится, Жуковицкий, грешным делом, позабыл. Открыть крышку аккумуляторного отсека у него не получилось, а просто шваркнуть аппарат об стенку он пожалел. Пришла ему в голову пьяная, юродская мысль, показавшаяся в тот момент очень значительной: человек, только что потерявший пятьдесят миллионов долларов, не может себе позволить швыряться дорогими японскими телефонами.

Наконец он сообразил, что аппарат можно было просто выключить одним нажатием кнопки. И то, что к нему вернулась способность думать, показалось ему добрым знаком, свидетельствующим о том, что он действительно начинает приходить в себя и даже, черт возьми, трезветь.

Протянув руку, Альберт Витальевич взял со стола увесистую черную трубку с пластиковым отростком антенны и нажал клавишу соединения. Звонить ему мог кто угодно, в том числе и те, с кем он не захотел бы разговаривать даже в лучшие времена. Но внезапно возникшее ощущение важности этого звонка не проходило, и он коротко бросил в микрофон:

— Слушаю.

Оказалось, что говорить ему трудно. Язык заплетался, губы не слушались, но уже не от опьянения, а просто потому, что он молчал без малого тридцать шесть часов — не с кем ему тут было говорить, да, собственно, и не о чем.

— Пьешь, сынок? — раздался в трубке насмешливый голос.

Жуковицкий подскочил и сел прямо, будто аршин проглотил. Остатки хмеля улетучились в мгновение ока. Он узнал этот голос, и у него даже дух перехватило от подобной наглости. Ах ты, сукин сын! Еще и издеваешься?!

— С горя пить — последнее дело, — все с той же насмешливой, деланно сочувственной интонацией продолжал голос. — Странно, я думал, ты крепче.

— Не твое собачье дело, — состроив пару жутких гримас, чтобы размять онемевшие мышцы лица, прорычал Альберт Витальевич. — Ты учти, паскуда, я тебя из-под земли достану. Не успокоюсь, пока тебя, падлу, не закопаю. Кровавыми слезами умоешься, подонок! Пожалеешь, что на свет родился...

— Тихо, тихо.

Судя по голосу, он нисколько не испугался. Да Альберт Витальевич на это особенно и не надеялся. Люди, которых можно испугать бессмысленными угрозами по телефону, в подобные игры не играют. На этих самых угрозах вполне можно было сэкономить немножко времени и дыхания, но Жуковицкому хотелось все это сказать, и он сказал — не напугал, так хоть душу отвел.

— Тихо, — в третий раз повторил собеседник. — Не надо пузыриться, сынок. Ты знаешь, что именно деловые мужчины и именно в твоем возрасте очень часто умирают от элементарной сердечной недостаточности? Разволновался сверх меры, хватил лишние сто граммов, повысил голос — и готово, нет человека.

Слушая этот голос, Жуковицкий взял себя в руки, вытряхнул из лежавшей на замусоренном, залитом алкоголем, густо посыпанном пеплом столе пачки сигарету, отыскал зажигалку и закурил. Пока он этим занимался, на глаза ему попался термос — предмет вполне обыкновенный, но здесь, на его письменном столе, совершенно неуместный. Прижимая трубку к уху плечом, щурясь от разъедающего глаза сигаретного дыма, он дотянулся до термоса, отвернул колпачок и заглянул внутрь. В термосе был кофе — судя по виду и запаху, крепчайший черный кофе без сахара, первейшее средство для приведения себя в порядок. Рядом, кстати, обнаружился неприметный пузырек нашатырного спирта. В нашатыре Альберт Витальевич, пожалуй, уже не нуждался, однако проявление некоторой заботы было налицо. Любопытно, с чьей стороны? Прислуга? Охрана? И, главное, когда успели? Видно, это ему только казалось, что последние несколько часов он глаз не сомкнул. Валялся, наверное, на диване трупом, вот у кого-то сердечко и дрогнуло — кофейку сварганили, нашатырь приготовили, чтобы хозяин, чего доброго, не упился до смерти. А то ведь, того и гляди, новую кормушку искать придется. А это дело хлопотное...

— Я слышал, у тебя неприятности? — произнес голос в трубке.

— Что ты говоришь! — с тихой яростью изумился Жуковицкий, дрожащей рукой наливая себе кофе прямо в крышку от термоса. Кофе был еще теплый, почти горячий. — Ты слышал! Всего лишь слышал, надо же!

Он пригубил кофе. Напиток действительно был крепкий, густой, отлично заваренный и притом хорошего сорта. Впрочем, кофе у Альберта Витальевича в доме всегда был отменный — слишком хороший для человека, потерявшего пятьдесят миллионов, напомнил он себе и скривился от этой мысли.

— Если намекаешь, что в твоих неприятностях виноват я, ты глубоко заблуждаешься, — сказал голос в трубке.

— А, так это не ты! — деланно обрадовался Жуковицкий. — А кто тогда? Я, что ли?

— Ну, человек всегда хотя бы отчасти виновен в своих неприятностях. Скажешь, нет? Но в данном случае есть и другой виновник. Я его знаю. Такой, понимаешь ли, из молодых, да ранний... В общем, шустрый сопляк. Пригрел я его на свою голову... Короче, я знаю, где его искать, и знаю, что интересующие тебя бумаги до сих пор у него. Ты меня слышишь? Ты понял, что я говорю? — немного обеспокоенно спросил собеседник, когда Альберт Витальевич никак не отреагировал на его сенсационное сообщение.

— Понял, понял, — небрежно ответил Жуковицкий. — Это я понял. Я другого не понял: тебе-то какой резон? Деньги мои у тебя... Совесть замучила?

Собеседник тяжело, протяжно вздохнул.

— Эх-хе-хе... Я уж не спрашиваю, как таких дураков в Думу избирают. Там всяких хватает, сам знаешь, на то и демократия. Но как ты, имея всего чайную ложку мозгов, да и то не в голове, а внутри позвоночного столба, ухитрился денег заработать?!

— Да пошел ты, урод!

— Не груби старшим. Старшие этого не любят. Они могут обидеться и решить, что разберутся со своими проблемами без твоей помощи.

— Ах, так у тебя тоже проблемы! Ну, наконец-то довелось услышать хоть что-то приятное...

— Ты особенно не радуйся. Мои проблемы — это твои проблемы. Он тебя пока не достал только по одной причине: под замком сидит и ничего сделать не может.

— Ни хрена себе — ничего! Обули меня на кругленькую сумму, и это называется «ничего»?

— С его точки зрения — да, ничего. Видишь, что получается? Этот сопляк, про которого я тебе говорил, даже со связанными руками ухитрился тебе такого пинка дать, что ты вторые сутки в свободном полете. А что будет, когда с него наручники снимут, даже подумать страшно...

— А ведь ты и сам побаиваешься, верно? — догадался Альберт Витальевич.

— Не побаиваюсь, — возразил собеседник, — а боюсь. Этот фокус с подменой он устроил только потому, что не уверен, кто именно с тобой работает. Но, раз подстроил, значит, подозревает. И подозреваемых, сынок, у него всего двое. Вычислит меня — мне не жить. А потом и за тебя возьмется, можешь не сомневаться.

— Ну, и чего ты хочешь?

— Для начала — чтобы ты мне поверил. Я человек немолодой, мне спокойно пожить хочется — в тепле, в достатке, в сытости. Я тебе, сынок, предложил честную сделку: деньги в обмен на товар. Не моя вина, что товар оказался с изъяном, — отвечать-то все равно мне! Охота, думаешь, мне остаток жизни в бегах провести? От тебя бегай, от сопляка этого бегай... Да и сопляк, сам понимаешь, не сам по себе. От тех, кто за ним стоит, долго не пробегаешь. Вот я и говорю: не пьянствовать тебе надо, а делом заниматься. Пока еще есть шансы все исправить, но их становится все меньше. Счет уже не на дни идет, а на часы. А может, и на минуты.

— За верой, приятель, ты в церковь ступай, — посоветовал Альберт Витальевич. Сердце у него взволнованно частило, и говорил он нарочито грубо, стараясь остудить не столько пыл собеседника, сколько свой собственный. — Или к девкам. Желательно, к деревенским. Расскажешь им насчет свадьбы и подвенечного платья, они тебе и поверят. Ну, хоть одна-то дура да найдется... А мне нужны гарантии.

— А гарантии в Госстрахе, — не остался в долгу собеседник. — И никакой я тебе, дураку, не приятель. Не хочешь по делу говорить, и черт с тобой. Сам как-нибудь разберусь. А ты сиди, читай Нострадамуса. А еще лучше — Бюргермайера. Там, у него в дневнике, про превратности судьбы много чего написано. Про то, как ловчее с высоты мордой в грязь падать — так, чтоб и в блин не расшибиться, и окружающих не сильно забрызгать, не то как раз ребра пересчитают. Тебе, сынок, эта ценная информация скоро пригодится. Если, конечно, доживешь.

— Ну, хватит, — проворчал Жуковицкий. Вопреки собственному принципу — не верить никому и никогда, — этому человеку он верил. Это был парадокс: верить тому, кто только что обул тебя на пятьдесят миллионов. Но развитое чутье прожженного политика и бизнесмена подсказывало: собеседник не лжет. Несомненно, какие-то свои секретные резоны и задние мысли у него имеются, но в том, что он произносит вслух, нет ни слова лжи. Мазур успел кое-что рассказать о хранилище, и Альберт Витальевич понимал: да, секреты свои там охраняют ревностно, и за торговлю упрятанными там материалами где-то на стороне по головке, конечно, не погладят. Да и сам он десять минут назад, помнится, уже начал разрабатывать план отыскания и ущучивания по всем правилам науки человека, который в данный момент хрипло дышал в трубку. Так что его таинственный собеседник сейчас и впрямь должен был чувствовать себя крайне неуютно. — Хватит болтать. О деле так о деле. Говори, что ты предлагаешь.

— Прямо так, по телефону? Тогда уж лучше сразу застрелиться. Я тебе, сынок, как у вас, у новых русских, выражаются, стрелку забью. Время и место сообщу позднее. Придумаю, как сообщить, и сообщу. А ты больше не пей, а то козленочком станешь…

— Ты меня еще поучи, — рыкнул Альберт Витальевич, но в трубке уже зачастили короткие гудки отбоя.

Докурив сигарету и выпив подряд две чашки крепкого кофе, он вышел в приемную — надо было распорядиться насчет горячей ванны и вообще узнать, что происходит на свете в его отсутствие.

На диванчике в приемной, подобрав под себя красивые ноги, сидела Лера. Она читала какой-то глянцевый журнал, на обложке которого виднелась гладкая, заштукатуренная до полной потери человекообразия, бессмысленная, как у резиновой куклы, морда фотомодели. Услышав звук открывшейся двери, Лера опустила журнал, подняла на Жуковицкого глаза и улыбнулась так, словно они расстались пять минут назад.

— Ты? — спросил он, не зная, что еще сказать.

— А ты думал, от меня так просто избавиться? — продолжая улыбаться, ответила она вопросом на вопрос.

— Ну и отлично, — сказал он.

Это действительно было отлично.

— Где Мазур, не знаешь?

Лера лениво пожала одним плечом.

— Думаю, уже далеко. Он был здорово напуган и, когда ты его прогнал, по-моему, только обрадовался. Наверное, даже заявление об увольнении не стал писать, а прямо прыгнул за руль и рванул, куда глаза глядят — может быть, за Урал, а может, и за границу.

— Ну и черт с ним, — сказал Альберт Витальевич, подумав между делом, что ничего другого от начальника охраны и ждать было нельзя. — Слушай, ты не знаешь, в доме есть кто-нибудь из обслуги? Мне бы ванну сейчас...

— Я приготовлю, — сказала Лера и, как всегда, легко и грациозно поднялась с дивана.

* * *

— Ах, чтоб тебя! — в сердцах воскликнул генерал Потапчук и легонько пристукнул сжатым кулаком по краю стола.

Портативный магнитофон с едва слышным шуршанием сматывал ленту до конца, щелкнул и остановился. Магнитофон был старый, кассетный; Федор Филиппович подумал, что эту машинку давно пора выбросить, а вместо нее купить новую, цифровую, а потом решил: да нет, менять надо не магнитофон. Тебя давно пора менять, дорогой ты мой товарищ генерал, разиня ты старая, пень развесистый, еловый...

— Ну, Иван Яковлевич... — негромко сказал он.

— Простите, товарищ генерал? — слегка подавшись вперед и всем своим видом выражая готовность немедля ринуться в бой — по приказу начальства, естественно, — произнес заместитель.

— Лично я, — медленно проговорил Потапчук, — знаю только одного человека, который имеет отношение к этому делу и при этом через каждые три слова называет собеседника сынком.

Он говорил медленно, потому что взвешивал каждое слово, не зная, можно ли доверять собственному заместителю. Охота на Жуковицкого стоила Федору Филипповичу много нервов: господин депутат будто мысли его читал, без труда обходя все расставленные им ловушки и обрубая хвосты как раз в тот момент, когда Потапчук готов был за какой-нибудь из этих хвостов ухватиться. Он был неуязвим настолько, что Федор Филиппович уже почти перестал сомневаться в наличии где-то прямо у себя под боком его платного информатора. Вот только выявить информатора никак не удавалось. Ни одна из устроенных провокаций не дала желаемого результата, хотя устраивал их генерал, ни с кем не советуясь и никого не ставя в известность о своих замыслах.

Он вспомнил, как совсем недавно жаловался на все это Ивану Яковлевичу — своему коллеге, генералу контрразведки

Корневу, — и как тот сочувственно кивал лысой головой и цокал языком, дымя своей неизменной «Герцеговиной Флор». И вот перед ним на столе лежит запись состоявшегося час назад телефонного разговора между этой сволочью Жуковицким и неким анонимом, который не только знает о хранилище, находящемся под патронажем Ивана Яковлевича, не только имеет туда прямой доступ, но и, как уже было сказано, к месту и не к месту именует собеседника «сынком».

— Старая сволочь, — с горечью произнес Федор Филиппович и посмотрел на заместителя. — Вот что, полковник. Необходимо срочно, прямо сию минуту, организовать круглосуточное наблюдение за генерал-майором Корневым.

— Из контрразведки? — уточнил полковник.

— Именно. Поэтому о необходимости соблюдать предельную осторожность я даже не говорю. Докладывайте мне о каждом его шаге...

— Это все? — спросил через некоторое время заместитель, уловив многоточие в конце фразы, но так и не дождавшись продолжения.

— Пока все, — подумав еще немного, ответил Федор Филиппович.

Ему стоило немалых усилий не произнести вслух приказ, вертевшийся на самом кончике его языка: уничтожить генерала Корнева, как только тот вступит в контакт с депутатом Жуковицким. А может быть, даже не дожидаясь, пока вступит, а прямо сейчас, пока еще не поздно...

Когда заместитель вышел из кабинета, генерал вытащил из кармана мобильный телефон, но спохватился: в глубоком бетонном подземелье, где сейчас сидел Глеб, мобильная связь, конечно же, отсутствовала. Ему опять оставалось только ждать, надеясь на везение и сноровку Слепого и про себя дивясь тому, как затейливо и неразрывно переплелись два, казалось бы, никак не связанных между собой дела.

ГЛАВА 19

Олег Федотович Мазур, как и предполагала любовница его босса, принял разумное решение заблаговременно покинуть тонущий корабль.

Между прочим, предложение атаковать хранилище всеми имеющимися в наличии силами, которое так взбесило Жуковицкого, было тщательно продумано и даже, можно сказать, выстрадано. То, что на первый взгляд могло показаться (и показалось-таки Альберту Витальевичу) беспомощным воплем доведенного до отчаяния идиота, на деле таковым не являлось.

Кассета с записью его молодецких подвигов, совершенных в хранилище, была, фактически, объявлением шаха. Нужно было защищаться, а Мазур не знал лучшего способа защиты, чем нападение. На войне как на войне! Если враг не сдается, его уничтожают. И сделать это было не так уж сложно, особенно если не мямлить и с открытыми глазами пойти на продуманный, осторожный риск.

Олег Федотович знал, где находится хранилище, знал, как туда попасть и что для этого потребуется. Десяток человек — ну, пусть два десятка с учетом неизбежного усиления тамошней охраны. Стрелковое оружие, подствольные гранатометы — словом, стандартная экипировка плюс необходимый минимум альпинистского снаряжения на случай, если придется уходить через загрузочный люк. Пара винтовок с ночной оптикой, и дело, можно сказать, в шляпе. Одна группа под покровом ночной темноты проникает в библиотеку клуба железнодорожников, разбирается с охраной и, если не удастся пролезть в этот чертов секретный лифт, удерживает занятую позицию и по возможности простреливает из окон территорию, прилегающую к котельной. Вторая группа через забор попадает во двор, а дальше дорога известна. Охрана шуметь не станет, на то у них и глушители на автоматах, чтоб было тихо, и чтобы в десятке метров от места перестрелки, прямо за железными воротами, ни один случайный лох даже не заподозрил, что во дворе котельной кого-то мочат. Вот и отлично! Гранату-другую в грузовой люк, заслонку долой, короткий штурм — неважно, насколько кровопролитный, — канистра бензина, спичка, и можно с чистой совестью расходиться по домам.

Олег Федотович видел эту картину, будто наяву. Единственное, чего он не знал наверняка, это удастся ли добыть дурацкие бумажки, из-за которых его босс совершенно потерял голову. Но это его не слишком волновало. Подумаешь, пятьдесят лимонов накрылись медным тазом! Это для военного пенсионера Мазура потеря такой суммы — трагедия. А для Алика Жуковицкого пятьдесят миллионов зеленью — тьфу, пустячок на мелкие расходы, как бы он ни прибеднялся. Налоговому инспектору пусть рассказывает, какой он нищий...

В общем, аллах с ними, с этими бумажками. Главное, что люди, объявившие Олегу Мазуру шах, в ответ получат полный и окончательный мат — такой, что после него заново расставлять фигуры им уже не придется. Заодно, кстати, будет обеспечена безопасность все того же Алика Жуковицкого, хотя это, в общем-то, дело десятое.

Но нет, этот баран даже слушать его не стал! Выкатил пьяные свои гляделки и как заорет: «Пошел вон, идиот!» Да как заорал-то! Аж в ушах зазвенело. Удивительно, как у него голосовые связки выдержали...

Ну и черт с ним, решил Мазур. На прощанье он сделал то, чего не делал уже давно — посмотрел прямо в глаза хозяину. И ничего там не увидел, кроме пьяной, бешеной мути. Ну и черт с ним.

Уходя, Олег Федотович сквозь закрывшуюся за ним дверь кабинета слышал, как Жуковицкий так же бешено и бессвязно орет на Леру. Мазур вспомнил, что так и не выбрал подходящего времени доложить боссу все, что узнал о его любовнице, и подумал, что так, наверное, суждено. Во всяком случае, менее подходящего времени, чем в настоящий момент, для такого разговора просто не подберешь. Возвращаться он сюда не намерен — слуга покорный! — а значит, наш дорогой Алик так ничего и не узнает про свою бабу. Ну и черт с ним еще раз! Жил дураком, дураком и помрет. Туда ему и дорога.

Вставляя ключ в замок зажигания, он поймал себя на том, что мысленно напевает: «Все перекаты да перекаты». Любимая песенка покойного Мамалыги, уже, казалось бы, прочно забытая за треволнениями последних дней, опять всплыла из глубин памяти и привязалась намертво. Мазур ничего не имел против: и песенка была ничего себе, не теперешнее попсовое фуфло, и к случаю она подходила как нельзя лучше. «На это место уж нету карты, плывем вперед по абрису»... М-да. Вот уж, действительно, чего нет, того нет. Что бежать надо — это ясно. А вот куда бежать, в какую сторону — это вопрос...

Тут ему пришло в голову, что побег — это, конечно, хорошо, правильно и очень полезно для здоровья. Но, чтобы польза для здоровья получилась более полной, надо бы сначала подчистить за собой кое-какие хвосты. Потому что Юрген на первом же допросе выложит все, что знает, и еще немножечко сверх того, а уж про девку и вовсе говорить не приходится.

Приняв решение, Олег Федотович даже немного повеселел. Больше не нужно было ломать голову над проблемами, сути которых он, признаться, сплошь и рядом не понимал. Теперь все было просто и ясно: сначала убрать свидетелей, а потом бежать. Зарыться поглубже и не дышать... Для того, кто умеет, это совсем не сложно. Э! Тоже мне, проблема... Впервой, что ли?

С дороги он позвонил на базу и велел ребятам собирать вещички. Дисциплина в его ведомстве поддерживалась военная, поэтому никаких «почему» и «зачем» в ответ на его не вполне внятное распоряжение не последовало. Поездка до базы занимала что-то около часа, а это означало, что, когда Олег Федотович туда доберется, парни уже будут готовы к отъезду. Да они уже через десять минут будут готовы, чего им там особенно собирать-то? Вынуть из-под кроватей сумки с личными вещами, бросить туда туалетные принадлежности, зачехлить стволы — вот, собственно, и все сборы.

Загородная база службы безопасности Жуковицкого располагалась в живописном местечке на берегу реки. Высокий забор окружал что-то около гектара территории, где разместились общежитие, отдельный домик для начальства, спортгородок с полосой препятствий и, конечно же, стрельбище. Имелись тут и русская баня для патриотов — любителей этого дела, и финская сауна для тех, кто предпочитает париться на европейский манер, и отапливаемый крытый бассейн, который летом использовало исключительно высокое начальство. Ребят в теплое время года, которое для них наступало в конце апреля, а кончалось в октябре, вполне устраивала река — неширокая, но глубокая и довольно чистая.

За воротами, сквозь которые мог свободно пройти не только грузовик, но даже и танк, Мазура встретил один из его ребят — вооруженный, но уже не в принятом здесь камуфляже, а в гражданской одежде — в джинсах и рубашке навыпуск, короткие рукава которой открывали мускулистые загорелые предплечья. Мазур мимоходом позавидовал своему подчиненному: ни забот у него, ни хлопот — знай себе, выполняй несложные приказы, а в свободное время загорай, купайся и вообще наслаждайся жизнью...

— Что, Федотыч, снимаемся? — спросил охранник, когда Мазур, остановив машину, выставил голову в открытое окошко.

— Да, — ответил начальник, — снимайтесь. Если готовы, поезжайте прямо сейчас, меня не ждите.

— А эти?.. — слегка удивился охранник, ткнув большим пальцем через плечо в сторону белого двухэтажного здания общежития.

— Снимайтесь, — повторил Мазур отданный только что приказ и, плавно газанув, подогнал машину к самому входу в общежитие.

Он лично снял немногочисленные посты, отобрал у ребят ключи от всех помещений, невнимательно выслушал доклад начальника караула, напомнил о необходимости все обесточить и закрыть форточки, а потом, стоя у окна в коридоре и дымя сигаретой, пронаблюдал за тем, как охрана грузится в большой черный внедорожник «шевроле». Поднимая пыль, джип выкатился за пределы базы, ворота автоматически закрылись; Мазур в последний раз затянулся сигаретой, раздавил коротенький окурок о пластиковый подоконник (не мое — не жалко) и двинулся в конец коридора, на ходу выбирая из бренчащей связки нужный ключ.

Юрген валялся на кровати, скрестив ноги в носках, и читал дневник Бюргермайера, сравнивая, по всей видимости, незавидную судьбу придворного астролога Петра Великого со своей собственной. Судя по тому, что лежавший на тумбочке пухлый словарь был закрыт, а поверх него стоял полупустой стакан чая, Юрген недурно владел немецким. Впрочем, Бюргермайер, большую часть своей сознательной жизни проживший в России, вполне мог написать свой дневник по-русски; Мазур этого не знал, а главное, не хотел знать.

Несмотря на открытую форточку, в комнате было накурено, хоть топор вешай. Полная окурков пепельница стояла на тумбочке рядом со словарем, и в пальцах руки, что держала дневник, дымилась недавно зажженная сигарета. Услышав шум открывшейся двери, Юрген опустил дневник и поверх него посмотрел на Мазура.

Взгляд у него поначалу был удивленный — видимо, охрана не баловала астролога повышенным вниманием к его драгоценной персоне и входила сюда лишь затем, чтобы доставить ему завтрак, обед и ужин. Завтрак давно прошел, для обеда было рановато, вот Юрген и удивился: кого это бог послал?

Увидев, кто к нему пожаловал, этот марийский шаман заметно струхнул. Шрам, оставленный кулаком начальника охраны, все еще розовел у него на подбородке, и уже было ясно, что этот шрам останется там навсегда, проживи Юрген хоть до ста лет. Да и помимо шрама у господина астролога хватало приятных воспоминаний о славных денечках, проведенных в подвале в компании Олега Федотовича и его ребятишек. Поэтому, увидев, как побледнел Юрген и как испуганно расширились его глаза, Мазур не испытал удивления; что он действительно испытал, так это глубокое удовлетворение. Астролог его никогда не любил, Олег Федотович это прекрасно видел и, разумеется, платил ему взаимностью. Только раньше их взаимная нелюбовь в силу множества причин была, так сказать, платонической, а вот теперь все изменилось: настало время, как говорится, перейти ближе к телу.

И Юрген, кажется, тоже это понял. Он сбросил с кровати ноги и сел, отложив в сторону дневник и нашаривая пальцами ног валявшиеся на полу шлепанцы. Сигарета мешала ему, и он сунул ее в пепельницу, не спуская глаз с вошедшего.

Мазур тоже смотрел на него, не торопясь приступать к делу. Он думал о том, что вот этот мозгляк с фальшивыми именем и фамилией, по сути, послужил первопричиной событий, последствия которых сейчас гонят Олега Федотовича прочь из Москвы, от хорошего заработка и налаженного, устоявшегося быта. Это он керосинил Жуковицкому мозги своим драгоценным Нострадамусом, пока у Алика окончательно не съехала крыша и он не начал делать одну глупость за другой. За это Юргена мало было убить; его надо было замучить. На это у Мазура, к сожалению, не было времени, но и просто пристрелить астролога, не сказав ему напоследок хоть парочку ласковых слов, казалось неправильным. Нужно было сделать так, чтобы последние секунды своей жизни этот червяк провел в ужасе и безысходности, вот только нужные слова никак не находились.

Юрген помог ему, заговорив первым.

— Что это вы задумали? — тревожно поинтересовался он, сделав, по всей видимости, правильный вывод из затянувшегося, многозначительного молчания своего давнего недруга и мучителя. — Учтите, если вы меня хоть пальцем тронете, я обо всем расскажу Альберту Витальевичу!

— Пальцем? — Мазур покачал головой и вынул из-за пазухи пистолет. — Нет, пальцем я тебя трогать не стану. Была охота руки марать!

Увидев оружие, Юрген вскочил. Один шлепанец он уже надел, а второй так и не успел нащупать.

— Бросьте, — сказал он, — не надо так шутить. Зачем? Поверьте, я могу быть полезным не только Жуковицкому, но и вам. Хотите, я скажу, что ждет вас в ближайшее время? Ваш прогноз я не составлял, но будущее Альберта Витальевича мне известно. Зная его, вы можете сделать выводы относительно себя... Я солгал вам. Мне удалось воспользоваться методом Нострадамуса. Он работает!

— Хм, — озадаченно произнес Мазур. Честно говоря, он не ожидал, что этот интеллигентный хлюпик сможет утаить хоть что-нибудь во время допроса третьей степени, и то, что ему это удалось — если он сейчас не врал, естественно, — поневоле внушало к нему некоторое уважение. — Ну?

— Жуковицкий обречен, — быстро заговорил Юрген, не сводя глаз с пистолета, словно обращался не к Мазуру, а к этому куску мертвого металла. — Вероятность его гибели составляет более девяноста процентов. А при том, как он себя ведет в последнее время, она близка к единице. Думаю, если бы мне удалось провести вычисления еще раз, я получил бы процентов девяносто девять, если не все сто. Поэтому, идя у него на поводу, выполняя его приказы, вы только вредите себе.

Мазур ухмыльнулся.

— Эх, ты, наука, — сказал он пренебрежительно. — Лопочешь, сам не знаешь, что, а туда же — будущее предсказывать. Что Алику кранты, я без тебя знаю, это невооруженным глазом видно. И потом, кто тебе сказал, что я выполняю его приказ? Он про тебя сейчас и не помнит. А когда вспомнит, поздно будет. Хотя, если разобраться, если бы Алик сейчас был в сознании, он бы насчет тебя точно так же распорядился. Больно много знаешь, профессор. Вот и скажи теперь: ну, как еще мне с тобой поступить?

— Я буду молчать! — молитвенно сложив на груди руки, плачущим голосом выкрикнул Юрген.

— Да брось, — лениво возразил Мазур. — Ты просто не знаешь, как на Лубянке умеют допрашивать. Ты думаешь, там, в подвале, мы тебя били? Мучили мы тебя? Да черта с два! Так, пощекотали маленько, ты и обгадился. А на Лубянке, брат, с тобой настоящие специалисты говорить будут, мои ребятки им по этой части в подметки не годятся. Так что извини, ничего личного.

Юрген, вереща, как насмерть перепуганное животное, метнулся к окну, ударил слабыми кулачками в стекло. Закаленное стекло дрогнуло, но выдержало. Оставив окно в покое, астролог бросился к шкафу, словно намереваясь спрятаться там, ударился о дверцу, как ночная бабочка о фонарь, и, обмякнув, повернулся к Мазуру лицом.

— Вот это правильно, — одобрительно сказал Олег Федотович, поднимая пистолет на уровень глаз. — Жил, как червяк, так хотя бы умри по-мужски.

Юрген ничего не ответил. Глаза его расширились, словно от удивления, а в следующее мгновение в комнате прозвучал пистолетный выстрел.

* * *

Мазур еще немного постоял, держа пистолет в вытянутой руке. Потом его пальцы разжались, и пистолет упал на пол, глухо ударившись о ковровую дорожку. Колени начальника охраны подломились, на лице медленно проступило выражение тупого изумления, и он тяжело рухнул на пол. Из-под его простреленной головы, пропитывая ворс дорожки и расползаясь темной лужей по доскам пола, показалась кровь. Юрген этого не видел: он суетливо ощупывал себя ладонями от шеи до паха, словно не веря, что жив, и не сводил глаз с открытой двери.

В дверном проеме стоял старик, одетый, как вышедший по грибы дачник. На голове у него была захватанная грязными пальцами полотняная кепчонка, из-под которой во все стороны торчали мелкие, сплошь седые кудряшки. Эта похожая на растрепанную синтетическую мочалку шевелюра в сочетании с огромным, украшенным характерной горбинкой носом сразу вызывала в памяти старый анекдот, в котором еврей объяснял жене, что на улице его били не по паспорту, а по лицу. На старике была линялая, видавшая виды брезентовая штормовка с засаленными дочерна клапанами карманов и растянутые, затрапезного вида брюки, из-под которых выглядывали носки растоптанных, явно знававших лучшие времена ботинок. На сгибе левой руки старикан держал плетеную корзинку, в которой пестрели разноцветными шляпками немногочисленные и явно червивые вследствие стоявшей в последние дни несусветной жары сыроежки. А в правой, вдребезги разбивая мирный облик вышедшего по грибы пенсионера, дымился огромный, черный, самого зловещего вида пистолет.

— Так, — сказал старик, увидев, что Юрген перестал, наконец, ощупывать свой невредимый торс, а на лице у него появилось осмысленное выражение. — Ты кто такой будешь?

Эрнст Карлович торопливо и сбивчиво залопотал в том смысле, что он здесь человек совершенно посторонний, что эти негодяи удерживали его тут насильно, и что, следовательно, он не имеет к их грязным делам ни малейшего отношения. Старик нетерпеливо дернул пистолетным стволом, и хлеставший из Юргена поток словесного мусора иссяк, как будто его заткнули деревянной пробкой.

— Фамилия, имя, профессия, — кратко и исчерпывающе переформулировал свой вопрос старик.

— Эрнст Юрген. Астро... стролог, — с запинкой ответил Юрген.

— Астростролог Юркин, — с иронией произнес старик. — Тебя-то мне и надо, астростролог. Бумаги давай.

— К-какие бумаги? — трусливо заартачился Эдуард Максимович.

Он и сам не вполне представлял, какой бес дернул его за язык перечить этому странному и страшноватому старичку. Пистолет указывал на то, что намерения у старика серьезные, что голову Мазуру он прострелил не по ошибке и не в результате несчастного случая и что с Юргеном шутить он тоже не собирается. А улыбочка, приподнимавшая кверху уголки почти по-женски красивых, совсем не стариковских губ, наводила на мысль, что старик — человек незлобивый и в высшей степени интеллигентный, не упырь какой-нибудь, не костолом вроде Мазура, что лишние жертвы ему ни к чему и с ним обо всем можно вежливо, интеллигентно договориться. Эта улыбка показалась Юргену странно знакомой, словно он ее уже много раз где-то видел, но вспоминать, кто, где и при каких обстоятельствах так улыбался, не было времени. Сейчас нужно было понять, что главнее, какая из этих двух противоречащих друг другу деталей в большей степени определяет характер и намерения старика: улыбка или пистолет?

Для этого Юрген, наверное, и задал свой дурацкий вопрос. Ну, и еще на всякий случай: а вдруг старику нужны вовсе не «Центурии» и дневник Бюргермайера, а какие-нибудь другие бумаги? В конце концов, если хочет, чтоб его понимали с полуслова, пусть выражается яснее...

Старик выразился яснее. Раздался уже знакомый грохот, тоненько дзынькнуло стекло, и пуля, пробив в двойном стеклопакете аккуратное круглое отверстие пугающе большого диаметра, улетела куда-то в сторону спортгородка.

Астролог с трудом разогнул колени, только теперь обнаружив, что, оказывается, присел. Главным в облике старого подонка оказался все-таки пистолет, а никакая не улыбка, которой, к слову, на его морщинистой физиономии уже не наблюдалось. Губы были сурово поджаты, а выцветшие стариковские глазки смотрели на Юргена поверх пистолетного ствола холодно и внимательно. Так смотрит хирург, готовящийся сделать первый разрез, и Юрген решил, что дополнительных вопросов лучше не задавать. Все было ясно без слов, а так называемый «ответ» на следующий вопрос запросто мог угодить не в окно, а, скажем, в коленную чашечку. А может, и прямо в лоб. Чего там, в самом-то деле? Дневник — вон он, на кровати, папка с «Центуриями» в тумбочке…

— Так бы сразу и сказали, — слегка заикаясь, обиженно заявил Юрген и полез в тумбочку.

Завладев бумагами, старик заставил его лечь на кровать — лицом вниз, головой к изножью, а ногами на подушку, как будто подозревал, что под подушкой у Юргена спрятан пистолет. После этого он вытряхнул сыроежки из корзинки прямо на стол, сложил на дно корзинки бумаги, а сверху опять поместил грибы.

— Пристрелить бы тебя, — задумчиво поигрывая пистолетом, доверительно сообщил этот старый бандит, — да жаль, рано еще. Живи пока… астростролог.

Он небрежно сунул пистолет за отворот своей обтерханной, исхлестанной грязными ветками штормовки, и внешний облик его мигом перестал быть противоречивым. Теперь в дверях стоял самый обыкновенный грибник — правда, вызывающе еврейской наружности, но в остальном ничем не выделяющийся из многомиллионной массы российских пенсионеров внутридворового значения. И даже улыбочка его опять была тут как тут — ласковая, немного печальная улыбка пожилого интеллигентного еврея, много повидавшего на своем веку.

На прощанье еще раз печально улыбнувшись Юргену, как бы говоря: «Ну, и как вам нравится этот мир?», старик беззвучно растворился в полумраке коридора. Через некоторое время астролог отважился выглянуть в окно и успел увидеть, как старикан, неся на сгибе руки корзинку с сыроежками, семенящей походкой вышел за ворота, которые, как ни странно, теперь были открыты настежь.

Глядя в окно на эти распахнутые ворота, Юрген выкурил две сигареты подряд. Он вдруг обнаружил, что ему жалко покидать это место. Да, его удерживали здесь насильно; прошло совсем немного времени с тех пор, как его тут морили голодом, ежедневно избивали и подвергали всяческим унижениям. Но в последние дни здесь ему было не так уж и плохо: сытная еда, мягкая постель, занимательное чтиво и бездна свободного времени. Он только-только начал расслабляться, отдыхать душой и телом, и вот, пожалуйста, снова надо куда-то идти, что-то делать, а главное — принимать какие-то решения, от которых, очень может статься, будет зависеть жизнь…

Потом он оглянулся на труп Мазура, не испытав при этом ни испуга, ни удовольствия — ничего, кроме легкой брезгливости, словно на ковровой дорожке у двери лежало не тело его заклятого врага и несостоявшегося убийцы, а свиная туша. Эдуард Максимович отыскал под кроватью свои туфли и переобулся, только теперь заметив, что до сих пор ходил в одном шлепанце. Покончив, таким образом, со сборами, он подошел к Мазуру и заставил себя присесть на корточки.

Тело начальника охраны было тяжелым и безвольным. Стараясь не наступать в кровавую лужу и опасливо косясь на пистолет, Эдуард Максимович обшарил карманы убитого и нашел ключ от машины. Заодно прихватил бумажник Мазура, справедливо рассудив, что мертвому деньги ни к чему, а живому путешествовать, сидя за рулем чужой машины и не имея при себе ни копейки, не слишком-то удобно.

Начальник охраны водил демократичный черный «фольксваген», который выглядел еще демократичнее из-за украшенных заметным издали изображением государственного флага думских номерных знаков. Юрген сел за руль, без проблем завел движок и, опустив оконное стекло, чтобы проветрить нагретый солнцем салон, направил машину к воротам.

Некоторое время на пустынном, освещенном ярким солнцем дворе ничего не происходило. Из леса прилетела какая-то пичуга зеленовато-желтой расцветки, до смешного напоминавшей расцветку солдатского обмундирования старого советского образца; кажется, щегол… а впрочем, это неважно. Осмотревшись и не заметив вокруг ничего угрожающего, птица принялась деловито склевывать что-то с асфальта площадки, которую подчиненные Мазура именовали не иначе как плацем.

Внезапно раздавшийся грохот заставил пичугу вспорхнуть и, отчаянно колотя крылышками, стремглав умчаться в спасительную лесную чащу. Одно из окон второго этажа будто взорвалось изнутри и осыпалось на асфальт вихрем стеклянных брызг. Поверх битого стекла упал, расколовшись от удара на части, тяжелый дубовый стул. В оконном проеме появилась человеческая фигура. Некоторое время человек старательно выбирал из пластиковой рамы осколки каленого стекла, а затем, расчистив себе путь, взобрался на подоконник с ногами. Теперь стало видно, что это девушка — молодая, стройная, довольно миловидная, но осунувшаяся и бледная. Волосы, окрашенные в модный платиновый цвет, были всклокочены и торчали во все стороны как попало, расшитые бисером и какими-то аппликациями джинсы лопнули по шву, а переливающаяся цветными блестками блузка выглядела так, будто ее носили недели две подряд, не снимая даже на ночь.

Вцепившись руками в нижний край оконной рамы, девушка спустила за окно сначала одну ногу, а за ней и вторую. Носки кроссовок скребли по штукатурке, оставляя на белом фоне стены серые следы; съехав вниз, девушка повисла на вытянутых руках, а затем разжала пальцы.

Приземляясь, она потеряла равновесие и порезала осколком стекла ладонь, на которую оперлась, чтобы не упасть. Всхлипывая от боли и нервного напряжения, Маша Коновалова, дочь убитого Мазуром и Библиотекарем водителя специальной машины, плотно обернула кровоточащую ладонь подолом блузки, вышла за ворота и, вздрагивая от каждого шороха, торопливо зашагала по обочине лесной дороги в сторону шоссе.

ГЛАВА 20

Глеб медленно опустил забрызганную кровью крышку папки и завязал коричневые ботиночные тесемки узлом с двумя бантами. Папку он поставил на место, втиснув в узкую щель между двумя другими папками, одна из которых содержала в себе воистину сенсационный отчет последнего оставшегося в живых участника экспедиции к месту падения Тунгусского метеорита, а также многочисленные протоколы его допросов. В другой хранились материалы по делу некоего физика, ухитрившегося изобрести водородный двигатель для автомобиля еще в тысяча девятьсот тридцать третьем году, но не сумевшего придумать способ не попасть под печально знаменитую пятьдесят восьмую статью. Так он и сгинул где-то на Колыме вместе со своим водородным двигателем. Да и кому было нужно его изобретение в стране, никогда не испытывавшей недостатка нефти? Собственно, оно и сейчас никому не нужно, потому что продавать водород по цене девяносто восьмого бензина или хотя бы солярки не получится, хоть ты тресни. Вот когда на месте нефтяных озер под землей останутся только громадные пустоты, тогда — да. Может быть. Если не ухитрятся к тому времени приспособить для нужд автолюбителей портативные урановые реакторы. Вот это будет вещь! Как представишь себе атомную малолитражку производства, скажем, Волжского автомобильного завода — мороз по коже продирает! Подтолкните, ребятки, а то у меня реактор чего-то барахлит. Не пойму, то ли графитовый стержень треснул, то ли оболочка протекает...

Сиверов тряхнул головой, как назойливых мух, отгоняя посторонние мысли. У него хватало забот и без обдумывания перспектив мирового автомобилестроения. Папка с недостающей частью «Центурий» Нострадамуса и дневник Конрада Бюргермайера вновь, будто по волшебству, очутились на своих местах в хранилище. Еще вчера вместо них на полках стеллажей стояли грубые муляжи, немногим отличавшиеся от того, что Глеб оставил в краеведческом музее поселка Шарово. Кто, когда и каким образом осуществил сначала подмену оригиналов копиями, а затем изъял копии и вернул на место оригиналы, для Глеба по-прежнему оставалось загадкой. Ефим Моисеевич и Иван Яковлевич в последние дни то приходили, то уходили, по одному и вместе, так что тихое хранилище в это время стало слегка напоминать проходной двор. Следящая аппаратура, как и следовало ожидать, ничего не зафиксировала; в этом месте, которого как бы не существовало, казавшаяся бесконечной и непрерывной цепочка многоступенчатого взаимного контроля, напоминающая змею, что вечно кусает себя за хвост, все-таки кончалась, рвалась. Здесь, как ни странно это звучит, все держалось на порядочности и чувстве долга пары-тройки тщательно отобранных людей. И, коль скоро один из жрецов этого храма секретной информации променял все на денежные знаки, техника была бессильна ему помешать: она изначально предназначалась для отражения внешней угрозы и ничего не могла поделать с теми, кто ею управляет. В конце концов, Глеб и сам отключал камеры слежения всякий раз, когда собирался проверить, на месте ли «Центурии» и дневник.

Тот факт, что документы сначала тихо исчезли, а потом так же тихо вернулись на место, подтверждал его догадку: покойный Библиотекарь, предшественник Сиверова на этом почетном посту, работал не в одиночку. Он был простым исполнителем, хотя и довольно искусным, но мозговой центр располагался именно здесь, в хранилище, под черепной коробкой одного из теперешних коллег и руководителей Глеба. Ко всему прочему, было решительно непонятно, какого дьявола документы вообще вернулись в хранилище. Неужели кто-то из этой странной парочки решил так грубо кинуть самого господина Жуковицкого? Кто же на это отважился? Генерал контрразведки Корнев? Или старый еврей, веселый и ядовитый болтун, книжный червь, так ловко управляющийся со своим огромным пистолетом? Кто?

Глеб прекрасно понимал, что ответ на этот последний вопрос жизненно важен. Документы были изъяты из хранилища тайно. Значит, побывали либо у Жуковицкого, где с ними ознакомился Юрген, либо на какой-то экспертизе. В обоих случаях похититель наверняка обнаружил, что глава, в которой описывался метод вычислений Нострадамуса, исчезла, а вместо нее в папке появился плод, так сказать, хулиганской выходки Глеба Сиверова — стопка искусственно состаренных листков. Потому, наверное, документы и вернулись на место, что для покупателя, Альберта Витальевича Жуковицкого, они в таком виде не представляли ни ценности, ни интереса. И похитителю, в отличие от Глеба, не нужно было долго гадать, чтобы понять, кто одним махом сорвал столь тщательно подготовленную сделку. Причем сорвал дважды, сначала отобрав у Юргена захваченные во время налета на хранилище бумаги, а затем изъяв из них самое главное — то, из-за чего, собственно, и разгорелся сыр-бор. Фигура нового Библиотекаря торчала в самой середине этого дела, как гвоздь — точнее, как громоотвод посреди пустой площади. А в небе уже сгустились грозовые тучи, и можно было не сомневаться по поводу того, куда именно ударит первая молния. А также и все последующие...

«Ты еще поплачь, — думал Сиверов, идя по узкому проходу между стеллажами. — Сам все это затеял, сам же теперь жалуешься. Что делать, если нет другого способа быстро вычислить этого подонка? Похоже, овладев при помощи Юргена методом Нострадамуса, наш Алик Жуковицкий действительно может очень высоко взлететь. Федор Филиппович прав, этого нельзя допустить. Если, сидя на своей небольшой кочке, этот тип ухитрился загадить пол-России, то даже подумать страшно, что будет, если он примется гадить с большой высоты. Это надо прекратить, и быстро. А способ быстро найти того, кто помогает этой сволочи, один — торчать на виду, путаться под ногами и ждать, кому первому это надоест. Кто попытается прострелить тебе башку, тот, значит, и есть нехороший человек».

Конечно, существовал и другой способ: просто уничтожить бумаги, за которыми охотился Жуковицкий, и застрелить Юргена, который эти бумаги читал и мог запомнить, в чем суть легендарного метода. Но этот способ Глеба не устраивал. С таким же успехом можно сжечь, к примеру, Эрмитаж вместе со всеми его сокровищами, чтобы потенциальным грабителям незачем было туда лезть, или законодательно упразднить само понятие «государственная тайна», чтобы оставить без хлеба насущного шпионов всех без исключения иностранных держав. О, это было бы славно! Приезжает какой-нибудь суперагент в Россию за военной тайной, а тайны-то никакой и нет! Все секретные материалы рассекречены и опубликованы в газетах, а те, что относятся к серьезным научным разработкам — соответственно, в толстых, солидных научных журналах, в том числе и зарубежных. Все до единого сотрудники силовых ведомств щеголяют в парадной форме, так что на улице просто в глазах рябит от пуговиц и звезд на погонах, политики с телеэкрана задушевным тоном делятся с аудиторией своими планами, и в их выступлениях нет ни слова лжи... Благодать! Нам, ребята, скрывать нечего, мы — за всеобщее процветание и мир во всем мире. Вот тут-то бедный суперагент тихонечко, по-стариковски волоча ноги, вернется в закрепленный за ним номер гостиницы «Россия», наполнит ванну горячей водой, ляжет в нее и с горя вскроет себе вены. И такая картина будет наблюдаться по всей огромной стране: в номерах дорогих отелей, на съемных квартирах, в туалетах иностранных посольств и отдельных купе спальных вагонов поездов международного сообщения — словом, повсюду будет плавать в ваннах, висеть на ботиночных шнурках и валяться на коврах с простреленными головами элита как западных, так и восточных разведслужб... Заглушить реакторы и взорвать прямо в шахтах ракеты — вот и нет ядерных секретов. Прекратить научные разработки, заморозить программу космических исследований... э, да что там! Если все мы в одночасье умрем, бояться нам тогда станет по-настоящему нечего...

Огибая вагонетку, Глеб слегка задел ее бедром, ощутив при этом в кармане тяжесть мобильного телефона. Радиосигнал не пробивался сквозь своды этого бетонного склепа, способного, как подозревал Сиверов, выдержать любую бомбежку — кроме, разумеется, прямого попадания ядерной боеголовки или одной из этих новомодных американских супербомб, которыми они выковыривали террористов из их пещерных убежищ в Афганистане. Звонки с обычного телефона, который тут, конечно же, имелся, шли через коммутатор, по старинке обслуживаемый телефонисткой с нежным, мелодичным голоском отменно выдрессированной шлюшки. И можно было не сомневаться, что список набранных номеров вместе с магнитофонной записью каждого сказанного слова ложится на стол к Ивану Яковлевичу не позднее завтрашнего утра. Так что, сидя здесь, Глеб был полностью отрезан от внешнего мира и, в том числе, от Федора Филипповича, который мог бы помочь если не делом, то хотя бы полезным советом.

Отодвинув тяжелый засов, он толкнул створки железных ворот и очутился в коротком, плохо освещенном коридорчике с голыми бетонными стенами и потолком. Тянувшиеся по полу рельсы упирались в еще одни железные ворота, за которыми находилась котельная, а в боковых стенах виднелись двери. Их было четыре, и за ними располагалось то, что Ефим Моисеевич, ядовито хихикая, называл «развитой инфраструктурой» — спальное помещение на четыре койки, аскетизмом меблировки напоминавшее даже не казарму, а, скорее, тюремную камеру; неплохой, хотя и основательно запущенный санитарный блок с ванной, душем и всем прочим, чему полагается быть в таких местах; отсек, где стоял новенький, явно ни разу не бывший в употреблении бензиновый генератор марки «хонда», и, наконец, аппаратная видеонаблюдения. Тут, вообще-то, полагалось нести круглосуточное дежурство, но на самом деле заходили сюда нечасто — в основном когда требовалось включить или выключить записывающую аппаратуру, да еще в тех случаях, когда срабатывала сигнализация и надо было посмотреть, кто это пожаловал в гости.

Глеб зашел в аппаратную, включил все, что недавно выключил, и немного полюбовался мерцавшими на мониторах изображениями давно опостылевших коридоров и набитых макулатурой стеллажей. Охранники у лифта, как вверху, так и внизу, стояли, не шевелясь; только внимательно приглядевшись, можно было заметить, что они время от времени моргают, а значит, являются все-таки живыми людьми, а не вырубленными из дубовых поленьев скульптурами. Впрочем, как показали недавние события, толку от них было немногим больше, чем от дубовых поленьев.

Вдоволь налюбовавшись, Глеб вышел из аппаратной. Тяжелые стальные створки ворот, за которыми скрывалась котельная, словно магнитом, притягивали его взгляд. Отполированные колесами вагонетки рельсы тускло поблескивали в желтушном свете потолочных ламп. Это был действительно последний путь, по которому в небытие отправлялись не только тела убитых на территории объекта людей, но и память о тех, кто умер давным-давно — кровавая, гноящаяся жуткими подробностями память, как в склепах, замурованная в обтерханных картонных папках с ботиночными тесемками. Эта скорбная дорога могла стать последней и для агента по кличке Слепой, но это была далеко не главная причина, по которой Глеб ненавидел это место.

Сам не зная зачем, он заглянул в генераторный отсек. Ярко-желтый жестяной кожух генератора весело поблескивал, выгодно контрастируя с черной пластмассой вентиляционных решеток и серебристым металлом блока цилиндров. Бак был полон, аккумулятор заряжен, а вдоль задней стены квадратного помещения идеально ровной шеренгой, как солдаты на разводе, выстроились десять серебристых алюминиевых канистр с бензином. Не без труда подавив возникшее под воздействием свойственного каждому человеку духа противоречия нестерпимое желание немедленно, прямо тут, закурить сигарету, Глеб покинул генераторную и вернулся в хранилище. Усевшись за рабочий стол Ефима Моисеевича, он придвинул к себе папку с протоколами допросов участников перестрелки с экипажем неопознанного летающего объекта (предположительно, инопланетного космического аппарата), совершившего в шестьдесят втором году посадку близ расположенного под Вологдой военного аэродрома. Несмотря на казенный, отдающий затхлым сукном, стиль изложения, содержимое папки читалось как научно-фантастический роман. Впрочем, таковы были все хранящиеся тут материалы — Ефим Моисеевич, надо отдать ему должное, действительно обладал редкостным чутьем и выуживал из доставляемых сюда бумажных сугробов самое интересное и ценное.

Перед тем, как начать читать, Глеб поверх бумаг бросил взгляд на вагонетку. Она была пуста, и бетонный пол под приемным окошком был первозданно чист. Списанные архивные материалы по вполне понятным причинам перестали доставлять сразу после налета на хранилище. Глебу подумалось, что, если коротенькая дорога вот от этого окошка до топки котельной служит архиву Лубянки чем-то вроде прямой кишки, через которую из организма выводится все лишнее, то небезызвестное учреждение в данный момент испытывает что-то вроде запора. Ему сейчас же вспомнилась опубликованная газетами год или два назад история про слона, у которого случился серьезный запор. Несчастной скотине дали слабительное, и она благополучно облегчилась. Да так удачно, что некстати оказавшегося поблизости служителя зоопарка извлекли из-под гигантской кучи навоза уже бездыханным...

«Как бы и тут чего похожего не вышло», — подумал Глеб и опустил глаза в папку.

Но насладиться подробностями панических и беспорядочных действий аэродромной охраны при столкновении с обитателями иных миров ему не дали. В углу противно задребезжал электрический звонок, под потолком вспыхнула и замигала красная лампа тревожной сигнализации. Вся эта дискотека, по идее, означала, что там, наверху, кто-то открыл лифт одновременным поворотом двух ключей и находящемуся в хранилище персоналу надлежит привести себя в состояние готовности номер один — поставить оружие на боевой взвод и занять места согласно штатному боевому расписанию.

Глеб не стал предпринимать ни одного из действий, предусмотренных должностной инструкцией. Оружие у него отобрали (а то, которое не отобрали, потому что не нашли, он, во-первых, никому не собирался демонстрировать, а во-вторых, и так все время держал под рукой), а одновременно очутиться во всех предусмотренных штатным боевым расписанием точках (числом пять) он не мог по определению. Можно было, конечно, вернуться в аппаратную и хотя бы посмотреть, кого это там несет, но и этого делать Глеб не стал. Что толку понапрасну бить ноги, когда и так понятно, что это либо Иван Яковлевич, либо старик?

Оказалось, явились оба. Ефим Моисеевич выглядел хмурым и озабоченным, он явно был чем-то сильно недоволен и даже раздражен, зато генерал Корнев чуть не подпрыгивал от какого-то нервного оживления. Он бы, наверное, и подпрыгивал, да возраст, звание и солидная комплекция заставляли его сдерживаться.

Правда, глядя сейчас на Ивана Яковлевича, было невозможно поверить, что перед вами генерал контрразведки. На нем была просторная светлая рубаха навыпуск, с коротким рукавом и расстегнутая чуть ли не до пупа; ниже располагались мятые шорты цвета хаки, доставшие до колен, а из их широких штанин торчали незагорелые кривоватые ноги, поросшие редким черным волосом.

— Ну, все, сынок, кончилось твое заточение! — громогласно объявил он, энергично пожимая Глебу руку потной мясистой ладонью. — Уф, жарища на дворе просто несусветная! В городе никого, все на речке...

— Правда? — суховато произнес Глеб.

— Ну, не дуйся, не дуйся! Ты же военный человек, офицер! Должен понимать, что я не ради собственного удовольствия тебя тут маринaю. Утечка секретной информации — дело нешуточное. Успеешь ты еще на речку...

— Да уж, речка речкой, а утечка — утечкой, — проворчал Ефим Моисеевич, опускаясь в кресло, которое ему предупредительно уступил Сиверов. — Что это вы тут читаете, юноша? А, это... Ну, и как вам? Поразительная тупость, верно?

— О чем это вы? — утираясь влажным носовым платком, поинтересовался Иван Яковлевич.

Ему объяснили, о чем, а в конце объяснения Ефим Моисеевич довольно ядовито поинтересовался: неужели он этого не читал?

— Не читал, — воинственно объявил Корнев, — и читать не собираюсь. Делать мне больше нечего. Инопланетяне какие-то... Я в этих ваших инопланетян, если хотите знать, не верю.

— А факты? — спросил старик.

— Да какие там факты! Перепились поголовно, устроили пальбу, а когда настало время объясняться, с похмелья выдумали какой-то НЛО... Вот уж, действительно, тупость!

Глеб уже успел прочитать пару протоколов свидетельских показаний участников обсуждаемого инцидента, и у него, откровенно говоря, сложилось обо всем этом примерно такое же впечатление. Из чего следовало, между прочим, что Иван Яковлевич протоколов этих, может, и не читал, но что там написано, знал наверняка. Может, он сам их и писал. Впрочем, это вряд ли: все-таки больше сорока лет прошло. Вот Ефим Моисеевич, тот мог, но у него совсем другая специальность...

— Давайте ближе к делу, господа, — сказал Иван Яковлевич.

— К делу так к делу, — недовольно проворчал старик, закрыл папку и сердито оттолкнул ее от себя. — Хотя мне лично все это активно не нравится. Я вам уже говорил...

— А я слышал, — не дал ему закончить генерал. — И в ответ могу только еще раз повторить: это приказ, а приказы не обсуждаются. И потом, что ты можешь возразить по существу?

После этого налета местоположение хранилища превратилось в секрет этого... как его... ну, который в шинели.

— Полишинеля, — автоматически подсказал Глеб, хотя и был уверен, что господин генерал попросту валяет дурака, зачем-то притворяясь, что забыл это имя. На ум Сиверову опять пришел полковой особист, капитан Петров: шуточка была как раз в его духе.

— Товарищ шутит, — без необходимости просветил его Ефим Моисеевич, брюзгливо кривя рот. — Товарищ научился у своих подопечных ваньку на допросах валять, а теперь оттачивает этот навык на нас с вами. Делает вид, что получил большие звезды на плечи только за выдающиеся достижения в деле чистки сортиров...

— Ну, хватит уже! — оборвал эту язвительную тираду Иван Яковлевич, и Глеб с удивлением отметил про себя, что он основательно задет. Вон, даже загривок побагровел... — Вопрос о передислокации решен окончательно, и обсуждать тут нечего. Не понимаю, Фима, чем ты недоволен? Это же проявление заботы о сохранности твоих драгоценных бумажек!

— Да уж, сохранность, — с горечью произнес старик. — Какая уж тут сохранность!.. Два переезда равняются одному пожару — для вас это что, новость?

— А тебя никто не заставляет переезжать дважды, — тут же парировал Корнев. — И потом, тебе там должно понравиться. Во-первых, это, считай, самый центр Москвы — и дом под боком, и, опять же, бумажки эти не придется за тридевять земель под охраной таскать. Сам видишь, какие чудеса по дороге-то творятся... И вообще, там уютно. Все-таки бывшее правительственное бомбоубежище. Ковры, зеркала, перины пуховые... паркет, елки-палки! И собственная ветка метро. Ну, чем плохо?

Ефим Моисеевич в ответ только досадливо, совсем по-стариковски, крякнул и безнадежно отмахнулся узловатой ладонью — дескать, делайте, что хотите.

— Туда, брат, никакой спецназ не прорвется, — продолжал Иван Яковлевич. — А уж о том, насколько повысится уровень секретности, я даже и не говорю. А то, понимаешь, торчим тут, прямо напротив вокзала, как бельмо на глазу. Новый глава здешней администрации — вот же баран, прости ты меня, господи! — говорят, уже начал интересоваться: а что это за объект такой, куда местной исполнительной власти вход воспрещен? Что это за котельная такая, что из трубы даже летом дым идет? Что за грузовики туда приезжают, что привозят? А за ним и губернатор: в самом деле, что за дела?

— Ну, так и шлепнули бы обоих, — проворчал Ефим Моисеевич.

— Ты мне это прекрати! — возмутился генерал. — Я тебе кто — террорист? Бомбист-народник? Эсер я тебе, что ли, какой-нибудь, чтоб губернаторов за здорово живешь шлепать? Тоже мне, повод для политического убийства: Фиме Фишману лень свою старую задницу от насиженного кресла оторвать! Словом, готовьтесь к переезду. Грузовики придут послезавтра в полночь, и к этому времени у вас все должно быть готово. И имей в виду, Ефим Моисеевич: все твои сокровища в грузовики не поместятся. Отбери только самое важное — то, что еще можно использовать. А остальное, не жалея, в печку.

— Вот, — с тихой яростью проговорил старик, — вот об этом я и толкую. В печку! На кой дьявол, в таком случае, я тут столько лет просидел? Чтобы все в печку отправить?

— Можешь не отправлять, — холодно ответил Иван Яковлевич. — Вслед за грузовиками, с интервалом в три часа, придут бетоновозы. Засунут рукава во все дыры, вплоть до вентиляционных отдушин, и пустят раствор. Под давлением. Так что макулатуру свою можешь и не жечь. Все равно до нее после этого сам господь бог не доберется.

Глеб представил себе, как через сколько-то там лет археологи, а может, и сотрудники коммунальных служб во время раскопок или прокладки каких-нибудь своих коммуникаций неожиданно наткнутся на похороненный в земле параллелепипед из сплошного железобетона. Вот это будет сюрпризец!

Он покосился на бесконечные ряды прочных стальных стеллажей. Они были намертво привинчены к полу и стояли очень часто, что превращало их в великолепную арматуру. Да, генерал прав: после того, как хранилище до самого потолка зальют нагнетаемым под давлением жидким бетоном, и тот затвердеет, до секретов этого места не доберется ни бог, ни дьявол. И если, к примеру, под одним из этих стеллажей останется лежать труп Библиотекаря, он пролежит там до Страшного суда, а то и дольше, потому что выбраться отсюда будет затруднительно даже по зову архангельских труб. Ночью, в суматохе погрузки, во дворе, забитом грузовиками и бетоновозами, его хватятся не сразу, а когда хватятся, будет уже поздно...

Да, подумал он, ночь переезда — самое удобное время. Можно подумать, эта передислокация и затеяна-то только для того, чтобы под шумок спрятать концы в воду... точнее, в бетон. И никто потом не спросит, куда подевалась та или иная папка с документацией. Сгорела в печке, замурована в многометровой толще бетона... и вообще, откуда вы взяли, что она была, существовала? Где это записано, кто ее видел? Списана и уничтожена согласно акту о списании... Уничтожена, сами понимаете, своевременно.

На мгновение он испытал очень неприятное чувство потери контроля над ситуацией, но тут же взял себя в руки. «Как сумеем, так и сыграем», — подумал он. Ему тут же вспомнилось, что он утешался этой расхожей фразой тысячу раз, а значит, теория вероятности уже вовсю работает против него. Но это ничего не меняло, и, махнув рукой на дурные предчувствия, Глеб сосредоточил свое внимание на продолжавшейся словесной перепалке Ефима Моисеевича с Корневым.

* * *

Грузовики, три тентованных армейских «Урала», хрипло рыча мощными дизельными движками, катились по пустынным, плохо освещенным улицам спящего городка. Полосы света от редких фонарей, пробиваясь в щели и прорехи брезентовых тентов, скользили по фигурам неподвижно сидевших на деревянных скамейках вдоль бортов людей в безликом армейском камуфляже, и тогда холодные неоновые блики стремительно пробегали по вороненому металлу автоматных стволов, а в прорезях трикотажных масок поблескивали спокойные глаза.

Альберт Витальевич Жуковицкий сидел в кузове переднего грузовика, стиснутый с двух сторон каменными плечами соседей, и прилагал титанические усилия к тому, чтобы удержаться на узком, страшно неудобном деревянном сиденье, которое так и норовило сбросить его при каждом толчке. Последний раз господин депутат ездил подобным образом в восемнадцатилетнем возрасте, когда был с однокурсниками на картошке, и потому, наверное, в голове у него сейчас вместо связных мыслей была какая-то каша — уж очень тяжело оказалось притворяться таким же, как все эти твердокаменные долдоны в масках, не выдать себя неловким движением или элементарной неспособностью усидеть на этой вот растреклятой скамейке. Какая уж тут дедукция!

Собственно, думать надо было раньше, пока он не смешался с пятнистой толпой замаскированных людей и не вскарабкался в кузов этого дизельного чудища. Теперь имело смысл думать разве что о том, куда подевался человек, место которого Альберт Витальевич занимал в данный момент. Ведь был же, наверное, человек-то! Высокий, плотный, с прекрасно развитой мускулатурой и тренированной реакцией. Пришел на службу, надел камуфляж, нацепил бронежилет, подпоясался ремнем с кобурой, подсумками, ножом и прочими причиндалами, спрятал лицо под черной трикотажной шапочкой... и пропал. А его место на узкой скамейке в воняющем соляркой и гуталином тряском кузове занял депутат Государственной Думы, видный политик и преуспевающий бизнесмен Жуковицкий А. В. И никто, черт возьми, этого даже не заметил! Верно говорят: ночью все кошки серы. Э, чего там — куда подевался, куда подевался... Как говорится, мир праху его. А вот что, скажите на милость, все-таки делает здесь господин депутат? Может, обдумывает поправки к очередному законопроекту? Да черта с два! Господин депутат ерзает ноющим с непривычки седалищем по отполированным другими седалищами доскам, пытаясь не улететь к чертям собачьим за борт и используя в качестве дополнительной точки опоры ствол автомата, приклад которого упирается в пол у него между ногами. Очень мило! Не пальнуть бы ненароком в себя, уж очень удобная позиция — как раз для этого дела... Где у этой штуки предохранитель?

Оторвав правую руку от ствола, за который действительно цеплялся, как утопающий за соломинку, Альберт Витальевич пошарил в темноте по теплому железному казеннику и, наконец, нащупал кончиками пальцев флажок предохранителя. Увы, это ничего не прояснило, поскольку он, хоть убей, не помнил, в каком положении должен быть этот самый флажок. Как его двигают, чтобы стрелять — сверху вниз или, наоборот, снизу вверх? А? Дай бог памяти, когда же это он последний раз держал в руках автомат? В институте, на военной кафедре. И это была не современная, двадцать раз модернизированная хреновина, которая и на автомат-то не похожа, а добрый старый АК-47 калибра 7,62 — тяжелый, массивный, с нелепо огромной мушкой, без набалдашника пламегасителя на стволе, с деревянным прикладом и обшарпанным железным магазином...

Машину тряхнуло, и он едва не выбил себе глаз этим чертовым пламегасителем. Вот уж, действительно, охота пуще неволи!

Да, сказал он себе, охота. Еще как охота! Или я достану эти бумажки, или вся эта свора достанет меня. Спасибо тебе,

Мазур, спасибо, родной! Передал, понимаешь ли, привет с того света...

Вчера Альберта Витальевича посетил следователь прокуратуры и поведал ему довольно занимательную историю о некоей девушке, которая, согласно ее заявлению, в течение без малого двух недель насильственно удерживалась на загородной базе службы безопасности господина Жуковицкого. Она, конечно, понятия не имела, что это какая-то там база, а просто, сбежав из-под замка через окно, объяснила сотрудникам милиции, как туда проехать. Милиция обнаружила покинутую базу, в одной из гостевых комнат которой на полу лежал труп начальника службы безопасности Мазура. Чертова девица по фотографии опознала в нем одного из своих похитителей; вдобавок ко всему, она оказалась дочерью водителя какой-то там спецмашины, который бесследно исчез вместе с машиной и двумя офицерами ФСК буквально на следующий день после ее похищения. У следователя, когда он излагал все это Альберту Витальевичу, был дьявольски многозначительный вид; этот подонок явно воображал, что у него появился шанс распутать громкое преступление и подняться, таким образом, на очередную ступеньку карьерной лестницы. Причем у него, подонка, имелись достаточные основания думать именно так, и никак иначе.

Разумеется, Альберт Витальевич его немного осадил, заявив для начала, что понятия не имеет, какие дела проворачивал Мазур за его спиной. У меня, знаете ли, своих забот полон рот, некогда мне охранников контролировать, я на этой базе, если хотите знать, был только в день ее открытия — первый и последний раз. Хотите разбираться с моими охранниками — разбирайтесь на здоровье, этого добра нынче на любом углу можно набрать хоть сто человек. Вот пускай они вам и скажут, отдавал я приказ похитить дочку какого-то там водителя или нет. И вообще, молодой человек, вам доводилось когда-нибудь слышать о депутатской неприкосновенности? Доводилось, да? Вот и отлично. А сейчас прошу простить, у меня неотложные дела. Государственные, сами понимаете, какие ж еще-то?..

Следователь ушел, но можно было не сомневаться, что он очень скоро вернется. И, возможно, не один, а с Юргеном на коротком поводке. Астролог пропал, как сквозь землю провалился, а знал этот черемис много. После его визита в прокуратуру Альберт Витальевич смело мог начинать сушить сухари.

Правда, тот тип, что назначил депутату свидание, немного успокоил насчет Юргена, сказав, что астролог находится в надежном месте и ждет сигнала, чтобы приступить к работе по методу Нострадамуса. Жуковицкий не знал, насколько можно верить этому сообщению, но что еще ему оставалось? Разве что явка с повинной...

По лицу сидевшего напротив человека медленно проползла широкая световая полоса, и Альберт Витальевич с изумлением увидел, как этот человек дружески ему подмигнул. Жуковицкий подмигнул в ответ, хотя понятия не имел, что означает это перемигиванье. Мигнули ему просто так, от нечего делать, или это какой-то условный сигнал? Впрочем, ни о каких условных сигналах они не договаривались, и вообще, достигнутая ими договоренность не предполагала участия в деле каких-то третьих лиц. «Больше никаких посредников, — сказал ему человек, по милости которого депутат в данный момент ехал неведомо куда в кузове армейского грузовика и чувствовал себя полным идиотом. — Хватит! Вы видите, что делается? Ни на кого нельзя положиться! Эти нынешние так называемые профессионалы неспособны, извините, самостоятельно подтереть себе анус. Ну их к аллаху, сами разберемся со своими делами. Только вы и я, идет? Из рук в руки, без обмана. И ничего не бойтесь. В этой суматохе вы сможете вывезти оттуда хоть чемодан секретных документов, хоть целый грузовик, и никто ничего не заметит. А суматоху я вам обещаю, насчет этого можете не сомневаться».

И Альберт Витальевич, как ни странно, ни в чем не сомневался. Вопреки здравому смыслу он продолжал верить своему собеседнику. Правда, сейчас, в маске, бронежилете и с автоматом в руках, он все равно чувствовал себя так, словно спит и видит какой-то дурацкий, бессвязный сон. Хотя автомат — это, наверное, неплохо. Это дополнительный козырь в любых переговорах. Пожалуй, в любом случае надо будет как-нибудь улучить момент и спустить курок. А еще лучше — ножом, потихому. А то ведь еще неизвестно, есть ли в этом автомате патроны. То ли дело ножиком пырнуть! Прямо в момент передачи папки из рук в руки, как было обещано. Тык — и нет свидетеля, и никто ничего не знает, не видел и не слышал...

Грузовик замедлил ход и остановился. Протяжно заныл клаксон, где-то впереди залязгало железо — видимо, там открывали ворота. Сквозь щель между боковой стенкой и задним пологом тента Альберт Витальевич видел кусочек ярко освещенной стены и угол окна. Видимо, это и был железнодорожный вокзал, на площади перед которым должна была дожидаться Лера с автомобилем. Ему захотелось подойти к заднему борту и, отодвинув полог, найти глазами этот автомобиль, а еще лучше — помахать Лере рукой: вот он я, у меня все в порядке! Но ничего этого делать он, разумеется, не стал.

Грузовик зарычал движком, дернулся и с натугой пополз вперед. В щели на мгновение показалось освещенное окошко караульной будки, потом по глазам стремительно и больно, как скальпелем, полоснул ослепительно яркий свет какого-то прожектора; машина закачалась, как лодка на мертвой зыби, переваливаясь с ухаба на ухаб, немного поерзала взад-вперед, сердито подвывая двигателем и хрустя шестернями коробки передач, а потом, наконец, замерла.

Двое в масках, что сидели сзади, синхронным движением забросили на крышу брезентовый полог и, перегнувшись через борт, ослабили запоры. Борт с лязгом упал вниз; послышалась короткая команда, и люди горохом посыпались из кузова на землю, сразу же выстраиваясь в шеренгу.

Альберту Витальевичу удалось довольно сносно и даже молодцевато проделать эту операцию. Кося глазом на соседей, он занял место в строю и вытянулся в такой же позе, как все, немного при этом замешкавшись, потому что, в отличие от всех, понятия не имел, какой эта поза должна быть. Из темноты проступали очертания какого-то бросового, заросшего бурьяном хлама, лучи фар и прожекторов освещали бугристую, замусоренную, поросшую травой землю и тускло отражались в закопченных окнах какого-то громоздкого, обшарпанного здания, более всего напоминавшего котельную. В темном ночном небе отчетливо чувствовался смрад горелой бумаги.

— Откуда столько дыма? — негромко поинтересовался кто-то справа от Альберта Витальевича.

— Разговорчики! — послышался резкий, но тоже негромкий окрик из темноты. — Рассредоточиться, приступить к выполнению задачи. Задачу знаете, задача простая: хватай побольше, кидай подальше и отдыхай, пока летит. Вперед, бойцы!

Ворота котельной распахнулись с ржавым скрипом, и пятнистые фигуры одна за другой устремились в разбавленный жидким светом слабых ламп в закопченных плафонах полумрак. Краем глаза Альберт Витальевич замечал какие-то черные, жирно лоснящиеся выступы, вентили, трубы, заслонки; в полутьме поблескивали круглые стекла всяких там манометров и прочей теплоэнергетической требухи. Воняло углем, мазутом и машинным маслом, но запах горелой бумаги был самым сильным, решительно забивая весь букет ароматов. Потом под ногами загремело решетчатое железо, сквозь которое снизу просвечивали слабые огни редких ламп, и Жуковицкий вместе со всеми начал быстро спускаться по лестнице с дырчатыми железными ступенями, уходившей, казалось, чуть ли не к самому центру Земли.

Когда этот бесконечный спуск все-таки закончился, они очутились в тесноватом, грязном помещении, которое почти целиком занимала чудовищная печь с литыми чугунными дверцами, такими огромными, что через них, казалось, можно было проехать на небольшом автомобиле. Эти дверцы были плотно закрыты, но запах горелой бумаги тут был таким густым, что у Жуковицкого защипало глаза. Подняв их к потолку, он увидел, что забранная железной решеткой лампа окружена тусклым туманным ореолом. Но это, конечно же, был не туман, а самый обыкновенный дым.

— Да что за черт?! — сказал кто-то. — Какая сволочь так накурила?

Шутку встретили сдержанными смешками. Две фигуры в пятнистых комбинезонах приблизились к широким железным воротам в бетонной стене и, взявшись за створки, одновременно их распахнули.

Из открывшегося квадратного проема густыми сероватыми клубами лениво повалил дым. Его было просто невообразимо много; потом по ногам потянуло тугим сквозняком, дым колыхнулся, чуточку поредел, и в его гуще заплясали розовато-оранжевые туманные вспышки. Получив новую порцию кислорода, огонь окреп, загудел, и из дверного проема, как из пушечного жерла, вдруг выбросило огромный язык пламени.

ГЛАВА 21

Глеб проверил на прочность узел веревки, которая туго стягивала тяжелую стопку картонных папок, бегло осмотрел вторую стопку, подхватил обе и, держа слегка на отлете, как полные ведра, понес по проходу между стеллажами.

Стеллажи были почти пусты, что придавало огромному помещению очень непривычный вид. Если раньше справа и слева виднелись только корешки папок и ничего, кроме них, то теперь разгороженный металлическими полками подземный зал просматривался насквозь, от стены до стены, и это действительно выглядело очень непривычно. Повсюду, в том числе и под ногами, белели оброненные в спешке листы бумаги, которые никто не собирался подбирать, а в дальнем конце помещения, похоронив под собой стол Ефима Моисеевича, громоздились стены, башни, бастионы, груды, завалы все тех же картонных папок, связанных в такие же пачки, как те, которые сейчас оттягивали Глебу обе руки. Где-то там, в запутанном картонном лабиринте, сейчас находился Ефим Моисеевич. Старик, по идее, должен был заниматься сортировкой и упаковкой предварительно отобранных архивных материалов — даже того, что, как выразился Иван Яковлевич, еще можно было использовать (например, для политического шантажа), оказалось слишком много для несчастных трех грузовиков. На деле же Ефим Моисеевич, скорее всего, просто бесцельно бродил среди своих богатств, трогая их, перебирая и беря в руки только затем, чтобы тут же рассеянно уронить на пол. Этот переезд за каких-нибудь двое суток состарил его лет на двадцать. Двигался он теперь медленно, неуверенной старческой походкой, и при ходьбе так шаркал ногами, что это шарканье временами начинало казаться Глебу нарочитым. По правде говоря, Сиверов побаивался, как бы старика от всех этих огорчительных волнений не хватил удар.

Водрузив свою ношу на верх шаткой картонной башни, Слепой прихватил со стеллажа моток прочного нейлонового шнура (он уже не помнил, который по счету) и отправился за новой порцией. Он и сам порядком устал за эти двое суток, в течение которых ему удалось вздремнуть от силы часа четыре в общей сложности, и теперь ощущал почти непреодолимое желание, подобно Ефиму Моисеевичу, подволакивать ноги и шаркать подошвами при ходьбе. Помимо всего прочего, выполняемая работа представлялась ему совершенно бессмысленной, особенно теперь, за час-другой до прибытия грузовиков. Как говорится, не наелся — не налижешься. А вот еще один подходящий к случаю перл народной мудрости: перед смертью не надышишься...

Он оглянулся через плечо. Старика нигде не было видно, и даже возня, по звуку которой Глеб определял его местонахождение, прекратилась. Сиверова опять посетила тревожная мысль о сердечном приступе, но тут где-то в недрах картонного лабиринта с шорохом и дробным стуком посыпались папки, а затем раздался голос Ефима Моисеевича. Старик говорил на иврите — вернее, не говорил, а ругался, потому что те немногие слова, которые Глебу доводилось слышать раньше — «поц», «тохес», «шлимазл», — и смысл которых был ему известен, являлись, несомненно, ругательными. Да и произносились они с соответствующей энергичной интонацией, так что о драгоценном здоровье Ефима Моисеевича пока можно было не беспокоиться.

Сиверов вернулся к полке, которую опустошал в течение последнего часа, и принялся без разбора собирать папки в стопку, укладывая их по две в ряд крест-накрест, как кирпичи — ряд вдоль, ряд поперек, и снова вдоль, и опять поперек… Эта стопка получилась у него чуть повыше двух предыдущих, а те, в свою очередь, были выше стопок, которые Глеб связал до них. По мере того, как отведенное им на сборы время истекало, Сиверов с каждой новой ходкой старался унести побольше, хотя и понимал, что это пустая трата времени и сил — увезти все, что Ефим Моисеевич пожалел отправить в печку, в любом случае не удастся. Три грузовика, будь это хоть большегрузные фуры, были просто несопоставимы с гигантским объемом хранившегося в этом подземелье бумажного хлама. А это, в свою очередь, опять наводило на мысль, что вся катавасия с переездом затеяна исключительно для отвода глаз. Так что многомудрые рассуждения Сиверова по поводу бронежилета, так удачно надетого Ефимом Моисеевичем в день налета на хранилище, похоже, можно было с чистой совестью спустить в канализацию. Туда им и дорога…

«Значит, все-таки Корнев, — думал Глеб, туго стягивая стопку веревкой. — Не выдержало генеральское сердечко, дрогнуло от соседства таких богатств… Ну, правильно. Ведь пропадает же добро! На миллионы — нет, на миллиарды добра лежит без дела и потихонечку приходит в полную негодность. Еще десять-двадцать лет, и девяносто процентов хранящейся здесь информации станут представлять лишь исторический интерес — хорошо, если пригодятся для написания диссертации какому-нибудь аспирантику… Понять Ивана Яковлевича можно, да и организовать всю эту комбинацию ему было как-нибудь полегче, чем запертому в подземелье старому книжному червю…»

Если принять за рабочую версию то, что именно генерал Корнев был инициатором продажи бумаг Нострадамуса и Бюргермайера депутату Жуковицкому, картинка получалась простая, ясная и непротиворечивая. После того, как Глеб вернул украденные документы в хранилище, его заперли здесь от греха подальше, чтобы он не имел свободы действий. Несомненно, Иван Яковлевич следил за всеми передвижениями Слепого в то время, как он искал документы.

Когда обнаружилось, что из папки с наследием Нострадамуса изъята самая главная часть, Корнев, несомненно, догадался, чьих рук это дело. Да тут и гадать было нечего, поскольку, подменяя описание открытого Нострадамусом метода вычислений собственным шифрованным посланием, Глеб постарался составить его так, чтобы даже дурак понял: Юрген тут ни при чем, он не обманщик, а жертва обмана.

Итак, для Корнева было очевидно, что пропавшая глава с описанием легендарного метода Нострадамуса украдена Сиверовым. Можно было не сомневаться, что господин генерал постарался с наивозможнейшей тщательностью проверить все места, в которые Глеб заходил хотя бы на две минуты, пока готовил свой визит на квартиру Юргена. Бумаг он там, конечно, не нашел и сделал из этого вполне логичный (и, кстати, правильный) вывод, что Библиотекарь, голова еловая, держит бумаги при себе и что сейчас они находятся где-то в хранилище. Это был слишком ценный товар, чтобы оставлять его без присмотра даже на короткое время, и в этом мнения генерала Корнева и Глеба Сиверова целиком и полностью совпадали.

И вот, убедившись, что все нужные ему документы находятся в хранилище, Корнев организовал этот переезд. На самом ли деле где-то в подземных лабиринтах Москвы для тайного архива было подготовлено комфортабельное правительственное бомбоубежище, оставалось неизвестным. Да это в данном случае и не имело значения; важно было то, что старое хранилище прекращало свое существование раз и навсегда. А значит, у Глеба было всего два пути: либо извлечь бумаги стоимостью в пятьдесят миллионов долларов из тайника и попытаться тайно вывезти их, либо смириться с тем, что они навсегда останутся похороненными в многометровой толще железобетонного монолита. Разумеется, Корнев рассчитывал, что Сиверов выберет именно первый вариант; на его месте так поступил бы любой здравомыслящий человек.

Честно говоря, Глеб пока и сам не знал, здравомыслящий он или нет. Где-то уже стояли под погрузкой, заполняя гигантские емкости, тяжелые самоходные бетономешалки, а он все еще не решил, как ему поступить с документами. Убрать его попытаются в любом случае, с документами или без. Так, может, будет лучше, если его смерть не принесет господину генералу ничего, кроме морального удовлетворения? А человечество, если уж мыслить высокими категориями, как-нибудь переживет гибель бумаг, которые оно и без того уже считает погибшими без малого пятьсот лет тому назад...

Непонятно было только, почему до сих пор не объявился виновник торжества, генерал Корнев. Или он решил для пущего эффекта выйти из-за кулис в самый последний момент, прямо как в дешевой мелодраме? Что ж, в этом, если разобраться, тоже был определенный смысл. В самом деле, зачем лезть под землю? Проще дождаться, пока Глеб сам поднимется на поверхность, и там, в темноте, в суматохе погрузки, под рев бетоновозов, зайти со спины, выстрелить в затылок и подобрать выпавшую из мертвых рук папку. Не очень красиво, совсем не эффектно, зато, как говорится, дешево и сердито...

Жалея, что у него не припасена дополнительная пара глаз для обеспечения постоянного кругового обзора, Глеб сложил вторую стопку папок и, прижав коленом, начал перетягивать ее веревкой. Именно в этот момент он почувствовал, что в хранилище пахнет дымом. И не просто дымом, а горелой бумагой.

«Вот так штука, — подумал он, оставляя свое занятие и выпрямляясь. — Два переезда равняются одному пожару — так, кажется? А старик-то накаркал! Поскольку переезд намечается только один, пожар — вот он, тут как тут! А главное, как вовремя-то!»

Бросив свою ношу, все ускоряя шаг, он устремился туда, где грудами громоздились подготовленные к вывозу архивные материалы. Дым распространялся откуда-то с той стороны; его было немного, но становилось все больше прямо на глазах. Скоро должна была включиться пожарная сигнализация, а вслед за ней и автоматическая система пожаротушения. Тогда укрепленные под потолком миниатюрные воронки обрушат вниз струи, потоки, целые ниагары, а вода архивным материалам противопоказана так же, как огонь. Где, скажите на милость, просушить десятки тонн документов, которые никому нельзя показывать?

«Мне-то какое дело?» — подумал Глеб, но руки уже сами отшвыривали в сторону тяжелые пачки бумаги, загромоздившие угол, где, помнится, стояла парочка заготовленных как раз на такой случай огнетушителей.

Он выпрямился, опустив руки. Огнетушителей не было. О них напоминала только старомодная, выкрашенная в красный цвет деревянная стойка с полукруглыми гнездами и металлическими креплениями, которые совсем недавно удерживали в этих гнездах алые цилиндры тяжелых, архаичных пеногонов.

Противопожарная сигнализация тоже почему-то молчала, хотя дым уже затянул потолок хранилища густым пологом, сквозь который едва пробивался свет люминесцентных ламп. Запах горелой бумаги становился трудно переносимым; повернув голову, Глеб увидел, что дым клубами валит из распахнутых настежь ворот, которые вели к котельной. Выносить бумаги предполагалось именно через котельную, и теперь короткий коридор, куда выходили двери жилых и служебных помещений, был чуть ли не до потолка загромежден ими. Горело там, в непосредственной близости от генераторного отсека и канистр с бензином; мало того, именно в генераторном отсеке, под желтым металлическим кожухом, была припрятана тощая пластиковая папка, в которой лежала изъятая Глебом глава.

Пряча папку в корпусе генератора, он все время помнил рассказ одного знакомого офицера, который служил на узле связи и потому имел, бедняга, дело с личным составом — то есть, попросту говоря, с солдатами. Солдатики коротали утомительно долгие часы ночных дежурств, разрисовывая и доводя до немыслимых высот красоты и стилистического совершенства так называемые «дембельские альбомы». Ясно, что начальством это не приветствовалось и альбомы свои солдатикам приходилось прятать. Благо, всевозможных щелей, кабельных колодцев и прочих укромных уголков на любом узле связи всегда хватает. И вот кто-то из радистов, зачернив картонные листы тушью, набрызгав на них с помощью зубной щетки и белой гуаши звездное небо и старательно все это великолепие залакировав, разложил эти самые листы внутри корпуса резервного передатчика, который с незапамятных времен громоздился в углу аппаратной и за два годы службы упомянутого дембеля не включался ни разу. И случилось так, что, когда находчивый воин, сдав дежурство, отправился в казарму отсыпаться перед новой сменой, в аппаратную нагрянуло начальство из штаба дивизии. Начальству стало интересно, работает ли еще передатчик; после произведения всех необходимых манипуляций с тумблерами и переключателями был повернут главный рубильник, и на аппаратуру подали максимальное напряжение. А спустя минуту из всех щелей серого жестяного корпуса повалил густой, белый, отчаянно воняющий паленым картоном дым...

Памятуя об этой истории, Глеб положил папку с бумагами как можно дальше от блока цилиндров и молил бога, чтобы резервный генератор не пришлось задействовать из-за внезапного отключения электричества. А опасность, как выяснилось, грозила совсем с другой стороны...

Он двинулся было в сторону коридора — посмотреть, что горит и нельзя ли это как-нибудь потушить, но оттуда навстречу ему, кашляя от дыма, обрушив по дороге один из бумажных бастионов, вывалился встрепанный, задыхающийся Ефим Моисеевич.

— Пожар! Горим! — прохрипел он.

Старик выглядел так, словно был охвачен неконтролируемой паникой. Глебу это показалось странным. Насколько он успел узнать Фишмана, тот сохранил бы хладнокровие даже на борту идущего ко дну «Титаника»; он не просто остался бы спокойным, ироничным и деловитым, но и наверняка ухитрился бы без шума и пыли, с неизменной улыбочкой на губах обеспечить самые лучшие места в самой надежной шлюпке себе, своей семье, а также любому, кого счел бы достойным спасения. И, кстати, не факт, что этим «любым» непременно оказалась бы беременная женщина или ребенок — Ефим Моисеевич был прагматик и демонстративно не воспринимал того, что на его языке называлось «соплями». Поэтому сейчас его безумно выпученные глаза, его бледность, дрожащие руки — словом, весь его облик — действительно выглядели очень странно.

— Горим! — адресуясь уже непосредственно к Глебу, снова выкрикнул он. — Пожар!

— Вижу, — нарочито холодно и спокойно ответил Сиверов. — Огнетушителей почему-то нет.

— Как нет?! — еще больше всполошился старик. — Ах, да... Они же их уже вывезли, эти крохоборы!

Это сообщение удивило Глеба. Он находился в хранилище неотлучно и что-то не заметил тут никаких «крохоборов», которые могли бы умыкнуть пару древних, бугристых от многолетних напластований краски огнетушителей.

— А пожарная сигнализация? — спросил он.

Старик лишь отчаянно махнул рукой.

— Кто ее проверял? Когда это было? Я говорил, я предупреждал — это все не к добру! Что прикажете теперь делать?

— Надо попытаться сбить пламя, — предложил Глеб.

— Бесполезно. Я уже пробовал. Вы же видите, я только что оттуда. Там ад кромешный, чертово пекло...

— С чего это нашему хламу вздумалось гореть? — спросил Сиверов.

— Мало ли что. Короткое замыкание, одна искра — и готово. Здесь же все сухое, как порох... — Ефим Моисеевич закашлялся. — Что мы стоим, как две еврейские невесты у витрины с искусственными членами? — просипел он, мучительно перхая и колотя себя по впалой груди костлявым кулачком. — Надо уносить ноги, молодой человек! Пропади оно все пропадом! Как ни дороги мне эти бумаги, а жизнь таки дороже.

— Да откуда там короткое замыкание? — заупрямился Глеб. — Там же ни одного провода, ни единой розетки!

— Откуда я знаю?! — окончательно взбеленившись, визгливо крикнул старик. — Может быть, это я, старый дурак, неосторожно бросил окурок. Я готов за это ответить, все равно отвечать придется за все, и не вам, а мне, но потом, наверху! Лучше уж пуля, чем сгореть заживо!

Дым из коридора повалил гуще, стало трудно дышать. Нужно было и впрямь уносить ноги, но Глеба что-то держало, и это была не припрятанная под кожухом генератора папка. Окурок, по рассеянности брошенный Ефимом Моисеевичем прямо в груду столь милых его сердцу архивных документов, был вещью еще более невообразимой, чем короткое замыкание в помещении, где отсутствует наружная электропроводка. Кроме того, даже будучи сухими, как порох, бумаги в туго набитых, перетянутых веревками, спрессованных в почти монолитные стопки папках горят очень неохотно. Попробуйте-ка поджечь закрытую книгу! А стопку книг? Да такая стопка разгорится далеко не сразу, даже будучи брошенной в костер! А тут за какую-нибудь пару-тройку минут, изволите ли видеть, из случайной искры не только возгорелся пламень, но и образовалось какое-то «чертово пекло»!

Глеб сосредоточился на своих обонятельных ощущениях и понял, что не ошибся: да, действительно, сквозь удушливую вонь горящей бумаги пробивался слабеющий с каждой секундой летучий аромат бензина. Это был уже не запах, а только тень запаха, однако Глеб знал, что он ему не чудится.

Окончательное понимание пришло к нему, когда он увидел под мышкой у Ефима Моисеевича предмет, обернутый черным полиэтиленовым пакетом.

— Надо уходить, — неожиданно спокойным голосом повторил старик.

— А это, — Глеб, не трогаясь с места, кивнул на пакет, — самое дорогое? На память?

— Что вы, как можно! Просто личные вещи. А вы ничего не хотите прихватить с собой?

— Нет, — ответил Сиверов, покосившись на устье коридора, теперь похожее на жерло огромного дымохода. — Пойдемте, Ефим Моисеевич. Уходить придется через библиотеку.

Старик медлил, как будто это не он только что рвался вон из хранилища, как пудель на прогулку.

— Неужели здесь не осталось ничего, чем бы вы дорожили?

— Да нет же! — имитируя легкое раздражение, огрызнулся Глеб. — Пойдемте уже, не то как раз превратимся в шашлык!

— А я думаю, что вы здесь кое-что забыли, — медленно проговорил Ефим Моисеевич. — И еще я думаю, что вам придется эту вещь забрать.

— Старый осел, — чуть ли не с нежностью сказал Сиверов, глядя в широкое дуло наведенного ему в лоб пистолета. — Вы сильно поторопились с этим поджогом, Ефим Моисеевич. То, что вам нужно, лежит под кожухом генератора. Ступайте и возьмите, если вам неймется, а я туда ни за какие коврижки не полезу.

— Полезешь, щенок, — уже совсем другим, жестким, прямо-таки железным голосом пообещал старик, и его большой палец уверенно взвел курок. — Еще как полезешь! Как миленький! И принесешь в зубах то, что украл.

— Даже не подумаю, — лениво сообщил Глеб. — Какой мне резон? Все равно подыхать, так зачем напоследок еще и из шкуры лезть?

— Ну и подыхай, шлимазл, — сказал Ефим Моисеевич и нажал на спуск.

Несмотря на возраст, реакция у него оказалась отменная, и, когда вместо выстрела раздался только сухой пистонный щелчок, старик белкой, по-молодому отскочил метра на два в сторону и чуть ли не на лету передернул ствол.

Обернутая полиэтиленом тяжелая папка при этом выскользнула у него из-под мышки и шлепнулась на пол. Ефим Моисеевич вторично спустил курок едва ли не одновременно с этим шлепком, но выстрела снова не получилось.

— Цемент плохо воспламеняется, — сочувственно сказал ему Глеб.

— Что?!

— Я говорю, в патронах у вас не порох, а цемент. Я нашел в кладовке целый мешок. Черт знает, сколько лет он там простоял, прежде чем сгодился для хорошего дела. Сначала я думал просто вынуть патроны, но вы же проверяете обойму каждый раз, как возвращаетесь сюда! В общем, пришлось повозиться. Даже и не пытайтесь, — добавил он, увидев, как рука старика снова оттягивает на себя ствол пистолета. — Только время зря теряете, а его у вас и так немного. Интересно, что вы скажете Жуковицкому, если бумаги сгорят?

Ефим Моисеевич все-таки щелкнул курком.

— Что теперь? — давясь густеющим дымом, поинтересовался Сиверов. — Бокс, дзюдо?

— Чтоб ты сдох, глупый гой! — взвизгнул старик и, швырнув в Глеба пистолетом, нырнул в коридор, где из непроглядно густого дыма уже доносились гул и потрескивание набирающего силу огня.

— Только после вас, — вежливо ответил Сиверов, но Ефим Моисеевич его уже не услышал.

Прикрыв рот и нос рубашкой, щуря слезящиеся от дыма глаза, Глеб подошел к открытым воротам. В дыму ничего не было видно, кроме пляшущих оранжевых отсветов. Потом послышался металлический грохот, свидетельствовавший о том, что старику удалось добраться до цели и даже снять с генератора кожух. Сиверов завел руку за спину и вынул из-за пояса пистолет. Это было неспортивно, но выпускать отсюда старого упыря, да еще и с бумагами, которые были так нужны Жуковицкому, он не собирался. В конце концов, Ефим Моисеевич сам сказал, что лучше погибнуть от пули, чем сгореть заживо...

Желанию старика не суждено было осуществиться. В сплошном дыму ничего нельзя было разглядеть, и вдруг в этой серой клубящейся мути справа, как раз там, где генераторный отсек, возник четкий оранжевый прямоугольник дверного проема. В следующее мгновение раздалось громоподобное фырканье, оранжевый свет стал нестерпимо ярким, и из дверного проема толчком выбросилось всепожирающее пламя. Глеба отбросило назад, на тугие связки картонных папок, но он успел заметить, как огненная волна вместе с какими-то горящими клочьями вынесла в коридор и ударила о противоположную стену темную, объятую пламенем фигуру.

Потом огонь выплеснулся из коридора в хранилище и начал стремительно распространяться по закоулкам бумажного лабиринта.

* * *

Машина, скромный зеленый «ситроен», стояла на почти пустой привокзальной площади возле стоянки такси, где, скучая в ожидании случайного седока, играли в карты в освещенном салоне одной из машин четверо горластых таксистов. Их азартные выкрики далеко разносились в тишине короткой летней ночи, по временам перекрывая даже слышавшиеся со стороны сортировочной станции лязг буферов и гудки маневровых тепловозов.

За рулем «ситроена» сидела Лера и, опустив стекло слева от себя, задумчиво курила. Забившийся в дальний угол заднего сиденья Юрген видел ее освещенную уличным фонарем правую щеку, редкие взмахи пушистых ресниц и аккуратный, коротко, почти по-мужски, подстриженный затылок. Еще он видел дым от ее сигареты, который, лениво свиваясь в кольца, красиво подсвеченные ртутной лампой, уходил в темное ночное небо, да янтарное мерцание приборной панели — похоже, Лера забыла выключить фары, но Эрнст Карлович боялся указать ей на эту оплошность. Еще он боялся закурить, хотя очень хотелось; вообще, Юрген опасался лишний раз привлечь к себе внимание, поскольку не знал, что из этого выйдет. Лера, Валерия Алексеевна, относилась к той категории женщин, перед которыми астролог всегда робел. А теперь, учитывая обстоятельства, он уже попросту трусил.

Какие обстоятельства? Да очень простые. Он спрятался, не желая более иметь ничего общего с господином Жуковицким, а его нашли. Причем с такой легкостью, словно он был малышом, затеявшим игру в прятки с родителями и схоронившимся в самом укромном, по его мнению, местечке квартиры — в бельевом шкафу. Родителям наскучило бродить по всему дому, однообразно восклицая: «А где же наш Эдичка? Куда же он подевался? Эдик, ау!», — или у них вдруг возникло какое-то неотложное дело, и они, открыв шкаф, с деланным изумлением всплеснули руками: «Да вот же он! Попался, озорник! А мы-то думали, что никогда тебя не найдем...»

Это во-первых. Во-вторых, нашла его почему-то не служба безопасности Альберта Витальевича и даже не милиция, а Лера — любовница, содержанка, любимая игрушка всесильного Алика... Нашла и чуть ли не за шиворот втащила в эту машину, сквозь зубы посоветовав не дергаться и так же, сквозь зубы, пообещав, что все будет хорошо.

В-третьих, в то, что все будет хорошо, он не слишком поверил. Иначе зачем нужно было запирать центральный замок, лишая его возможности самостоятельно выбраться из машины?

Дать бы ей по затылку, с тоской подумал Юрген. Пока очухается, я уже буду далеко...

Однако он сомневался, что такая отчаянная выходка даст положительный результат. Драчун из него был, как из бутылки молоток, и вряд ли, ударив Леру через спинку сиденья кулаком по голове (больше-то у него ничего не было), он мог вывести ее из строя хотя бы на минуту. А у Валерии Алексеевны при себе имелся пистолет. Юрген видел его собственными глазами, когда она что-то искала у себя в сумочке. Но сам по себе пистолет был не так уж страшен — астролог в последнее время насмотрелся на эти штуковины до тошноты. Страшнее была недвусмысленная готовность воспользоваться оружием, сквозившая в каждом слове, в каждом жесте, в каждом движении бровей Валерии Алексеевны.

Юргену было тоскливо. Он вспоминал счастливые и беззаботные времена, которые в ту пору казались ему нищими и скучными. Лера тогда была одной из его постоянных и самых щедрых клиенток. Именно она помогла ему выбрать псевдоним, забраковав с десяток других, менее звучных или, наоборот, чересчур кричащих; это она свела его с Жуковицким, убедив этого нувориша, что ему просто необходим личный астролог. Новоиспеченный Эрнст Карлович тогда тайно перед ней благоговел и никогда, ни при каких обстоятельствах даже помыслить не мог, что однажды наступит вот эта ночь и хрупкая, женственная Лера станет пугать его пистолетом.

Женщина вдруг обернулась.

— Не беспокойтесь, — сказала она с улыбкой, — все будет хорошо. Вы нам очень нужны, и я ни за что не дам вас в обиду. Никому. Все будет хорошо, верьте мне.

Ее улыбка вдруг показалась Юргену странно знакомой, и от этого произнесенные Лерой слова утешения возымели обратный эффект — он разволновался еще больше. Было в этой ее улыбке — в общем-то, как всегда, милой, теплой и очень обаятельной, — что-то такое, от чего астрологу стало еще неуютнее, чем прежде, и он окончательно уверился в том, что ничего хорошего ему ждать не приходится.

Отвернувшись от него, Лера потушила в пепельнице окурок и сейчас же закурила снова. Юрген заметил, что при этом она бросила быстрый взгляд на наручные часики. С того момента, как тяжелые армейские грузовики прокатились мимо них по улице и скрылись в темноте за углом какого-то казенного здания, похожего на дворец культуры, прошло уже около двадцати минут. Эрнст Карлович полагал, что это слишком долго, и Лера, судя по тому, как нервно она затягивалась сигаретным дымом, придерживалась на этот счет точно такого же мнения.

«Если дело у них не выгорит, — подумал Юрген с тоской, — она меня точно прикончит. Зачем я ей нужен без Жуковицкого и этих проклятых бумаг?» Ему очень некстати вспомнилось, что с того самого дня, как он заключил устную договоренность с Альбертом Витальевичем и начал получать у него зарплату, Валерия Алексеевна ни разу не поинтересовалась своим астрологическим прогнозом. Хотя раньше, между прочим, шагу не могла ступить без астрологии и прибегала к Юргену за советом по любому, даже самому ничтожному поводу.

Обдумать эту новую странность (которая была не такой уж новой, а просто оставалась незамеченной им на протяжении добрых двух лет) помешал неожиданно раздавшийся осторожный стук в боковое окно. Вздрогнув, астролог обернулся, и сердце у него упало: снаружи, освещенный ярким уличным фонарем, стоял человек в пятнистом камуфлированном комбинезоне, в закрывающей лицо трикотажной шапочке, с пистолетной кобурой на поясе и с автоматом на правом плече. Юрген инстинктивно вжался в угол, уверенный, что это пришли за ним, чтобы арестовать и предъявить ему обвинение в убийстве Мазура. Там, в комнате, где погиб начальник охраны, осталось видимо-невидимо отпечатков его пальцев, а сказочка про какого-то старичка с кошелкой и пистолетом вряд ли будет хоть кем-то воспринята всерьез...

Лера, однако, отреагировала на появление вооруженного незнакомца иначе. Она прерывисто вздохнула, и по раздавшемуся характерному щелчку Юрген понял, что центральный замок разблокирован.

Валерия Алексеевна оказалась снаружи едва ли не раньше, чем Эрнст Карлович это осознал, а в следующее мгновение уже повисла у военного на шее. Не зная, как все это понимать, но не желая упускать случай хоть немного размять затекшие ноги, астролог нерешительно полез из машины.

Спецназовец между тем довольно бесцеремонно оттолкнул Леру, которая ни капельки не оскорбилась, и первым делом, распахнув заднюю дверь, бросил автомат на заднее сиденье.

— Господи! — ужаснулась Лера. — Ты зачем приволок эту железку?

— А что я должен был с ней сделать? — знакомым голосом раздраженно огрызнулся спецназовец. — Бросить кому-нибудь под ноги, повернуться и уйти? Слава богу, что удалось выбраться. Там такой ад кромешный, ты себе не представляешь.

Он содрал с головы трикотажную маску и оказался Жуковицким — взъерошенным, потным, очень злым, но именно Жуковицким, а не кем-то другим.

— А, и ты тут, — с непонятной, но явно неприветливой интонацией протянул он, увидев Юргена. — Надо же. А я-то думал, тебя по всему свету искать придется...

Он начал расстегивать широкий кожаный ремень с явным намерением прямо тут, на привокзальной площади, содрать с себя пятнистый маскировочный балахон. Паленой бумагой от него разило так, что это чувствовалось даже на открытом воздухе.

— Погоди, — настороженно произнесла Лера. — Все прошло удачно? Бумаги при тебе?

В ответ послышалась невнятная брань.

— Не понимаю, — женщина хмурила тонкие брови. — Что случилось?

Жуковицкий, который уже успел спустить комбинезон до пояса, резко обернулся к ней всем телом. Под комбинезоном на нем была надета насквозь пропотевшая спортивная майка с какой-то эмблемой на левой стороне груди, чуть повыше сердца.

— Кинули меня опять, вот что случилось! — прорычал он. — Как последнего лоха! Ну, ничего, я эту старую сволочь из-под земли достану. Он думает, со мной можно бесконечно шутки шутить? Я ему покажу шутки! Тварь носатая, пархатый жидяра!

Юргена укололо предчувствие какого-то крайне неприятного открытия.

— Этого не может быть, — с непонятным спокойствием произнесла Лера. — Ты просто что-то напутал.

— Я напутал? Я?! Там все горит, как в чертовом пекле. Два человека обгорели, а если б не успели оттащить, сгорели бы к чертовой матери заживо... Я напутал! Этот старый еврейский мудак просто решил от меня избавиться, а заодно замести следы!

— Этого не может быть, — все так же спокойно повторила Лера. — Потому что это не имеет смысла. Можешь мне поверить, никакой ловушки не было. Просто возникли какие-то непредвиденные обстоятельства.

— Например, пожар в подвале, доверху набитом бумагой, — саркастически подсказал Жуковицкий. — Короче, поехали отсюда, делать тут больше нечего. Если он меня не кинул, значит, сгорел к чертовой матери. Туда ему, старому пердуну, и дорога. За что боролся, на то и напоролся — заживо в пекло угодил. Считай, повезло — успеет привыкнуть...

— Погоди, — в третий раз повторила Лера. Голос у нее был деревянный, на губах блуждала растерянная улыбка, и Юрген вдруг понял, почему ее улыбка сегодня показалась ему такой знакомой, а поняв, похолодел. — Погоди, постой... Пожар? Как пожар? Почему? Что с папой?!

— Самый обыкновенный пожар, — прыгая на одной ноге и сдирая со второй штанину комбинезона, проворчал Жуковицкий и вдруг замер в неудобной позе, осознав смысл только что услышанной фразы. — С кем? Ты сказала — с папой?!

— Альберт Витальевич! — отчаянно пискнул Юрген. — Осторожнее! У нее пистолет! Я понял, кто она! Она...

Лера обернулась к нему плавным и в то же время стремительным движением охотящейся пантеры. Пистолет, никелированный дамский браунинг, вдруг очутился у нее в руке и поверх крыши «ситроена» коротко плюнул в Юргена огнем. Астролог еще падал, левой рукой хватаясь за воздух, а правой зажимая простреленное навылет горло, а Лера уже снова повернулась к Жуковицкому.

— Ах ты, сука, — изумленно, словно не веря себе, произнес Альберт Витальевич и метнулся к ремню с кобурой, который он, как на крючок, повесил на боковое зеркало автомобиля.

В тишине ночной привокзальной площади раздался новый выстрел, а за ним, сразу же, еще один. Первая пуля угодила в круглую, как «яблочко» мишени, эмблему на груди спортивной майки, вторая — в лоб, чуть выше и правее переносицы. Когда затылок Альберта Витальевича пришел в соприкосновение с асфальтом, послышался характерный треск, свидетельствовавший о переломе основания черепа, но Жуковицкий этого уже не почувствовал — он был мертв, как кочерга, и без этого перелома.

На площадь, разбрасывая во все стороны синие молнии проблескового маячка, на бешеной скорости влетел «уазик» патрульно-постовой службы. Повернув голову, Лера спокойно посмотрела на приближающуюся машину, а потом, медленно подняв на уровень глаз руку с пистолетом, дважды выстрелила в плоское ветровое стекло.

Убитый наповал водитель завалился набок, заставив машину опасно вильнуть. Ударившись о высокий бордюр, «уазик» подпрыгнул, оправдывая свое старинное прозвище «козел», остановился и заглох. Его дверцы распахнулись почти одновременно; Лера спокойно, как в тире, поймала на мушку бледное пятно лица, маячившее поверх черного милицейского бронежилета, и спустила курок. Выстрела не последовало — в обойме миниатюрного дамского пистолета кончились патроны. К сожалению, напуганные и обозленные таким радушным приемом менты не успели этого понять, а прогремевшая в ответ длинная автоматная очередь с невероятной, прямо-таки фантастической точностью легла в цель — вся целиком, до последней пули.

ГЛАВА 22

Федор Филиппович отыскал Глеба на окруженном густыми зарослями ивняка, безлюдном песчаном пляже. Неширокая подмосковная речка тихо несла свои желтоватые воды, мало-помалу подтачивая противоположный берег — невысокий, обрывистый, весь усеянный круглыми черными отверстиями гнезд. Стрижи черными молниями носились над водой, сокращая популяцию насекомых; в мелкой, прогретой солнцем воде у самого берега пугливыми стайками толклись мальки. Было жарко, и, ступив на желтый песок пляжа, генерал сразу же снял пиджак. Федор Филиппович огляделся, ища, куда бы его повесить, но кругом были только тонкие ивовые прутья, и генерал двинулся вперед, неся пиджак в руке и утопая туфлями в горячем, смешанном с сухими ивовыми листками песке.

Сиверов лежал на животе, подстелив под себя полотенце, и что-то читал. На песке перед ним белела открытая папка, полная каких-то густо исписанных листков; сбоку, поверх аккуратно сложенной одежды, виднелись пачка сигарет и зажигалка. На уже успевшей подрумяниться гладкой коже правого плеча розовел след недавнего ожога. Глеб казался с головой погруженным в чтение, но, когда тень Федора Филипповича упала на его голые ноги, он, не оборачиваясь, сказал:

— «Дезерт Игл».

— Что? — не понял Потапчук.

— «Орел пустыни». Так назывался этот его чертов пистолет.

Генерал снова поискал, куда бы пристроить пиджак, и, по-прежнему не найдя ничего подходящего, бережно опустил его на песок.

— Раздевайтесь, Федор Филиппович, — повернувшись на бок и подперев голову рукой, предложил Сиверов. — Погодка какая — загляденье! Искупаемся?

— Делать мне больше нечего, — проворчал генерал, но тут же, не устояв перед искушением, потащил с шеи опостылевший галстук. — Я не купаться сюда приехал, — продолжал он, заталкивая галстук в карман брюк и расстегивая пуговицы на рубашке. — И вообще, неужели для разговора не нашлось другого места?

— Большинство других мест расположено под крышей, — сообщил Глеб. — А я, честно говоря, чертовски соскучился по свежему воздуху. Да и вам, товарищ генерал, он тоже не повредит.

Федор Филиппович снова огляделся. Вокруг стояла тишина, нарушаемая только писком стрижей, чуть слышным плеском воды у противоположного крутого берега да долетающим со стороны заливного луга несмолкающим стрекотанием кузнечиков. Покосившись на едва поблескивающий сквозь густую завесу серебристых и бледно-зеленых ивовых листьев черный лаковый борт генеральского «мерседеса», Потапчук решительно потащил с плеч рубашку.

— Что почитываешь? — поинтересовался он, расстегивая брючный ремень. — Это, случаем, не?..

— Ну что вы! — откликнулся Сиверов. — Ни в коем разе. Признаться, Нострадамусом я уже сыт по горло и даже выше. Слуга покорный! Кроме того, я ни черта не смыслю во французском, да и папка, между нами, сгорела.

— А это?

— Просто не смог удержаться, — признался Глеб. — Там, на месте, не дали дочитать, вот я и подумал: возьму с собой, полистаю на досуге. Любопытная вещица! Получается, что в шестьдесят втором году в Вологодской области действительно приземлялись инопланетяне! И, судя по тому, как составлены вот эти бумаги, — он кивнул в сторону раскрытой папки, — это был далеко не первый случай. По крайней мере, тех, кто проводил допросы, этот факт ни капельки не удивил.

— Наших обормотов ничем не удивишь, — проворчал Федор Филиппович, вылезая из брюк. — Это, брат, распространенная жизненная позиция: вообще ничему не удивляться. И свидетельствует она, увы, вовсе не о богатом жизненном опыте, как полагают ее носители, а лишь о косности мышления и отсутствии настоящего интереса к жизни.

— Чеканная формулировка, — сказал Сиверов. Он снова повернулся на живот, закрыл папку, положил на нее кулаки, а сверху пристроил подбородок. — Как там наш Иван Яковлевич?

— А что ему сделается? — ответил Потапчук, осторожно укладываясь на горячий песок. Он немного повозился, доставая из-под живота колкий, похожий на сморщенный стручок перца, свернутый в трубочку, хрупкий ивовый листок. — Как всегда, цветет и пахнет.

— Да? — неопределенным тоном переспросил Глеб. — А я думал, у него на меня зуб.

— Ну, в какой-то степени... Он считает, что гибели архива можно было избежать, если бы ты своевременно поделился с ним своими подозрениями.

— Это выглядело бы довольно странно, — сказал Глеб. — Подозревал-то я его!

— Я тоже, — признался Потапчук. — Особенно после того телефонного разговора с Жуковицким, когда собеседник через слово называл нашего господина депутата сынком.

— Да, — сказал Глеб, — старичок был непростой. Все предусмотрел, даже возможность прослушивания, и избрал самый простой способ перевести стрелки на собственного начальника.

— Пятьдесят лет в органах, — сказал Федор Филиппович. — Это не шутка. Он ведь не все эти годы просидел в подвале, перебирая бумажки, далеко не все. Опыт у него был богатейший, ум, интуиция — дай бог всякому...

— Что же это его на старости лет бес попутал? — удивился Глеб. — Я понимаю, всю жизнь сидеть на несметных богатствах и даже пальцем к ним не прикоснуться — это не всякий выдержит. Особенно в последние два десятилетия, когда все кругом только и делали, что хапали все подряд, до чего могли дотянуться. Ну, и продавал бы потихонечку свои архивы! Вот на что, скажите вы мне, такому старикану пятьдесят миллионов? На молоденьких потянуло? По курортам решил прошвырнуться? Так на все это ему хватило бы и одного миллиона. С головой хватило бы, до конца жизни.

— Тут все немного сложнее, — задумчиво произнес генерал, глядя на воду. — Я уж не говорю о том, что чужая душа — потемки... Но, во-первых, папочками своими, и не только ими, он таки приторговывал — изредка, очень осторожно... Тут ко мне на днях прибежал твой любимый Иван Яковлевич — весь в пене и аж дымится. Ты, говорит, телевизор смотришь? Полюбуйся, говорит, какой мы привет получили от этого старого поганца! По документальному каналу шло, в дневном эфире... И протягивает мне видеокассету. А на кассете американский научно-популярный фильм — научно-популярный, естественно, в американском понимании данного термина. Посвящен проблеме НЛО. И в этом американском фильме — наша, советская хроника из архива КГБ. Зима, солдатики в шинельках, какой-то дядя в пальто и пыжиковой шапке, про которого эти американские умники так прямо и говорят, что это, скорее всего, сотрудник КГБ, руководящий осмотром места крушения инопланетного летательного аппарата. Ну, там, новые технологии, превосходство в гонке вооружений и тому подобная шелуха времен холодной войны. И, как бы между делом, такое заявление: мол, в годы перестройки нашим специалистам удалось вывезти этот засекреченный фильм на Запад. Специалисты... Слово-то какое подобрали — специалисты! Вывезти им удалось... Можно подумать, коробка с лентой на улице валялась, а они ее подобрали, спасли, пока толпы жаждущих демократии совков это сокровище не растоптали. Сказали бы уж прямо: выкрали. Точнее, купили краденое и протащили через таможню...

— Они ведь так и сказали: удалось вывезти, — заметил Глеб. — А насчет краденого — ну, кто ж вам признается? Да и к чему им старое ворошить? Ну, специалисты, ну, вывезли... Согласитесь, с точки зрения массового зрителя на фоне летающих тарелочек все эти нюансы как-то блекнут.

— Но Иван-то Яковлевич — не массовый зритель! Как, к слову, и твой покорный слуга. Короче говоря, этот твой Фишман был та еще штучка, и заработать себе немножко мелочи на карманные расходы не забывал никогда.

— Да уж, — сказал Глеб. — Выходит, начальника своего, генерала Викулова, он пристрелил вовсе не за то, что тот хотел продать на сторону какие-то архивные документы. Возможно, тут имела место, так сказать, здоровая конкуренция. Но подозреваю, что на самом деле генерал его попросту раскусил и именно за это съел пулю.

— Не исключено, — согласился Федор Филиппович. — Но это, Глеб Петрович, уже домыслы, проверке не поддающиеся. Однако я отвлекся. Ты спросил, зачем такому старику пятьдесят миллионов американских рублей. Отвечаю: чтобы обеспечить будущее любимой дочери. Чадолюбие — одна из наиболее ярко выраженных черт еврейского национального характера. Я это без иронии говорю, просто так оно и есть.

— У этого упыря была дочь?! — поразился Глеб.

— В некотором роде.

— То есть как это — в некотором роде?

— Жена ушла от него, когда дочери было что-то около года. Сбежала к какому-то летчику, командиру полка. Комполка был со связями, метрику девочке переписали — была Валентина Ефимовна Фишман, а стала, по отчиму, Валерия Алексеевна Орлова.

— Ах, Валерия Алексеевна!

— Вот-вот. Молодец. Быстро соображаешь. Словом, не знаю, счастливо они жили или нет, но факт, что недолго. Этому Орлову надо было знать, у кого жену уводить. Двух лет не прошло, как он разбился во время тренировочного полета. Свежеиспеченной вдове сообщили об этом по телефону, она схватила такси и помчалась на аэродром. Такси на повороте столкнулось с грузовиком, пассажирка погибла на месте, а водитель скончался в больнице, не приходя в сознание. Такая вот трагическая история.

— Вот так книжный червь!

— Дочку Фишман разыскал и забрал к себе. Сам воспитывал, заплетал косички, отводил за ручку сначала в детский сад, потом в школу. Кружевные воротнички к платьицам пришивал, кашки варил — ну, все, как полагается. Лет с двенадцати стал учить ее стрелять и, между прочим, научил неплохо — в восемнадцать она уже была чемпионкой России по пулевой стрельбе.

— Это чувствуется, — вставил Глеб. — Там, на вокзале, она ведь ни разу не промазала.

— Вот именно. А браунинг этот, кстати, ей папаша как раз тогда и подарил — в честь достижения совершеннолетия и получения чемпионского титула. В общем, жили неплохо, девочка получилась, что называется, удачная, только вот личная жизнь у нее не складывалась — надо полагать, слишком была умна и независима, мужикам с такими трудно. В свое время увлеклась астрологией — помнишь, было такое поветрие? Прогнозы ей составлял небезызвестный Юрген, и именно он наболтал ей о недостающей части «Центурий» и якобы описанном там уникальном методе вычислений, которым пользовался Нострадамус. Потом папа Фишман наткнулся в груде списанных документов на знакомую тебе папку, потом Лера познакомилась с Жуковицким... В общем, все одно к одному.

— Занятная история, — сказал Глеб. — Я только не понимаю, зачем старик, уже получив свои пятьдесят миллионов, все-таки пытался вернуть Жуковицкому ту часть бумаг, которую я подменил?

— Но это же элементарно! Ей-богу, ты меня удивляешь... У Леры с Жуковицким все складывалось очень неплохо, и Фишман действительно хотел обеспечить ему блестящее будущее — вплоть до мирового господства, сам понимаешь. Потому что быть женой или хотя бы наложницей такого человека, как ни крути, лучше, чем оставаться тренером в стрелковом клубе.

— А пятьдесят миллионов — обеспечение на случай, если Алик ее бросит, — догадался Глеб. — Да уж, чадолюбие у него действительно было развито очень сильно...

— Даже сильнее, чем надо, — согласился генерал. — А хорошо все-таки, что эта история уже кончилась! — с внезапно прорвавшимся чувством воскликнул он.

— Уж куда лучше, — поддержал его Сиверов. — Уж кому-кому, а мне вы можете не рассказывать, насколько это хорошо!

— Жаль, что документы сгорели, — сказал Потапчук.

Прозвучавшая в голосе Федора Филипповича вкрадчивая интонация заставила Глеба повернуть голову и внимательно всмотреться в его лицо.

— Папка с «Центуриями» действительно сгорела, — сказал он с расстановкой. — И мне ее нисколечко не жаль. На кой черт это надо — знать будущее? Такое знание, в конечном итоге, всегда сводится к одному — знать день и час собственной смерти. Кому это понравится? У кого хватит мужества после этого жить?

— Я бы попробовал, — задумчиво сказал генерал. — Четко обозначенные сроки помогают правильно рассчитать силы, определить главное и отбросить второстепенное... Так что я бы, наверное, попробовал.

— Это вам только так кажется, — заявил Слепой. — На самом-то деле вы все равно жили бы, как живется, и только мучились бы, ведя обратный отсчет оставшимся дням. И вообще, о чем мы спорим? Бумаги сгорели, пепел залит бетоном, метода Нострадамуса больше нет.

— Ну и черт с ним, — сказал Федор Филиппович и сел. — Ты купаться идешь?

— Я еще немного почитаю, — отказался Глеб.

— Ну, как хочешь. Главное, папочку потом уничтожить не забудь.

— Непременно, — заверил его Сиверов. — Я ведь, как-никак, Библиотекарь.

Федор Филиппович покачал головой, глянул на воду, оглянулся туда, где скучал в ожидании начальства разморенный жарой водитель, а потом вдруг махнул рукой и с разбега, как мальчишка, плюхнулся в речку, подняв целую тучу брызг.

* * *

С утра небо над поселком Шарово хмурилось, обещая дождь, но уже к восьми часам тучи как-то незаметно разошлись, горизонт очистился, и июльский день засиял во всей своей первозданной красе. Шагая на работу по пыльной немощеной улице, директор местного краеведческого музея Андрей Андреевич Зарядьев про себя отметил это обстоятельство как несомненно положительное: дней у него в запасе осталось немного, каждый из них теперь был на вес золота, поскольку мог оказаться последним, и было бы просто по-человечески жаль упустить случай лишний раз насладиться хорошей погодой.

Алюминиевая трость оставляла в пыли круглые следы; встречая знакомых, к числу которых относилось все население поселка Шарово поголовно, без единого исключения, старик вежливо, на старинный манер, кланялся им, приподнимая над головой ветхую соломенную шляпу. С ним приветливо здоровались и кланялись в ответ; Андрей Андреевич не без оснований подозревал, что за спиной у него многие посмеиваются и крутят пальцем у виска, но это его уже давно не огорчало. Старики всегда кажутся молодежи нелепыми и смешными; существование их бессмысленно, а дела, если таковые имеются, бесполезны и никому, кроме них, не нужны. Пользы от этих дел никакой — ни окружающим, ни им самим, — а раз так, то сидели бы тихонечко по домам, смотрели телевизор или, вон, на речку бы с удочкой пошли... И того они, молодые, здоровые, не понимают, что старики живы, пока есть за что держаться — вот это самое, никому не нужное, бессмысленное, бесполезное, никчемное дело... или хотя бы видимость дела.

И потом, кто это сказал, что краеведческий музей никому не нужен? Кому-то история родных мест неинтересна, а кому-то интересна, и даже очень. Не век же здешняя земля будет рождать одних лишь алкоголиков, для которых весь смысл существования сводится к глотку дешевого вина! Упадет же в нее когда-нибудь здоровое семя, взойдет новая, молодая поросль, и захочется ей узнать, что было раньше, где ее корни, почему мир устроен так, а не иначе... И что вы, умные да практичные, им ответите? А ответы — вот они, ждут того, кому они понадобятся...

Немного высокопарные, но при этом совершенно искренние размышления Андрея Андреевича были грубо прерваны появлением на горизонте местного алкоголика Сереги Мурзина. Притом, что в поселке Шарово. слова «местный» и «алкоголик» в подавляющем большинстве случаев давно уже являлись синонимами, Серега выделялся даже на фоне своих земляков. Нет, не количеством спиртного, которое мог употребить за раз, и не пьяными драками, до которых в Шарово хватало охотников и без него, а своей страстью к задушевным разговорам. В ходе этих самых разговоров нес он, как правило, отборную чушь, так что у собеседников уши вяли, и лип, как смола — так, что без крови не отдерешь.

Андрей Андреевич чаще всех остальных обитателей Шарово становился жертвой пьяных излияний (которые неизменно следовали за возлияниями), поскольку был мягок, хорошо воспитан и не мог поэтому просто так, за здорово живешь, послать человека куда подальше — «вдоль забора», как говорили у них в поселке. Тем более, когда человек подходил к нему, что называется, со всей душой...

Словом, увидев спешащего ему наперерез Серегу, Зарядьев затравленно огляделся, ища, в какую бы щель юркнуть. Но отступать было некуда, и он, покорившись судьбе, продолжил следование прежним курсом.

Серега остановил его окликом: «Здорово, Андреич!» Но дальше все пошло не по обычному сценарию, чему Зарядьев был немало удивлен.

Для начала оказалось, что Мурзин трезв — не как стекло, конечно, и с доброго похмелья, но все-таки более или менее. Правда, излить «Андреичу» душу он не преминул, но излияние это на сей раз получилось вполне связным и несло в себе кое-какую любопытную информацию.

Дело же было в следующем. Минувшей ночью проснувшийся под чужим забором от ночного холодка Серега Мурзин решил, что уже достаточно насладился единением с природой, свежим воздухом и прочими прелестями ночевки под открытым небом (включая и комаров, разумеется) и что пора двигать домой. Сориентировавшись в пространстве, он зашагал в избранном направлении, выписывая непослушными ногами замысловатые крендели. Проходя мимо музея, он решил, что настало самое время отлить, с каковой целью и пристроился к кусту сирени около калитки.

Серега рассказал об этом без тени смущения, поскольку был человеком простодушным и любил, помимо всего прочего, щегольнуть подслушанной где-то фразой «Что естественно, то не безобразно». Посему в своем намерении помочиться под сиреневый куст у самого входа в храм культуры он не видел ровным счетом ничего предосудительного и делал это неоднократно — не по злому умыслу, а просто потому, что дорога от магазина к его дому пролегала как раз мимо музея, а хозяева расположенных вдоль этой дороги частных подворий почему-то не приветствовали практикуемый Серегой способ полива зеленых насаждений.

Короче говоря, только Мурзин расстегнул «молнию» на брюках, как вдруг, словно из-под земли, появился какой-то незнакомый тип и для начала, не говоря худого слова, засветил Сереге в глаз. Да так, что у того разом пропало желание, которое привело его в музейный палисадник...

«Видал?» — обиженно, как будто Андрей Андреевич был каким-то образом повинен в постигшем его несчастье, вопросил Мурзин, поворачивая к Зарядьеву левую половину лица, которую до этого старательно прятал.

Эта половина была заметно больше правой, а цветом напоминала спелую сливу, из чего следовало, что рука у незнакомца тяжелая. Но главное было не в этом, а в словах, которыми сопровождалось данное противоправное действие.

— Если, говорит, я тебя, говнюка, еще раз за этим делом поймаю, — жалобным голосом рассказывал Серега, — краник твой, говорит, откручу и собакам скормлю.

После этого, по словам Мурзина, незнакомец сел в машину и укатил. Машина была дорогая, иностранная — Серега таких сроду не видал и марку определить, естественно, не смог. Зато номер успел разглядеть, и он был московский. Цифры Серега, ясное дело, не запомнил, не то непременно отыскал бы этого ловкача и подал бы на него в суд, а то и просто пересчитал бы ребра...

С этого места информативная часть кончилась, и пошла обычная чушь — похвальбы, угрозы и тому подобное. Чтобы отвязаться от Мурзина, Андрей Андреевич был вынужден дать ему денег на бутылку вина, и тот, выкрикивая бессвязные слова благодарности, умчался в сторону магазина.

Зарядьев продолжил путь в дурном настроении. Кем-кем, а столичными гостями он уже был сыт по горло. Именно после визита одного из них — Андрей Андреевич, увы, не знал, которого именно, — он обнаружил, что главное и совершенно бесценное сокровище музея, личный дневник придворного астролога Петра Первого похищен, а вместо него в витрине лежит небрежно выполненный муляж. Боже, какой это был удар! В тот момент Зарядьев вспомнил и настойчивые предложения областного и даже Петербургского музеев передать дневник им, и даже неуклюжую попытку заезжего члена ассоциации авестийской астрологии купить драгоценный документ, как будто это было ведро картошки или бутылка водки. Лучше уж было продать!

И вот теперь возле музея опять замечена машина с московскими номерами. Ночью. Каково?! Что им еще понадобилось, этим негодяям, посмевшим ограбить культурное учреждение, которое и без того едва сводит концы с концами? Они, видите ли, не дали Мурзину помочиться под куст... Ах, как это благородно! Надо полагать, он им просто мешал, вот его и прогнали...

Мучимый тревожными мыслями, Андрей Андреевич все ускорял шаг, так что под конец дороги он уже почти бежал, несмотря на свой почтенный возраст. Добравшись до музея, он первым делом проверил все двери и окна и, не обнаружив явных следов взлома, немного успокоился. Внутри тоже все было на месте, и даже бивень мамонта, к которому, помнится, так пристально приглядывался подозрительный незнакомец в темных очках и после отъезда которого Андрей Андреевич и обнаружил пропажу дневника, выглядел нетронутым.

Один за другим придирчиво осматривая экспонаты, Зарядьев, наконец, добрался до витрины, где когда-то хранился дневник Бюргермайера, а теперь лежала жалкая подделка. Смотреть на нее ему не хотелось, но он заставил себя взглянуть — просто для порядка, чтобы ничего не пропустить.

И увидел, что с муляжом дневника что-то не так. Он как будто состарился за эту ночь, а на форзаце и титульном листе появились продольные складки, словно кто-то сворачивал толстенькую тетрадь в тугую трубку, безжалостно ломая обтянутый кожей плотный картон обложки.

Не понимая, что это, собственно, должно означать, Андрей Андреевич дрожащими от волнения и ярости руками вскрыл витрину и взял муляж в руки.

Кончики пальцев ощутили нежное прикосновение отлакированной временем шелковистой телячьей кожи и нашептали Зарядьеву истину раньше, чем ее смогли заметить его старые глаза: это был вовсе не муляж.

Не веря себе, с колотящимся сердцем, он перевернул страницу. О, счастье! Вместо пустых строчек никчемного ежедневника он увидел все ту же пожелтевшую от старости, густо исписанную порыжелыми чернилами бумагу. А вот и знакомая клякса, и оторванный уголок страницы...

Это действительно был дневник Бюргермайера, таинственно исчезнувший из музея месяц назад и еще более таинственно туда вернувшийся, и Андрей Андреевич безо всякой экспертизы видел, что в руках у него не копия, а самый что ни на есть оригинал...

Позже, попивая чаек в своем тесном кабинетике и время от времени бросая восторженные взгляды на принесенный снизу дневник, Андрей Андреевич долго ломал голову над этим происшествием. И, сколько он ни думал, сколько ни гадал, получалось все время одно и то же: раз дневник вернули тайно, значит, это сделал похититель. А почему — кто знает? Может быть, в нем заговорила совесть?

Другого объяснения Андрей Андреевич так и не нашел. И это единственное объяснение служило блестящим доказательством того, что Зарядьев подозревал с момента, когда впервые в жизни взял дневник в руки: эта старая кожаная тетрадь, при всей ее невзрачности, была наделена некой мистической силой, способной пробудить лучшие чувства даже в таком никчемном, с точки зрения Андрея Андреевича, человеке, как профессиональный грабитель музеев.

...Глеб Сиверов гнал машину на запад, в сторону Москвы. Костяшки пальцев на правой руке у него слегка припухли и неприятно ныли, но, наматывая километры на карданный вал, Слепой улыбался: он пытался представить, что скажет, а главное, подумает этот забавный старикан, директор музея, когда после дневника Бюргермайера обнаружит в ящике своего письменного стола папку со считавшейся утраченной заключительной частью «Центурий» Нострадамуса. Правда, в рукописи недоставало одной главы, но Глеб полагал, что старик по этому поводу переживать не станет: то, о чем не знаешь, не может служить поводом для огорчения.

Литературно-художественное издание

Воронин Андрей Николаевич

СЛЕПОЙ.
МЕТОД НОСТРАДАМУСА

РОМАН

Ответственный за выпуск *М. В. Адамчик*

Подписано в печать с готовых диапозитивов заказчика 08.09.2008.
Формат 84×108^1/$_{32}$. Бумага газетная. Печать офсетная.
Усл. печ. л. 16,8. Тираж 14 000 экз. Заказ 2485.

Издательский кооператив «Современный литератор».
Лицензия № 02330/0133053 от 30.04.2004.
Республика Беларусь, 220029, Минск, ул. Киселева, д. 47, к. 4.

Издано при участии ООО «Харвест». ЛИ № 02330/0150205 от 30.04.2004.
Республика Беларусь, 220013, Минск, ул. Кульман, д. 1, корп. 3, эт. 4, к. 42.
E-mail редакции: harvest@anitex.by

Республиканское унитарное предприятие
«Издательство «Белорусский Дом печати».
Республика Беларусь, 220013, Минск, пр. Независимости, 79.